ÉVOLUTION ET
DE LA LANGUE FRANÇAISE

PAR

W. v. WARTBURG

PROFESSEUR À L'UNIVERSITÉ DE BÂLE

DIXIÈME ÉDITION

EDITIONS A. FRANCKE S.A. BERNE

Dixième édition 1971

ISBN 3-7720-0909-3

PRÉFACE

Ce livre ne veut remplacer aucune des grammaires historiques que d'éminents maîtres nous ont données. Nous le destinons aux gens cultivés qui voudraient s'informer sur les grandes lignes de l'évolution de la langue française sans s'égarer dans les broussailles d'une terminologie spéciale. Il voudrait aider à familiariser tous les amis de cette langue avec son évolution deux fois millénaire et tracer quelques-unes des grandes lignes qui la caractérisent à ses différentes étapes. C'est déjà dire que les détails ne sont jamais exposés pour eux-mêmes, mais qu'ils servent seulement à caractériser une époque de la langue.

Nous avons insisté particulièrement sur les rapports entre l'évolution morale, politique, sociale, littéraire de la nation et les tendances générales qui régissent la vie de la langue française; mais nous n'avons jamais perdu de vue notre principal sujet et nous avons eu soin de ne pas laisser oublier que la langue obéit aussi à ses propres tendances et que ses phénomènes portent leur explication avant tout en eux-mêmes.

Quoique notre livre ne soit pas un manuel, nous croyons cependant qu'il pourra être utile aussi à l'étudiant. Nous espérons que celui-ci y trouvera le moyen de grouper les innombrables détails dont il doit charger sa mémoire.

Nous avons disposé le livre en sept chapitres alternativement descriptifs et historiques. Le premier décrit le latin du Bas-Empire et les éléments qu'il avait hérités des langues prélatines; le troisième caractérise l'ancien français; le cinquième donne une esquisse de la langue au seizième siècle et des répercussions qu'a eues sur elle l'éveil de l'esprit moderne; le septième cherche à définir les grands traits du français actuel. Les chapitres deux, quatre et six, en revanche, sont nettement historiques; ils caractérisent les mouvements qui ont fait de la langue de Virgile celle de Gustave Flaubert.

Un pareil livre doit éviter, de parti pris, les discussions. Il veut présenter, non pas démontrer. Les faits sont pour la plupart connus depuis longtemps. On les trouvera exposés dans les livres indiqués dans la bibliographie. Nous y avons mêlé un certain nombre de vues nouvelles et d'idées personnelles. Mais elles se trouvent pêle-mêle avec des faits bien connus et des idées empruntées à d'autres auteurs. Le rythme du livre ne nous permettait pas d'introduire les distinctions qui eussent été de rigueur dans un livre de recherches.

Nous avons le grand plaisir de remercier ici M. E. Susini qui a bien voulu s'occuper de la révision du style, M. Frank Olivier qui a lu les épreuves et qui nous a fait mainte observation utile, enfin M. W. Hering qui a dressé l'index.

PRÉFACE DE LA 2e ÉDITION

La nouvelle édition de ce livre a profité des comptes-rendus de la première édition publiés par plusieurs savants. Les désirs qui nous ont été exprimés pour une réédition sont si nombreux que, pour les satisfaire, il aurait fallu doubler ou tripler le volume. Mais la nécessité de maintenir un prix accessible et de ne pas détruire l'équilibre entre les différentes parties nous a empêché d'apporter de trop grands changements. Toutefois nous avons ajouté un chapitre, dont l'absence dans la première édition a été regrettée particulièrement, une étude, très succincte, de la langue française au 19e siècle. Nous remercions M. Simon d'avoir bien voulu s'occuper d'une révision du style.

PRÉFACE DE LA 3e ÉDITION

Depuis assez longtemps ce livre n'était plus en vente; les derniers exemplaires avaient flambé dans l'incendie de la maison Teubner en 1943. Toute communication entre Leipzig et les pays occidentaux étant interrompue, nous nous sommes mis en rapport avec la maison A. Francke, qui a bien voulu se charger de cette réédition.

Le livre a été révisé soigneusement, surtout dans certains passages où la brièveté de l'expression avait laissé subsister l'équivoque. En outre d'assez nombreuses corrections et additions ont été effectuées à travers tout le livre. Nous remercions M. André Desponds du secours qu'il nous a prêté pour la révision du texte.

PRÉFACE DE LA 5e ÉDITION

La cinquième édition a été révisée et légèrement augmentée en divers endroits, sans que, toutefois, la disposition générale du livre ait été modifiée. Aujourd'hui que la fusion de la linguistique diachronique et de la linguistique synchronique sur un plan supérieur, préconisée par nous depuis un quart de siècle, est devenue, dans une large mesure, une réalité, la conception de notre livre peut paraître mieux justifiée que jamais.

M. A. Audubert a eu la grande amabilité de faire la révision du style, tant des nouvelles que des anciennes parties; nous l'en remercions bien vivement. Nous lui sommes aussi reconnaissant, ainsi qu'à Mlle. Marguerite Hoffert, d'avoir lu les épreuves avec nous.

ABRÉVIATIONS

abl. = ablatif
acc. = accusatif
adj. = adjectif
afr. = ancien français
ags. = anglo-saxon
all. = allemand
andal. = andalou
angl. = anglais
ant. = antérieur
apr. = ancien provençal
ar. = arabe
aroum. = ancien roumain
art. = article
aux. = auxiliaire
blt. = bas-latin, latin tel qu'on l'écrivait au moyen âge
bourg. = bourguignon
class. = classique
cmp. = comparez
cond. = conditionnel
dat. = datif
dauph. = dauphinois
déf. = défini
dém. = démonstratif
dép. = département
dér. = dérivé(e)
dét. = déterminatif
esp. = espagnol
ex. = exemple
fém. = féminin
fr. = français
frcomt. = franc-comtois
frm. = français moderne
frpr. = franco-provençal
fut. = futur
gaul. = gaulois
gén. = génitif
germ. = germanique
gr. = grec
id. = idem, même signification, etc.
subst. = substantif
suff. = suffixe
vnor. = vieux-norois
w. = wallon
imp. = impératif
impf. = imparfait
ind. = indicatif
indéf. = indéfini
inf. = infinitif
irl. = irlandais
it. = italien
lang. = languedocien
lorr. = lorrain
lt. = latin
lyon. = lyonnais
masc. = masculin
mfr. = moyen français
mod. = moderne
nom. = nominatif
nor. = norois
p. = passé
part. = participe
pers. = personne
p. ex. = par exemple
pg. = portugais
pic. = picard
plur. = pluriel
plusqpf. = plus-que-parfait
poit. = poitevin
poss. = possessif
p. p. = participe passé
p. pr. = participe présent
pr. = provençal
prép. = préposition
prés. = présent
pron. = pronom
prov. = provençal
réfl. = réfléchi
rel. = relatif
rhét. = rhétoroman
roum. = roumain
s. = siècle
sic. = sicilien
sing. = singulier
subj. = subjonctif
Z = Zeitschrift für romanische Philologie, Halle a. S., 1877 ss.

BIBLIOGRAPHIE

Cette petite liste réunit quelques ouvrages dont la lecture est recommandée à ceux qui désirent des informations plus détaillées sur les questions traitées dans notre livre. Il va sans dire que nous n'adoptons pas toutes les opinions qui sont exprimées dans ces ouvrages, surtout dans ceux qui ne se contentent pas d'exposer les faits, mais une discussion sortirait du cadre de notre livre.

Grammaire historique et histoire de la langue

Brunot, F., Histoire de la langue française; Paris, A. Colin, 1913 ss. (En cours de publication; ont paru les vol. 1–12).

Brunot, F., La langue française de 1815 à nos jours (= Histoire de la langue et de la littérature françaises des origines à 1900, publiée sous la direction de L. Petit de Juleville, t. VIII, p. 704 à 884; Paris 1899).

Brunot, F. et Bruneau, Ch., Précis de grammaire historique de la langue française; 3e éd.; Paris, Masson & Cie, 1949.

Lerch, E., Historische französische Syntax; Leipzig, Reisland, 1925 ss. (trois vol. de parus).

Gamillscheg, E., Historische Syntax der französischen Sprache; Tübingen, M. Niemeyer, 1957.

Meyer-Lübke, W., Historische Grammatik der französischen Sprache; Heidelberg, Winter, 1913–1921.

Sneyders de Vogel, K., Syntaxe historique du français; 2e éd.; Groningue, 1927.

Vossler, K., Frankreichs Kultur und Sprache; 2. Aufl.; Heidelberg, Winter, 1929.

Bourciez, Ed., Eléments de linguistique romane; 4e éd.; Paris, C. Klincksieck, 1946.

v. Wartburg, W., Die Entstehung der romanischen Völker; 2. Aufl., Tübingen, Niemeyer, 1951. (Traduit en français sous le titre «Les Origines des peuples romans»; Paris, Presses Universitaires de France, 1941.)

Grammaire descriptive

Bally, Ch., Linguistique générale et linguistique française; 2e éd.; Berne, A. Francke, 1944.

Brunot, F., La pensée et la langue; 3e éd.; Paris, Masson & Cie., 1936.

Foulet, L., Petite syntaxe de l'ancien français; 3e éd.; Paris, Champion, 1930.

Le Bidois, Georges et Robert, Syntaxe du français moderne, ses fondements historiques et psychologiques; 2 tomes; Paris 1935–1938.

Damourette, J. et Pichon, Ed., Essai de grammaire de la langue française. 6 tomes. Paris 1911–1936.

Sandfeld, Kr., Syntaxe du français contemporain. 3 vol.; Kopenhagen 1928 à 1943.

Gougenheim, G., Système grammatical de la langue française; Paris 1939.

De Boer, C., Syntaxe du Français moderne; 2e éd.; Leiden 1954.

v. Wartburg, W. et Zumthor, P., Précis de syntaxe du français contemporain; 2e éd.; Berne 1958.

Grevisse, M., Le bon usage; 4e éd.; Gembloux-Paris 1949.

Stylistique et Sémantique

LANSON, G., L'art de la prose; Paris, Payot, s. d. (1908).
SPITZER, L., Stilstudien; München, Hueber, 1928. 2 vol.
ULLMANN, S., Précis de sémantique française; Berne 1952.

Dictionnaires étymologiques

BLOCH, O. et v. WARTBURG, W., Dictionnaire étymologique de la langue française; 4e éd.; Paris, Les Presses Universitaires, 1964.
GAMILLSCHEG, E., Etymologisches Wörterbuch der französischen Sprache; Heidelberg 1928.
v. WARTBURG, W., Französisches Etymologisches Wörterbuch; eine Darstellung des galloromanischen Sprachschatzes; Vol. I, II, 1re partie, III, et Annexe bibliographique, Tübingen, J. C. B. Mohr (Paul Siebeck), 1949 (reproduction photographique des parties publiées avant 1941); Vol. II, 2e partie, IV, V, VII, VIII, IX, X, XI, XII, XIV, XVI, Basel, R. G. Zbinden, 1943 ss.; pour la France et la Belgique Librairie des Méridiens, Klincksieck & Cie, Paris VIe, 119, Boulevard Saint-Germain. (En cours de publication; comptera 25 vol.; comprend aussi tous les dialectes et range les mots dans leur ordre généalogique. Ont paru les lettres A, B, C, D, E, F, G, H, I, J, L, N, O, P, R, S, U, V, Z; sont en cours de publication M et T, ainsi que la partie comprenant les mots d'origine germanique).

Dictionnaires descriptifs

GODEFROY, F., Dictionnaire de l'ancienne langue française; 10 vol.; Paris 1880–1902.
NOUVEAU LAROUSSE UNIVERSEL; 2 vol., Paris 1948–1949.
GRAND LAROUSSE ENCYCLOPÉDIQUE; 10 vol., Paris 1960–1964.
DICTIONNAIRE DE L'ACADÉMIE FRANÇAISE. 8e éd.; 2 vol.; Paris, Hachette, 1932–1935.
LITTRÉ, E., Dictionnaire de la langue française; 4 vol.; Paris 1873. – Supplément; Paris 1877.
ROBERT, P., Dictionnaire alphabétique et analogique de la langue française; Paris, Presses Universitaires 1951–1964 (précieux surtout pour les citations tirées d'auteurs du XIXe et du XXe siècle).
TOBLER-LOMMATZSCH, Altfranzösisches Wörterbuch; Wiesbaden, Franz Steiner Verlag 1925 ss. (En cours de publication; ont paru les lettres A–M.)

I. LES ORIGINES DE LA LANGUE FRANÇAISE

1. LE POINT DE DÉPART

L'indo-européen

Le français appartient à la grande famille des langues indo-européennes. Ces langues, dont on a établi l'étroite parenté au commencement du XIXe siècle, représentent les formes modernes d'un seul et même idiome. L'allemand, le russe, le portugais, le persan, l'arménien, etc. en sont tous sortis à la suite de lentes modifications apportées par le temps. Il y a un peu plus de 3000 ans, les peuples de langue indo-européenne se sont ébranlés pour conquérir le monde. On peut dire, bien que la lutte dure encore, qu'ils y ont assez bien réussi; car sous ses différentes formes l'indo-européen est aujourd'hui prédominant: il n'y a guère que le japonais, le chinois, l'arabe, le turc et le hongrois qui subsistent à ses côtés et qui soient devenus des langues de civilisation. Ces peuples ont donc fait preuve d'une énergie et d'une vitalité particulières. Cette vitalité ne se manifeste pas seulement par la force des armes, mais aussi par une capacité singulière d'assimiler les populations soumises. Presque partout les tribus indo-européennes ont trouvé des indigènes qu'elles n'ont pas tous exterminés, mais qu'elles ont réduits en esclavage. Et presque partout ceux-ci ont fini par adopter la langue de leurs nouveaux maîtres. Par contre la langue et la civilisation des conquérants ont bénéficié de tout ce que les peuples assimilés pouvaient offrir. Dans chacun des nouveaux pays occupés par ces tribus d'aristocrates, le type de civilisation indo-européen a donc pris un esprit propre; la langue qui servait d'organe à cette civilisation a produit des types nouveaux très différents les uns des autres, tout en gardant un fonds commun. Ainsi l'indo-européen est particulièrement remarquable par sa souplesse et par son individualisme. Ces deux qualités se manifestent notamment dans toutes les époques de grande crise. Tous les bouleversements, toutes les grandes migrations dont l'histoire universelle nous a conservé le souvenir ont eu leur répercussion aussi sur le destin de ces langues. Les migrations ont dispersé des tribus qui avaient vécu ensemble jusque-là et qui avaient parlé le même idiome. Placés dans des pays nouveaux ces peuples ont mieux pris conscience d'eux-mêmes, et leurs langues se sont développées dans une direction particulière; elles se sont détachées les unes des autres. Ce qui est arrivé au peuple qui parlait l'indoeuropéen est arrivé plus tard aux groupements qui en sont issus: Germains, Slaves, Hindous, peuples de langue latine. De même, l'anglais et l'espagnol, transplantés en Amérique, ont déjà pris un aspect sensiblement différent de la forme que ces deux langues ont en Europe. Il est possible que l'intensité des relations internationales d'aujourd'hui empêche la formation de véritables langues nouvelles, détachées complètement de la forme qu'elles garderont ou qu'elles prendront en Europe. Car les conditions de vie ont complètement changé depuis un siècle. Toutes les langues indo-européennes n'ont pas au même degré cette force d'adaptation, cette souplesse, cet individualisme. Parmi les langues indo-européennes deux grands groupes possèdent particulièrement ces qualités, ce sont les langues germaniques et les langues romanes. La riche variété linguistique qu'offrent le monde roman et le monde germanique ne trouve son équivalent nulle part. On pourrait donc dire, s'il était permis de former un superlatif pareil, que ces deux groupes sont les langues les plus indo-européennes, celles où le libre épanouissement de l'individualité collective des peuples a donné ses plus étonnants résultats.

J'ai déjà parlé du fait que la ramification des langues indoeuropéennes se répète plus tard dans l'histoire de la plupart d'entre elles. Ainsi il est hors de doute que, quelques siècles avant J.-Chr., il a existé un germanique commun sensiblement un et dont les langues germaniques comme l'anglais, l'allemand, le suédois sont les représentants modernes. La diversité actuelle provient du fait que les populations parlant un idiome germanique se sont divisées en différentes tribus dont chacune a suivi sa destinée à elle. Mais ayant vécu ensemble et loin des autres peuples indo-européens pendant de longs siècles, anglais, allemand, suédois, etc. ont gardé des traits communs qui sautent aux yeux. Quand on applique la méthode historique et comparative à l'étude d'une langue germanique, on cherche à l'expliquer en la rapprochant d'abord des autres langues germaniques; on explique le suédois par le gothique, l'anglo-saxon par l'allemand et ainsi de suite. En second lieu seulement on s'adressera à d'autres langues indo-européennes, non germaniques. Nous serions dans une situation bien meilleure si nous avions des témoignages directs, des textes écrits en germanique commun. Mais le principe n'en est pas moins juste: celui qui veut étudier historiquement une de ces langues ne remontera pas directement à l'indo-européen commun dont elle est un des représentants modernes: il consultera d'abord les autres langues du même groupe, il s'arrêtera au point de jonction, de ramification de ce groupe subordonné.

Or, de ce point de vue, l'étude des langues romanes se trouve dans une situation exceptionnelle, privilégiée. Tandis que le point de ramification des langues germaniques, des langues slaves, etc. reste inconnu, cette étape intermédiaire entre les langues romanes et l'indo-européen est représentée par une langue de civilisation de premier ordre, dotée d'une littérature extrêmement riche et variée. Nulle part comme ici nous ne pouvons suivre à la trace les modifications lentes et progressives que subit une langue. C'est déjà dire que pour nous l'histoire du français ne commence pas par l'indo-européen. Notre point de départ est le latin.

Langues romanes et peuples romans

Nous nous servons couramment de l'expression 'langues romanes', nous avons évité jusqu'ici le terme 'peuples romans'. Pourquoi ? C'est qu'ici les malentendus surgissent aussitôt en grand nombre. On a trop souvent pris le mot 'peuple' au sens de 'race'. On ne saurait trop répéter que, au moins en Europe, les deux notions 'langue' et 'race' n'ont que peu de rapport. Il n'y a pas de lien nécessaire entre une langue et la race de ceux qui la parlent. Tant de peuples conquérants ont passé sur le sol de l'Europe, en se superposant aux anciennes populations! Le plus souvent ces indigènes ont fini par adopter la langue des nouveaux venus parce que ceux-ci possédaient une culture supérieure. Dans le pays qu'on appelle aujourd'hui la France cette absence de lien entre 'race' et 'langue' est particulièrement sensible. On y parle une langue qui est une des formes modernes de l'idiome des anciens Romains, mais il y a très peu de sang romain dans les veines des Français. Les ancêtres des Français ce sont les Ligures, les Ibères, les Celtes, les Germains. Parenté ethnique et parenté de langue sont donc choses différentes. Il n'y a en Europe presque pas de langue qui ne s'étende sur un espace comprenant beaucoup de populations allogènes.

En revanche il y a des liens évidents entre les notions 'langue' et 'nation'. Tous ceux qui parlent une langue participent à la même forme de civilisation, ils ont accès aux mêmes biens de culture. La langue est même un des moyens permettant à un peuple de haute civilisation de prendre conscience de lui-même. Dans la formation de la nation française la langue a eu un rôle capital.

2. LES PEUPLES PRÉROMANS ET LEURS LANGUES

LES SUBSTRATS ETHNIQUES

Les peuples préhistoriques

Les peuples qui ont précédé les Romains dans la domination de la Gaule n'ont pas abandonné leur propre langue sans en sauver quelques éléments. En passant d'une langue à une autre – ce qui est toujours l'affaire de plusieurs siècles – un peuple incorpore toujours à son nouvel idiome un nombre plus ou moins grand de mots empruntés à la langue qui s'en va. C'est ce qui est arrivé en France chaque fois qu'un nouveau peuple a fait son entrée en scène. Il est donc nécessaire de se demander ce que ces peuples ont transmis à l'idiome qui plus tard devait devenir la langue française, ce qu'ils ont gardé en se fondant avec les nouveaux venus, en acceptant leur civilisation et l'instrument de cette civilisation. Nous allons donc étudier d'abord les éléments préromans du français et d'une manière générale des parlers français et provençaux.

Or, ces recherches rencontrent d'énormes difficultés. La plus grande c'est que les langues qu'on parlait en France avant l'arrivée des Romains sont très peu connues ou même complètement ignorées. Celui qui étudie le lexique galloroman rencontre à tout instant des mots qui ne peuvent être ni latins, ni germaniques. Quelques-uns d'entre eux se rattachent peut-être à la langue parlée par les premiers habitants. Mais quels ont été ces hommes, quelle était leur langue ? Nous n'en savons rien. Ils nous ont bien laissé quelques vestiges de leur civilisation dans les outils qu'on a trouvés en fouillant le sol, dans les œuvres d'art, les dessins conservés sur les parois des cavernes paléolithiques ou néolithiques (Caverne de Font-de-Gaume, Grotte des Combarelles). Parmi ces vestiges il se trouve de véritables chefs-d'œuvre saisissants de réalisme, comme les chevaux gravés de Capblanc (Dordogne) ou les bisons d'argile modelée de la caverne du Tuc d'Audoubert. Mais nous ne savons rien de la langue que parlaient ces hommes. Nous ne savons rien non plus des populations qui sont venues après, p. ex. celles qui ont créé l'art mégalithique. Les dolmens et les menhirs que les populations ont dressés en l'honneur de leurs morts ou de leurs dieux sont des témoins muets pour nous. On a longtemps attribué ces monuments gigantesques aux Celtes; à tort, comme on le reconnaît maintenant. Ils sont dus à une population antérieure. Mais si tous ces documents ne nous apprennent rien sur le langage humain à l'aide duquel ces anciens habitants communiquaient entre eux, ils nous renseignent au moins sur le grand nombre de populations diverses qui ont foulé le sol de ce pays. Et les squelettes qu'on a trouvés nous permettent de conclure à une fusion successive de la plupart des nouveaux venus avec leurs prédécesseurs. L'abbé Breuil, dans son mémoire 'Les subdivisions du paléolithique supérieur et leur signification' (Congrès international d'Anthropologie et d'Archéologie préhistorique, Genève, 1912) a formulé ce résultat de la manière suivante: «L'Europe est une petite presqu'île accolée à l'Asie et à l'Afrique, et sa partie occidentale est un cul-de-sac vers lequel les vagues humaines, arrivées de l'Est (Asie) ou du Sud (Afrique) sous des impulsions inconnues, sont venues mêler et superposer leurs sédiments.» En effet, les deux premiers peuples dont nous connaissons les noms sont venus l'un à travers le continent, du Nord-Est ou de l'Est, l'autre du Sud, c'est-à-dire de l'Afrique. Ce sont les

Ligures et les Ibères. Leur rencontre est le premier conflit dont nous parle l'histoire.

Les Ligures et les Ibères

Les Ligures sont probablement arrivés en Gaule longtemps avant les Ibères. Ils ont occupé avant les Celtes une grande partie de ce pays, en particulier le bassin du Rhône, la Franche-Comté, la Suisse, les Alpes et une grande partie de l'Italie supérieure. Les Celtes les ont refoulés dans les Alpes et dans les montagnes au Nord de Gênes, où ils vivaient encore lors de l'arrivée des Romains. Les auteurs anciens nous les décrivent comme une race vigoureuse, de taille petite, le corps sec et nerveux, et dure à la peine. C'étaient déjà des agriculteurs puisque, comme DÉCHELETTE l'a démontré, ils connaissaient la faucille. Leur langue est conservée surtout dans quelques noms de lieux. On sait par quelques inscriptions que les suffixes *-ascus*, *-a*, *-oscus*, *-a*, *-uscus*, *-a* sont très probablement ligures. Et en effet les régions de la France que je viens d'indiquer sont encore parsemées de localités portant des noms formés avec ces suffixes. Ex.: *Venasque* < *Vindasca* (d'où le *Comtat-Venaissin*). Les Ligures étaient des pirates redoutés. Ils devaient souvent chercher un abri dans les fjords taillés dans les rochers de la côte entre Marseille et Toulon. Le mot qui désigne ces fjords est très probablement d'origine ligure: on le retrouve dans les Alpes suisses et en Corse. Et du provençal il a passé en français: c'est le mot *calanque*. Les patois des Alpes françaises sont pleins de mots qu'on ne peut rattacher à rien de connu par ailleurs et dont beaucoup sont sans doute ligures.

L'autre peuple ce sont les Ibères qui, venant de l'Espagne, passèrent les Pyrénées, peut-être au 6e s. av. J.-Chr., et envahirent le Sud-Ouest du pays, qu'ils occupèrent jusque vers la Loire. Ils furent refoulés par la nouvelle invasion gauloise et, plus tard, se laissèrent romaniser. Seuls les Basques, à cheval sur la frontière politique entre la France et l'Espagne, ont conservé leur langue jusqu'à nos jours. Les termes que les Ibères ont légués aux populations de langue romane sont rares. P. ex. aprov. *esquer* 'gauche' (esp. *izquierdo*). Les Ibères doivent avoir connu l'agriculture, puisqu'un mot comme *artigue* 'champ défriché' provient de leur langue.

LES GRECS

Leurs colonies en Gaule

Presque en même temps que les Ibères franchissaient les Pyrénées, vers 600, les côtes de la Méditerranée virent arriver une troupe de hardis marins venus de l'Orient. C'étaient des Grecs sortis du port de Phocée en Asie Mineure. Ils se fixèrent devant un promontoire rocheux et y fondèrent une colonie qu'ils appelèrent *Massalía* (en lat. *Massília*), aujourd'hui *Marseille.* Ils n'avaient du reste pas été les premiers Grecs à paraître sur cette côte. Le culte d'Héraclès, attesté par des noms de villes, en particulier par celui de *Heraklēs Monoikos* (aujourd'hui *Monaco*), montre qu'ils y avaient été précédés de colons doriens. Vers 500 la nouvelle ville couvre le littoral de la Méditerranée de ses propres colonies; son domaine s'étend depuis les Alpes-Maritimes jusqu'en Andalousie. Pendant des siècles Marseille a dominé dans la partie septentrionale de la Méditerranée occidentale; elle a été l'alliée de Rome, et elle fut finalement absorbée pacifiquement par elle. Pendant 7 ou 8 siècles on a donc parlé grec dans les grands ports du littoral provençal et languedocien. Aussi la plupart de ces villes ont-elles conservé leur nom grec jusqu'à nos jours. *Nice* porte le fier nom de 'victorieuse' (grec *Níkaia*). En face de Nice, sur un cap, s'élève la ville d'*Antibes* (< gr. *Antípolis* 'ville d'en face'). A l'Ouest du Rhône la ville d'*Agde* porte le joli nom d'*agathḗ týchē* 'bonne fortune'. Quelques-uns de ces noms ont été adaptés par les Romains quand ils ont occupé le pays à leur tour. C'est le cas p. ex. de *Port-Vendres* (= *Portus Veneris*), qui est une traduction du nom grec *Aphrodisiás;* c'est le cas de *Marseille* même, qui a conservé son nom, mais avec l'accent latin.

On se demande pourquoi l'hellénisation de ce pays n'a pas été plus profonde. Cela tient à ce que, pour les Massaliotes comme pour presque tous les Hellènes, la véritable patrie, le théâtre de leur activité, c'était la mer. A leurs yeux le continent n'était qu'un pays à exploiter. Ils n'avaient pas le désir de le conquérir, d'y porter leur civilisation. Il leur suffisait de l'exploiter commercialement, d'en drainer les produits jusqu'à leurs vaisseaux, d'y vendre les produits de pays lointains. C'est pourquoi ils n'occupèrent jamais qu'une bande très étroite sur le littoral; leur expansion ne se détachait pas de la mer. Le long du Rhône seulement ils avaient pénétré un peu plus, jusqu'au point de jonction de la navigation maritime et de la batellerie fluviale. Cette pénétration était donc due encore à des raisons commerciales. Quelque fertile que fût une région, elle ne les attirait pas, à moins qu'il n'y eût là un nouveau chemin à frayer pour leur trafic. C'est ce qui nous explique que ni les Ligures ni plus tard les Gaulois n'aient jamais été tentés d'abandonner leur langue pour celle des Grecs. Ce n'est pas que les colons phocéens n'aient exercé aucune influence civilisatrice. Les Massaliotes apprirent aux habitants des pays dont ils occupaient le littoral l'art de battre monnaie, la connaissance de l'écriture, l'usage de l'alphabet grec. Les premières inscriptions gauloises sont gravées en lettres grecques. Dans le camp des Helvètes vaincus à Bibracte César trouva des tableaux en lettres grecques où étaient relevés les noms de tous les émigrés. Les Massaliotes introduisirent aussi la culture de la vigne et de l'olivier. Mais cela ne pouvait pas suffire à faire pénétrer l'hellénisme dans l'intérieur du pays. Il était réservé aux Romains de faire de la Gaule un pays de grande civilisation. Les rapports des Grecs avec leurs voisins étaient fréquents, mais empreints d'une certaine méfiance, souvent même hostiles. A l'intérieur des villes mêmes il y avait souvent deux quartiers nettement séparés par un mur, le quartier des Grecs et celui des Barbares. Tout cela empêcha le grec de devenir vraiment la langue du pays, comme il l'était devenu dans tout l'Orient. En 49 Marseille se rangea du côté de Pompée, contre César. La défaite du parti pompéien lui fit perdre sa position de métropole. Elle fut dépouillée de tous ses privilèges au profit de Narbo, la nouvelle colonie romaine à l'ouest du Rhône. C'est ainsi qu'à cette date se consomma la déchéance définitive de l'hellénisme en Gaule. Le grec n'avait pas profité de l'occasion offerte pour devenir la langue de la civilisation de la Gaule, le latin allait remplir cette mission.

Influence du grec

Néanmoins on aurait tort de nier toute influence du grec sur les parlers du Midi. Il est vrai que la plupart des mots grecs qui vivent en français ont passé par le latin: un mot comme le gr. *blasphemeín* est devenu *blasphemare* en latin, d'où le fr. *blâmer*.

Mais quand on fouille les dialectes du Midi on trouve un assez grand nombre de mots dont l'origine grecque est évidente, mots qui n'existent nulle part dans la Romania et que le latin, souvent, n'avait pas empruntés non plus. Quelques-uns d'entre eux ont même été transmis par ces dialectes à la langue française. Ces survivances grecques s'accordent parfaitement avec le rôle et l'importance particulière des Grecs dans la France méridionale[1]. Les Massaliotes ont organisé la navigation, ils en ont eu le monopole pendant des siècles. Le provençal en a conservé le souvenir dans des mots comme *caliourno* 'amarre' < *kálōs*, *ancouno* 'coin, cachette' < gr. *ankṓn* 'baie', *gómphos* 'cheville, gros clou' > prov. *gofon*, d'où le fr. *gond*, prov. *tarroun* 'bâton' < gr. *tarsós*, l'adj. grec *gampsós* 'courbé' survit dans le subst. prov. *ganso* 'boucle de lacet', d'où le fr. *ganse;* le subst. *estèu* 'récif' représente le gr. *stēlē* 'pilier'. Les phénomènes météorologiques sont d'une importance capitale pour le navigateur. Aussi les Massaliotes ont-ils légué plusieurs termes aux parlers romans du Midi; ces termes ont pénétré en partie jusque dans la montagne, où ils vivent encore, tandis que la plaine les a remplacés par des mots plus récents. Ainsi le gr. *brontē* 'tonnerre' vit encore dans les Alpes (*brountar* 'tonner'), *lampás* 'lueur, éclair' dans le prov. *lĩ(p)* 'éclair', *kírkios* dans le lang. *cers* 'vent du nord-ouest', *(ta díktya) chalān* 'jeter les filets' dans l'apr. *calar* 'tendre un filet', verbe qui a même passé en français *(caler)*. C'est peut-être à cause du service des signaux maritimes que *pyr* 'feu' et *typhos* 'fumée' se sont conservés jusqu'à nos jours, celui-ci dans le mot prov. *tubo* 'fumée', celui-là dans le verbe *empura* 'attiser', usité encore à Marseille.

Les Massaliotes étaient certainement de beaucoup supérieurs aux indigènes dans l'exercice de tous les arts, surtout dans l'architecture. Aussi ont-ils transmis aux parlers modernes quelques mots comme *andrṓn* 'corridor' > aprov. *androna* 'petite rue', *dṓma* 'toit plat', d'où aprov. *doma* 'coupole' > fr. *dôme*. Le prov.

[1] Voir pour les détails l'essai *Die griechische Kolonisation in Südgallien und ihre sprachlichen Zeugen im Westromanischen*, dans W. von Wartburg, Von Sprache und Mensch (Berne 1956), p. 61–126.

ambro < gr. *ámphora* atteste l'influence de la céramique grecque.

Nous avons déjà vu les Grecs exercer une certaine influence sur l'agriculture du Midi. La nomenclature botanique provençale en a conservé quelques traces. Ainsi une espèce d'euphorbe s'appelle en prov. *lantréso* (< gr. *lathyrís*), l'aprov. *dolsa* 'gousse' (prov. mod. *dóusso*) représente un dér. du gr. *dólichos* 'gousse d'ail'; la plus importante des plantes fourragères, le *trèfle* porte un nom grec *(tríphyllon);* le prov. *agas* 'érable' n'est autre chose que le gr. *ákastos*. Un cas particulièrement intéressant est celui d'aprov. *arsemiza*, lang. *arsenizo* 'armoise'; le lt. *artemisia* s'y est croisé avec le gr. *parthenís*, dont il est la traduction. Le *th* du mot grec se reflète dans l'*s* des formes méridionales; dans le mot lang. le grec a laissé une autre trace encore: l'*n*. Des contaminations pareilles naissent toujours là où deux langues vivent assez longtemps côte à côte dans le même pays. – L'exemple grec répandit jusqu'en Champagne la culture de la vigne. Nous en avons des preuves tangibles dans le merveilleux cratère qu'on a déterré, il y a quelques années à Vix (Côte d'Or) et qui se trouve actuellement au Louvre. La terminologie de la viticulture est presque toute d'origine latine. Toutefois, il y a un instrument dont le nom nous a conservé le souvenir des Grecs qui les premiers ont cultivé la vigne en Gaule. C'est la houe du vigneron qui en grec s'appelait *mákella* ou *makélē*. Il est curieux de voir les deux formes conservées, la 2e dans le prov. *magau* (avec changement de suffixe), la 1re dans le bourg. *meille* (voir note p. 278). L'importance des Grecs dans le domaine de l'arboriculture en France et dans tout l'Occident apparaît bien dans l'emprunt du verbe grec *emphyteuein*, qui, sous la forme de *enter*, désignait en anc. franç. et désigne encore dans beaucoup de parlers le greffage. – Bien entendu, il n'est rien resté des anciens dieux grecs. Toutefois, dans le domaine de la vie de l'esprit il y a en français un mot d'origine grecque, c'est *fantôme*, qui représente le grec *phantásma*.

Parmi les survivances grecques il y a même quelques adjectifs. Le plus important est le mot *biais*, qui a passé également en français, comme substantif, et qui représente le grec *epikársios* 'oblique'. Les parlers du Midi offrent encore d'autres cas d'adjectifs grecs conservés, tels que le rouergat *lispá* 'glisser', qui dérive du grec *lispós* 'lisse'.

Ce que tant de siècles passés depuis la latinisation de l'ancienne métropole grecque ont laissé subsister, suffit pour donner une idée de son expansion culturelle. A travers ces mots nous voyons encore le peuple qui domina le commerce de l'Occident, qui, avant Rome, osa rivaliser avec Carthage, et qui, avec clairvoyance, montra aux peuples de la Méditerranée occidentale le chemin de la connaissance des phénomènes de ce monde et d'une forme plus raffinée et anoblie de la vie humaine.

LES GAULOIS

Grandeur et décadence de ce peuple

Pour les peuples qui ont précédé les Grecs on a de la peine à recueillir quelques rares données sur leur rôle et sur les vestiges que nous trouvons encore de leur langue. Il en est tout autrement du peuple qui, le premier, a donné son nom au pays, les Gaulois. Non que les anciens documents abondent sur eux, mais en comparaison de l'obscurité dans laquelle restent plongés les Ligures, c'est déjà la pénombre. Les Celtes envahirent la Gaule vers 500 av. J.-Chr. (les îles dès le VIIIe s.); ils venaient du fond de l'Allemagne ou bien des rivages de la Mer du Nord. Ils se mêlèrent aux Ibères du Midi et de l'Espagne septentrionale; de cette fusion naquit la population dite celtibère. Les Celtes occupèrent à eux seuls les pays au Nord de la Garonne et le Massif Central. Ils pénétrèrent en Italie, où ils finirent par se fixer dans la plaine du Pô (Gallia cisalpina). Ils continuèrent leur marche vers l'Est et arrivèrent jusqu'à l'embouchure du Danube. Dans le courant du 4e s. la puissance des Celtes est arrivée à son apogée. Ils recouvrent une très grande partie du monde antique, de la Dobroudja à la Cornouaille, et cela à un moment où l'empire de la Méditerranée est âprement disputé, où l'on ne sait pas encore qui l'emportera, de Carthage ou de l'Egypte ptoléméenne, de la Macédoine ou de l'Epire, à un moment où Rome est encore une petite ville engagée dans des luttes plutôt locales avec les Etrusques. Au 3e s. les Celtes se remirent en route, sous la pression des Germains. Ils achevèrent alors la conquête de la vallée du

Rhône, en refoulant les Ligures dans les hautes Alpes. Ils franchirent le Bosphore et, sous le nom de Galates, fondèrent en Asie Mineure un Etat indépendant. On sait qu'on y parlait encore le gaulois au 3e s. après J.-Chr. Mais à partir de la fin du 3e s. avant J.-Chr. ce fut une décadence progressive du monde celtique. Entamé de toutes parts il se rétrécissait de plus en plus; il était comme étouffé entre la Germanie naissante et le grand Empire romain. La conquête de la Gaule par Jules César est comme l'achèvement, le dernier acte de ce drame.

La romanisation

Pour le moment nous voulons voir par quel miracle le latin a si vite évincé le gaulois. Ce n'est pas que celui-ci n'ait résisté encore pendant des siècles. A la campagne, dans les montagnes, les paysans continuèrent à parler la langue de leurs ancêtres. Elle ne s'est éteinte qu'au commencement du 5e s.[1]. Le latin s'est installé d'abord dans les villes. Les Romains n'ont eu recours à aucun moyen tyrannique pour imposer leur langue. Mais le latin était la langue officielle du gouvernement et il représentait la civilisation. C'étaient deux raisons qui lui assuraient une supériorité écrasante. Par une politique habile les Romains s'attachaient certains membres de l'aristocratie; ils les distinguaient en leur donnant le droit de cité. C'étaient autant d'agents de propagation du latin. L'immigration proprement dite de Romains n'a pas été très forte, mais il n'y avait pas seulement les maîtres, il y avait aussi les esclaves venus des régions les plus différentes du vaste Empire, il y avait les anciens soldats rentrés dans la vie civile qui tous rendaient la langue commune familière à leur entourage. Il y avait les marchands venus d'Italie et qui étaient assez nombreux en Gaule dès avant César. Le moyen le plus puissant fut peut-être l'école. Sans être cet instrument brutal qu'elle est devenue pour certains conquérants modernes, l'école n'en a pas moins exercé une action décisive. Les Gaulois n'avaient aucune institution de ce genre. Celui qui aspirait, pour lui ou pour ses enfants, à un degré de civilisation plus avancé, se

[1] Dans les Alpes le gaulois a vécu probablement plus longtemps encore, comme l'a démontré avec un abondant matériel J. U. Hubschmied, Vox Romanica 3, 48–155 (voir aussi Z 60, 563–567).

voyait dans la nécessité de recourir à l'instruction que l'on donnait dans ces écoles romaines. L'école prenait l'homme tout entier; elle lui enseignait une nouvelle langue, elle lui créait une autre âme, elle transformait entièrement ses sentiments et ses idées. C'est surtout par l'école que le Gaulois est devenu Romain. L'enseignement supérieur était particulièrement bien organisé, et presque tous les jeunes nobles allaient y chercher ce que l'époque pouvait offrir d'instruction. Les principaux centres étaient Marseille, où l'on pouvait encore étudier le grec et qui s'était fait une originalité de sa tradition scientifique; – Autun florissante surtout aux trois premiers siècles; – et Bordeaux où les lettres antiques trouvèrent un dernier refuge quand les guerres continuelles et les incursions des Germains commencèrent à désoler d'autres régions. Et il ne faut pas oublier *Lyon*, l'antique *Lugdunum*, qui a longtemps été le centre administratif et commercial de la Gaule, ni *Trèves*, dont l'action a été particulièrement profonde quand la frontière se trouva reculée jusqu'au Rhin.

Noms de lieux gaulois

Les plus sûrs témoins de l'extension du gaulois sont sans doute les noms de lieux. Or, ces noms abondent dans tout le domaine galloroman. Le seul département où il ne paraît pas y en avoir est le département des Alpes-Maritimes, qui a été l'un des derniers refuges des Ligures.

La carte de la France fourmille donc de noms d'origine gauloise. Commençons par la capitale. Le nom de *Paris* conserve le nom de la peuplade gauloise qui habitait le pays environnant, les *Parisii*. La ville elle-même se nommait *Lutetia*. Quand, par l'édit de Caracalla, tout le monde fut devenu citoyen romain, il devint inutile de conserver le nom de la tribu à côté de celui de la ville. Le premier, étant le plus fort, fut conservé et fut substitué au deuxième comme nom de la capitale. *Durocortorum* était la capitale des *Remi*, et c'est de ce nom qu'on appela la ville, ou plus exactement on se servit de l'ablatif ou du locatif: *(in) Remis* > *Reims*. Ainsi s'expliquent *Langres*, *Angers*, *Poitiers*, *Nantes*, *Tours*, *Troyes*, *Châlons*, *Amiens*, *Limoges* et beaucoup d'autres.

D'autre part plusieurs substantifs gaulois entrent dans la formation de noms de lieux composés: *dunum* (= angl. *town*) est très fréquent; de là *Verdun* < *Virodunum*, *Lyon* < *Lugdunum*. Le célèbre nom de *Condé* représente le gaul. *Condáte* 'confluent'. *Mediolanum* 'plaine du milieu' est représenté par plusieurs noms comme *Meillant;* la plupart sont peu connus, à la différence de *Milan*.

Le type le plus caractéristique pour la Gaule c'est celui des noms en *-ac* dans le Midi, en *-ai* ou en *-i* dans le Nord.

Juillac	*Juilly*	all. *Jülich*
Savignac	*Savigny*	

Le suffixe gaulois *-acus* exprimait, à l'origine, de façon assez générale, l'appartenance. On l'ajoutait p. ex. à des noms d'arbres pour désigner une forêt composée de telle espèce d'arbres, p. ex. *Betulacum*, de *betula* 'bouleau'. Par la suite il fut employé aussi pour dénommer une propriété rurale d'après son possesseur: *Brennacus*, d'après le nom d'homme gaulois *Brennos*. Cette formation fut en vogue particulièrement sous la domination romaine. Voilà pourquoi la plupart des noms de lieux en *-ac*, en *-ai* et en *-y* contiennent dans le radical un nom de personne romain. Rien ne montre mieux l'amalgame des deux éléments en présence, le latin et le gaulois. *Aurillac* et *Orly* sont donc des propriétés d'un certain *Aurelius: fundus Aureliacus*. Beaucoup de nobles gaulois prenaient des noms romains; il est donc à peu près impossible de faire le tri des établissements d'origine gauloise et des fondations romaines dans l'ensemble de ces localités. Pour d'Arbois de Jubainville ces noms sont une des principales preuves de sa théorie d'après laquelle aux temps de l'indépendance gauloise la propriété rurale aurait été encore indivise dans chaque *civitas* et l'influence des Romains aurait, après la conquête, remplacé la propriété collective par la propriété individuelle, à cause de la culture des céréales. Cette conclusion doit paraître trop hardie aujourd'hui. Elle n'est pas nécessaire, d'abord parce que les propriétaires gaulois peuvent très bien avoir possédé leurs domaines avant de prendre un nom latin. De plus, elle est en flagrante contradiction avec ce que nous apprend le vocabulaire de l'agriculture française, qui conserve beaucoup de termes gaulois, entre autres le nom de la pierre même qui sert à indiquer les limites d'un champ: *borne (< botina)*.

Mots d'origine gauloise

Parmi les mots d'origine gauloise il faut distinguer deux classes. Les Romains ont appris des Gaulois certains d'entre eux et les ont incorporés à leur vocabulaire. Ils sont devenus, par la suite, d'un usage courant dans la langue latine et ils vivent aujourd'hui encore en dehors des pays occupés autrefois par les Celtes. Ce sont surtout des mots désignant des objets que les Romains ne connaissaient pas avant leur arrivée en Gaule. Les Gaulois s'habillaient autrement que les Romains; ils portaient une chemise et le pantalon long qui convenaient à leur climat plus dur que celui de l'Italie. Certains Romains les adoptèrent d'abord pour le temps de leur séjour en Gaule, puis en prirent l'habitude. C'est pourquoi *camisia* et *braca* sont devenus latins et vivent dans toutes les langues romanes. Les Gaulois étaient d'excellents constructeurs de voitures. Les Romains apprirent d'eux à se servir du *char* < *carrus*. Mais la plupart des mots gaulois sont limités aux régions occupées autrefois par les Celtes, surtout le galloroman et la plaine du Pô; en Rhétie et en Espagne ils sont bien moins nombreux. Quand on parcourt la liste des survivances[1] authentiques du gaulois, on reste surpris d'abord de leur grand nombre (180!), et ensuite d'y trouver fréquemment des adjectifs et des verbes. Parmi les adj. je citerai *dru* 'fort, bien nourri', ainsi *herbe drue* < gaul. *drūto* 'fort', *rêche* 'rude' < gaul. *rescos*, l'aprov. *croi* 'cruel' < *crodios* 'dur', afr. *bler* 'gris' < *blaros* (fr. *blaireau*). A côté de verbes comme *briser*, *glaner*, nous avons aussi *bercer* < **bertiare* (irl. *bertaim* 'je secoue'). Ce mot est particulièrement intéressant parce qu'il représente un côté de la vie féminine gauloise et atteste ainsi la tendance conservatrice de la femme en face du nouvel idiome. Ces verbes ne sont pas les seules survivances de mots celtiques dans le domaine de la vie de famille. Un des instruments les plus importants du foyer

[1] Pour les mots gaulois conservés en français et dans les patois gallo-romans voir les articles du Französisches Etymologisches Wörterbuch dus en partie à E. Kleinhans et à M. J. Hubschmid; l'excellent compte-rendu de M. Pedersen dans Litteris 2, 77–84 et 7, 17–25, qui fait une mise au point de certaines questions qui s'y rattachent; Jud, J. Mots d'origine gauloise? dans Romania 46 ss.; Hubschmid, J., Praeromanica (Berne 1949), ainsi que d'autres études du même auteur.

est le chenet, appelé aussi *landier* < *anděros* ‘jeune taureau’. Pour maintenir un peu de propreté dans la cuisine, la ménagère doit lutter contre la *suie* (< *sudia) et contre la cendre volante (poit. *louvre* < *ulvos). Elle prépare les mets dans la chaudière (aprov. *pairol* < *pariolum). Elle raccommode les habits avec des morceaux d’étoffe; c’est là le sens de *pièce* (< *pettia). Nous avons déjà vu que la *braca* et la *camisia* ont conquis tout l’Empire. Un autre vêtement, le jupon, s’appelait en vfr. *gonne* (< *gŭnna*).

Les maisons gauloises étaient en bois et de construction assez primitive. Les villes gauloises les plus belles étaient pour les Romains des agglomérations de misérables cabanes. Les Gaulois apprirent vite de leurs maîtres à construire leurs maisons en pierre. Aussi les termes de construction sont-ils tous d’origine latine ou plus récents encore. Toutefois les maisons gauloises avaient certaines parties qui étaient appropriées au climat plus rude de la Gaule et qui, pour cette raison, se sont conservées, avec le nom gaulois, bien entendu. Surtout le grand toit qui avance sur la façade et qui met à l’abri de la pluie les gens qui restent devant la porte. En Italie les toits ne dépassent pas le mur. Cette partie du toit s’appelle en fr. *auvent*, prov. *ambans* < gaul. *ande-banno* ‘grande corne’ (qu’on se rappelle que des têtes de taureau étaient souvent fixées comme totem au-dessus des portes d’entrée). En Dauphiné et en Savoie l’auvent s’appelle *talapan* < *talo-penno* ‘tête de façade’. Et l’Ouest de la France nous a conservé un troisième mot pour désigner le même objet, c’est *balet* (< gaul. *balācon*). Nous voyons que le gaulois lui-même a dû connaître plusieurs termes pour désigner l’auvent: à travers les patois modernes nous pouvons retrouver la division dialectale des anciens Gaulois. On voit combien ces termes sont tenaces, puisqu’ils nous permettent de deviner que l’ancien gaulois d’il y a plus de 2000 ans était déjà profondément différencié. – J’ai déjà parlé du mépris que les Romains avaient pour les masures des Gaulois. Ce mépris se reflète dans la déchéance sémantique des mots gaulois qui, s’ils n’ont pas disparu, ne vivent plus qu’au sens d’‘étable’: *bŭta > frcomt. *boulot* ‘étable pour les moutons’.

Avec ces mots nous entrons déjà dans le domaine de l’élevage du bétail et des travaux champêtres. Dans cet ordre d'idées nous citons _mègue_ 'petit-lait' < *_mesigum_[1]. L'agriculture doit avoir été très soignée, à preuve de nombreux mots comme _raie_ < _rĭca_, _javelle_ < _gabella_, _soc_ < _soccus_, _charrue_ < _carruca_ (qui désignait à l'origine un char à deux roues), _volan_ 'faucille' < *_volamo_. Pour interdire l'accès aux bêtes les Gaulois tressaient des _claies_ (<_cleta_), ils construisaient des portes à claire-voie (frcomt. _douraise_ < *_doraton_). La haie qui sépare deux champs s'appelle aujourd'hui encore _gorce_ en limousin (< *_gortia_). L'apiculture est représentée par le mot _ruche_ de *_rūsca_ 'écorce'; ce mot permet de supposer que les Gaulois faisaient leurs ruches en écorce d'arbre, technique qui est conservée jusqu'à nos jours dans le Midi. L'art de préparer la bière a été très en honneur parmi les Gaulois du Nord; leur terminologie s'est conservée puisque les Romains ignoraient cette boisson, de là afr. _cervoise_ 'bière' < _cerevisia_, _brasser_, _brasserie_ < _brace_ 'malt'. Nous avons vu que, grâce aux Grecs, la viticulture a pénétré en Gaule avant les Romains: la _lie_ du vin porte encore un nom celtique (< _liga_). Pour la fabrication de ces boissons, on avait besoin de grands récipients que l'on construisait en bois, tandis que les Romains ont toujours préféré la terre cuite et le cuir. C'est pourquoi le _tonneau_ et la _bonde_ portent des noms gaulois.

Les Gaulois étaient, avons-nous dit, de fameux constructeurs de voitures; de là, outre _carrus_ devenu latin, _charpente_ < _carpen-_

[1] La plupart des mots gaulois ne sont conservés que dans quelque patois lointain. Nous joignons ici quelques-uns de ces mots pour chaque partie de la vie humaine où l'influence gauloise a été sensible. Laiterie: suisse _brètsi_ 'se cailler' < *_briscare_, Hautes-Alpes _bletchar_ 'traire' < *_blĭgĭcare;_ agriculture: _somart_ 'jachère' < *_samaro_, aprov. _boziga_ < *_bodica_, frprov. _verchère_ 'terrain cultivé près de la maison' < *_vercaria_, poit. _ouchè_ < _olca;_ apiculture: afr. _bresche_ 'rayon de miel' < _brisca_, aprov. _bodosca_ 'marc de cire' < *_botusca;_ culture du chanvre: _sérancer_ < _cer-;_ travail du bois: dauph. _drouille_ 'copeau' < *_drullia;_ voitures: poit. _amblais_ 'espèce de courroie' < *_ambilation;_ plantes: prov. _agreno_ 'prunelle' < *_agrina_, frcomt. _beloce_ id. < *_bulluca_ (deux mots pour le même fruit, autre cas de différenciation géographique du lexique gaulois), fr. _berle_ < _berula_, ang. _drouillard_ 'chêne' < *_deru̯a_, fr. _droue_ 'ivraie' < _dravoca_, prov. _olegue_ 'hièble' < _odocus_, prov. _sesco_ 'jonc' < _sesca_, Lozère _dreglio_ 'alise' < *_dercos_, poit. _cous_ 'houx' < *_colis;_ parties du corps des animaux: suisse _abron_' mamelle de la truie' < *_brunna_, prov. _bano_ 'corne' < *_bannom;_ voir encore pour _vassal_ au chapitre 3; configuration du terrain: aprov. _broa_ < _broga_, fr. _noue_ < _nauda_, suisse _Chaux_ < _calm-;_ cours d'eau: fr. _bief_, suisse _nan_ < _nantu;_ mesures: afr. _dour_ < *_durnos_, lyon. _emboto_ 'jointée' < *_ambosta_.

tum, _banne_ < _benna_ 'voiture en osier tressé', _jante_ < _*cambita_, _bille_ < _bilia_, de même la _tarière_ < _taratrum_.

Beaucoup de plantes ont conservé leur nom, en partie parce qu'elles n'étaient pas connues à Rome: _amélanche_ < _*aballinca_, _bouleau_ < _*betu̯a_, _bruyère_ < _brucus_. L'_if_ (< _*iu̯os_) jouait un grand rôle dans le culte des morts; le _sapin_ était infiniment plus répandu en Gaule que dans la région de Rome; l'aune, qu'on appelait autrefois et qu'on appelle encore aujourd'hui dans le Midi _verne_ (< _verna_) jouait un grand rôle dans la technique. Le _chêne_ (< _cassanus_) a conservé son nom parce que cet arbre était l'objet d'une vénération religieuse particulière. Parmi les animaux domestiques le _mouton_ et le _bouc_ portent des noms gaulois, parmi les oiseaux l'_alouette_, parmi les poissons le _saumon_, la _lotte_, etc. Telles parties du corps de l'animal s'appellent d'un nom d'origine gauloise: _jarret_, _bec_. Il y a enfin de nombreuses dénominations de variétés de sol, de configurations du terrain qui ont une origine gauloise: _marne_ < _margila_, _grève_ < _grava_, _boue_ < _bawa_, _bourbier_, _breuil_ 'bois entouré d'une haie' < _brogilu_, _lande_, _combe_, _quai_ < _caio_, _talus_ < _talo-_, etc. – Même des mesures nous sont restées avec le nom gaulois: _arpent_, _boisseau_ < _*bostia_, _lieue_ (< _leuca_, mot dont Septime Sévère concéda expressément l'usage aux provinces gauloises, vers 200).

Quelles sont les conclusions que nous pouvons tirer de ces survivances du gaulois ? Tout ce qui concerne la partie supérieure de la civilisation a disparu, comme le druidisme qui a été évincé par les cultes romains; déformé et tombé au rang de superstition il se maintient dans le seul mot wallon _duhon_ 'gnome' < _dusius_ (nous trouverons une analogie frappante dans le sort que le christianisme a réservé aux dieux romains: _Neptune_ habite encore les eaux comme _lutin_). L'architecture gauloise subit une déchéance tout à fait analogue en face de celle des Romains; mais elle lègue à celle-ci un élément précieux et nécessaire dans un pays de pluie: l'auvent. Toute la terminologie de la vie journalière est devenue latine (_dormir_, _manger_, les noms de parenté, etc.), donc ce qui concerne la vie tout entière à la ville comme à la campagne.

Seule la chambre des enfants et la cuisine – le domaine des femmes – sauvent quelques débris du vocabulaire gaulois. Mais la situation change dès que nous entrons dans la vie champêtre. Le vocabulaire technique du paysan français fourmille encore de mots celtiques. Ces mots n'ont pu se maintenir que parce que le Gaulois était déjà fortement enraciné au sol natal. Il avait perdu son humeur vagabonde, était devenu sédentaire, aimait sa terre, qu'il labourait avec soin et à laquelle il cherchait à joindre de nouveaux lopins gagnés en défrichant la forêt. Le paysan gallo-romain s'accoutumait à se servir des termes latins pour désigner les produits qu'il vendait à la ville: il disait *lac*, *mel*, *secale*, *avena*, etc. Mais pour les choses dont le citadin n'a qu'une notion vague et qui ne sont familières qu'au paysan, il ne s'est pas laissé imposer de terme latin: il continuait à dire *mesigum* 'petit-lait', il ne cessait pas de dire *brisca.* Il n'acceptait pas le mot lt. *sulcus*, mais il se servait de son *rĭca*, de son *broga*, etc. Il est certainement permis de trouver dans ces faits le reflet linguistique de ce que nous savons déjà par ailleurs: les Romains ont fait des villes les centres de la latinisation; ce sont des habitants des villes qui ont les premiers abandonné la langue maternelle. L'influence des Romains n'a pas atteint directement la campagne. Ce ne sont pas les colons, les paysans d'Italie qui ont romanisé la Gaule, ce sont les écoles, l'administration publique, les grandes garnisons.

Il s'est passé quelque chose d'analogue au 19e s. et le phénomène se poursuit aujourd'hui encore. Nous voulons parler de la campagne victorieuse que le français a entreprise contre les patois. Ceux-ci sont morts ou en train de mourir. Mais tout comme le gaulois, ils ont pris leur revanche: la couche supérieure du vocabulaire est devenue française, mais le paysan continue à se servir de son vocabulaire particulier en l'affublant simplement d'une terminaison française. Il se forme ainsi une série de parlers français régionaux très différents de la langue de Paris et très différents les uns des autres. Le paysan se laisse docilement imposer le français littéraire par le citadin, mais derrière le dos il lui fait un pied de nez en enrichissant son nouveau langage de tous les termes savoureux du terroir.

Le bilinguisme de la Gaule romaine a aussi fait subir quelquefois à des mots latins les modifications phonétiques du gaulois. C'est ainsi que le lat. *gelare* a passé en gaulois et y est devenu

**galare*, conformément à l'évolution du gaulois, qui change le *e* protonique en *a*. Le mot est resté dans quelques parlers, comme *dzalá* en franco-provençal, *galá* en Provence.

Influence de la langue gauloise sur les sons du latin de Gaule

Or, l'on sait que ce régionalisme ne se trahit pas seulement par le vocabulaire, mais aussi par la prononciation. On reconnaît un Méridional au premier mot qu'il dit. Il est donc permis de se demander si tel n'a pas aussi été le cas pour la Gaule romanisée. En effet, quelques-unes des tendances phonétiques qui caractérisent le galloroman pourraient avoir leur origine dans les habitudes de prononciation des Gaulois romanisés. Ainsi le changement de *u* > *ü (murus* > *mur)* se rencontre en particulier dans les régions occupées autrefois par les Gaulois, même en Italie. On a donc attribué ce changement aux Gaulois, d'autant plus qu'il se retrouve dans d'autres parlers celtiques. D'aucuns ont répondu qu'il ne pouvait s'agir d'un mouvement uniforme puisque dans certaines contrées *u* a subsisté, dans certaines positions (wallon *londi* 'lundi'). Mais n'oublions pas ce que nous a appris l'étude du vocabulaire: le contraste entre la ville et la campagne dans la romanisation du pays. N'oublions pas ensuite que les Gaulois n'étaient pas répartis également sur tout le pays, que les peuples qui avaient occupé le pays avant eux subsistaient encore, celtisés il est vrai, mais donnant au gaulois des nuances régionales qui devaient être assez sensibles. Il me semble donc permis de continuer à voir un celticisme dans le changement de *u* > *ü*, avec les modifications que voici: les Gaulois avaient des habitudes articulatoires qui devaient donner une couleur plus palatale à l'*u*. En général cette tendance a conduit l'*u* jusqu'à *ü*, mais la position dans le mot, l'entourage consonantique, une disposition régionale ont pu maintenir l'*u* par-ci par-là.

Cette tendance du gaulois à la palatalisation se fait sentir aussi dans le consonantisme. Dans tous les pays romans occupés autrefois par les Celtes, y compris l'Italie supérieure, le groupe *-ct-* est devenu *-χt-*, tandis que l'Italie centrale et méridionale et la Roumanie ne connaissent pas ce traitement. Le fr. *fait*, le prov. *fach* [*fatš*], l'esp. *hecho* représentent chacun à sa manière un ancien *faχtu*, issu du lt. *factu*. Et en effet les langues celtiques connaissent cette modification dès les plus anciens documents (airl. *nocht* 'nuit'); elle est même attestée pour le gaulois par les noms que nous trouvons sur les monnaies *(Luχterios* pour *Lucterius)*. Nous avons donc ici un trait de prononciation provinciale particulier au latin des Gaulois romanisés.

3. LA GAULE SOUS L'EMPIRE ROMAIN

L'Empire et la Gaule

L'intervention des Romains avait enfin donné à l'Occident une organisation qui pouvait paraître définitive. Tous ces peuples d'Italie, d'Espagne, de Gaule, etc., avaient vécu dans un extrême morcellement; ils n'avaient connu qu'une vie nettement régionale. Et cette vie même pouvait paraître peu assurée. Tout ce monde vivait dans une inquiétude continuelle. Les incessantes querelles entre les différentes tribus, les fréquentes incursions d'autres peuples en migration qui ravageaient le pays donnaient à cette existence quelque chose d'instable. A l'arrivée des Romains tout cela changea: le nom de Rome était synonyme d'ordre. En échange de leur indépendance les peuples de l'Occident trouvèrent la stabilité et l'organisation; leur horizon s'élargit; ils connurent les biens d'une civilisation pleinement épanouie.

Malheureusement cette sécurité ne devait pas durer très longtemps. Au moment où Rome avait achevé ses conquêtes, où l'Empire comprenait enfin tous les pays autour de la Méditerranée, il était déjà menacé à sa base. Plus Rome élargissait son domaine, plus le peuple romain perdait de son ancien caractère. Les vertus qui avaient fait du civis romanus un homme si supérieur disparaissaient lentement. L'assimilation des nouvelles masses, des millions de sujets allogènes avait conduit à une extension prodigieuse de la langue latine et de la civilisation extérieure. Mais elle avait été trop rapide pour qu'une assimilation intérieure complète pût se faire en même temps. Les événements de la guerre civile avaient imposé aux Romains la résolution de conférer le droit de cité à tous les habitants de l'Italie. Après la conquête de la Gaule ces bienfaits s'étendirent jusqu'à certains Gaulois romanisés qui avaient rendu des services à Rome. Ces concessions individuelles conduisirent bientôt certains Gaulois aux plus hautes dignités. Déjà César avait recruté des sénateurs dans la Gaule Narbonnaise. En l'an 43 Claude parle de sénateurs venus d'autres régions de la Gaule. Et l'on sait que, peu de temps après, il y eut des empereurs qui sortaient des différentes provinces de l'Empire. L'édit de Caracalla, en 212, qui octroya le titre de citoyen à tous les sujets libres, consacra ce mouvement. Cet édit a changé peu de chose à ce qui existait déjà, mais ce n'en est pas moins une des grandes dates de l'histoire, parce qu'il fut comme la confirmation d'une longue série de faits. Rome était définitivement destituée. C'était de plus en plus un sentiment de respect religieux qu'on gardait pour la ville éternelle, mais la puissance politique se déplaçait. A partir de là les forces centrifuges l'emportent sur les forces centripètes. Nous verrons plus tard les conséquences de ces faits pour le développement de la langue.

Les bienfaits de l'Empire dont nous avons parlé tout à l'heure: sécurité, stabilité, accroissement des richesses, épanouissement de la civilisation furent particulièrement sensibles pour la Gaule sous les Flaviens et les Antonins (69–180). Ce siècle fut le plus heureux pour l'Empire en général comme pour la Gaule en particulier. Après, ce fut une véritable décadence, une décomposition intérieure qui ne fut pas très sensible d'abord aux contemporains, mais qui à distance se dégage très nettement. Le pouvoir passa alors à l'armée. L'armée était devenue l'unique support de l'Etat. Ce qui était resté des anciennes vertus civiques des citoyens disparut.

La société finit par se composer surtout d'individus qui ne suivaient que leur convoitise. La vie sociale subit donc une désagrégation, une espèce de dissolution, qui devait nécessairement conduire au chaos. Nous verrons que le développement interne de la langue ressemble étrangement à celui de la société, de l'Etat.

Les invasions germaniques

En même temps que se produisait cette décomposition lente du monde romain, le danger extérieur ne cessait d'augmenter. Pour la Gaule ce danger venait de la Germanie. Les incursions des Germains commencent vers l'époque où finit le beau siècle des Antonins. Dès le commencement du 3e s. la vie devenait de plus en plus difficile en Gaule; des villes entières tombaient en ruine. En 257 les Alamans et les Francs firent une invasion qui les conduisit à travers tout le pays, et même jusqu'en Italie et en Espagne. La Gaule chercha à s'aider elle-même; on proclama César un Gaulois (Postume) qui délivra le pays des étrangers et rétablit l'ordre. Cet Empire gaulois ne dura pas longtemps (jusqu'en 273), mais tout de même ce fut le commencement de la séparation. C'en était fait de la pax romana, du repos, de la prospérité.

Origine du servage

L'année 275 fut particulièrement malheureuse. La Gaule fut surprise par une invasion générale des Barbares. «Une longue nuit de souffrances, de destructions, telle qu'elle n'en avait jamais vue, s'abattit sur elle.» Elle ne s'en releva plus jamais tout à fait. Même sous les grands empereurs, comme Dioclétien, qui rétablirent une paix et un ordre relativement stables, elle ne retrouva plus l'ancienne prospérité. Il en résulta un bouleversement profond de tout le corps social. L'Etat romain avait reposé surtout sur la classe moyenne: c'est elle qui avait assuré la production et même la force de l'armée. Or, ce sont justement les classes moyennes qui avaient été atteintes. Les villes importantes étaient dépeuplées (Besançon avait perdu la moitié de sa population); plusieurs villes étaient presque entièrement détruites. A la campagne un grand nombre de domaines étaient déserts. Une partie des paysans libres étaient en fuite, d'autres avaient tâché de se sauver en se mettant sous la protection d'un grand propriétaire. Dans ces circonstances, seule la grande propriété tenait bon. Les petites gens, sans défense, ne pouvaient ni remettre leurs propriétés en valeur, ni tenir tête aux grands propriétaires. Plusieurs hypothèquent leurs biens et finissent par être dépossédés; d'autres cèdent leur fonds ou le vendent, à condition de le reprendre à bail. Peu à peu le fermage libre disparaît. Il est remplacé par la 'tenure', qui devient souvent héréditaire. Une nouvelle classe apparaît, celle des colons, libres de leur personne, mais serfs de la terre. Ainsi le paysan libre devient un client du grand propriétaire. La plèbe tombe de plus en plus dans un état de servitude; le patriciat devient tout-puissant. Et la grande *villa* devient la cellule économique où se groupera plus tard l'activité humaine. C'est là qu'il faut chercher les origines du servage qui a tant pesé sur le moyen-âge. Cette institution remonte à une époque antérieure à la migration des peuples. Et ce n'est donc pas par hasard que le mot de *vassal* est d'origine gauloise et non germanique. Nous voyons ici dans quelle mesure le moyen âge a été préparé par les deux derniers siècles de l'Empire, combien la structure sociale et économique de cette époque a survécu et s'est perpétuée dans celle du moyen âge. C'est exactement ce que nous constaterons dans le développement de la langue, elle aussi: la plupart des éléments qui caractérisent l'ancien français se trouvent déjà dans le latin du Bas-Empire.

Morcellement grandissant du pays

Le 3e et le 4e s. apportent encore d'autres changements à la Gaule, des changements auxquels la linguistique n'a pas toujours prêté l'attention qu'ils méritent. L'Empire avait créé une bureaucratie de plus en plus puissante. Les gens de bureau formaient une armée. Les hauts fonctionnaires cherchaient souvent à élargir leur pouvoir. C'est pourquoi les empereurs se méfiaient d'eux beaucoup plus que de leurs sujets. De là la pensée d'affaiblir ces agents en limitant leurs circonscriptions territoriales, ce que l'on fit sur une grande échelle au 3e et au 4e s.: on morcela les provinces. De quatre, le nombre de celles qui composaient la Gaule fut porté à dix-sept. Ce morcellement administratif donnait naturellement plus d'importance aux nouvelles métropoles, aux petits centres. Sans doute, ce faisant, les empereurs ont encore contribué à préparer le morcellement linguistique du pays.

Cette décomposition de l'Empire provenait certainement en partie du fait que son organisation était uniquement d'ordre politique; elle était l'expression d'un esprit nettement pratique qui avait le souci des biens terrestres et fort peu de préoccupations spéculatives. Et au moment où les assises de l'Empire se trouvaient fixées, les anciens dieux auxquels les Romains des siècles passés avaient encore sacrifié, disparaissaient. Les trois premiers siècles de l'Empire sont marqués d'une véritable anarchie religieuse. La religion d'Etat n'était qu'une forme absolument vide; à côté d'elle les sectes pullulaient. Il manquait donc à cette société l'union dans la foi.

4. LE LATIN VULGAIRE

Etant données ces circonstances l'assimilation des nombreux peuples subjugués ne pouvait être que partielle et imparfaite. Le latin était le parler d'une des aristocraties indo-européennes. Mais par son prestige, celle-ci l'a imposé à des populations très diverses et dont la plupart parlaient des langues d'un type tout à fait différent. On ne s'étonnera donc pas de voir des nuances délicates se perdre. Dans la bouche de tous ces peuples allogènes le latin gardait ce qu'il avait de plus banal. Il s'est donc développé un latin d'un usage courant, ad usum omnium; on l'appelle latin vulgaire. «Le latin vulgaire», comme dit A. MEILLET, «est devenu quelque chose que les hommes les plus variés et les moins cultivés pouvaient manier, un outil commode, bon pour toutes mains.» Le latin s'est certainement engagé dans cette voie longtemps même avant d'être sorti d'Italie. Les voisins immédiats des Romains sur qui ceux-ci avaient remporté leurs premières victoires, étaient les Etrusques, sur l'origine desquels on ne sait qu'une chose sûre: ils n'étaient pas indo-européens.

D'autres tendances encore poussaient à un développement du latin, avant tout les tendances inhérentes à toute langue vivante: le besoin d'expressivité, l'usure des formes et surtout des mots devenus trop banals, l'emprunt à d'autres langues, le renouvellement général de la civilisation. Mais le facteur principal de ce développement réside sans doute dans le fait qu'une langue flexionnelle très nuancée a été adoptée par une population dont la conscience linguistique était très différente et qui ne saisissait que vaguement ces finesses.

Dès qu'un peuple atteint un certain degré de civilisation, il commence à se former dans sa langue des nuances de style. La langue de tous les jours, avec toutes ses négligences, paraît peu apte à exprimer les nouvelles pensées; il naît un style plus soutenu. Les circonstances particulières dans lesquelles vivait le latin et que nous venons d'exposer, ont contribué à accélérer cette évolution.

Les Romains eux-mêmes avaient bien conscience de la grande variété de leur langue. Cicéron appelait la langue du peuple 'quotidianus sermo' ou 'rusticus sermo'; d'autres nous parlent d'un 'rusticus sermo, pedestris sermo, usualis sermo, rusticitas', etc. 'Sermo' veut dire à peu près 'manière de s'exprimer, langage', non 'langue'. Le style soutenu dont se sert Cicéron dans ses œuvres philosophiques, est le 'sermo urbanus'. Il va sans dire que ce 'sermo urbanus' était très conservateur. Il se modifie aussi, mais il suit de loin le développement du 'sermo vulgaris'. Pourtant au 4e s. les meilleurs auteurs n'écrivent plus comme ceux de l'époque d'Auguste.

ÉVOLUTION DES FORMES

La déclinaison

Nous allons passer en revue quelques-unes des principales altérations par lesquelles le latin a été atteint. Le plus frappant c'est certainement l'écroulement d'une grande partie du système flexionnel. En latin comme dans les langues indo-européennes en général, les différentes formes d'un seul et même mot avaient une grande indépendance. Ces formes variaient selon les circonstances ou suivant qu'elles désignaient la personne qui fait l'action ou celle qui la subit, etc. (*homo*, *hominem*, *homine*, etc.). Même chose pour le verbe. Dans les langues romanes cette déclinaison a disparu pour la plus grande partie. En français moderne la différence entre la personne qui fait l'action et celle qui la subit est surtout exprimée par la place que le substantif occupe dans la phrase; la situation est exprimée à l'aide d'une préposition (*par*, etc.). Nous nous trouvons en présence d'une décomposition de tous les éléments de la langue, exactement comme l'Empire est dans un état de lente dissolution. Pour Cicéron un mot comme *amico* est une unité indissoluble, qui, outre le sens qu'il exprime, définit en même temps et indique le rapport dans lequel il se trouve avec d'autres membres de la phrase.

Depuis le 5e s. on remplace de plus en plus le datif à terminaison, *amico*, par un datif analytique, *ad illu(m) amicu(m);* en afr. celui-ci a écarté l'ancienne forme synthétique excepté dans la combinaison avec certains verbes, comme *dire*, *devoir*, etc. La nouvelle forme décompose le mot en trois éléments, dont l'un exprime le sens, un autre la définition par opposition à d'autres personnes qui pourraient mériter le même nom, tandis que le 3e mot exprime les rapports avec d'autres membres de la phrase. Or, quand on étudie les différentes parties de la morphologie et de la syntaxe, on voit que presque partout où il s'est produit des transformations, le latin classique a offert un point d'attaque quelconque. C'est par ces fissures que la décomposition et l'analyse ont pénétré dans la langue et en ont désagrégé les éléments. Le latin classique a donné prise à l'esprit analytique qui s'opposait au caractère synthétique que présentait autrefois la langue.

Ainsi le latin classique connaissait des cas où l'on pouvait se servir indifféremment des prépositions ou des terminaisons. On disait

aptus alicui rei à côté de *aptus ad aliquam rem*
aliquis eorum à côté de *aliquis de eis.*

Les expressions *aptus ad* et *aliquis de* représentent la construction analytique; c'est exactement la construction moderne. L'usage de *ad* avec accus. au lieu du datif après certains verbes se trouve déjà chez Plaute, qui écrit *dare ad aliquem* à côté de *dare alicui.* Ces tournures ont fortement pesé sur les autres expressions. Ainsi on ne se servit plus avec les différentes prépositions que d'un cas unique. Une tendance à prendre l'acc. comme cas prépositionnel unique se manifestait fortement. Sans doute l'analogie n'aurait pas été si rapidement victorieuse sur la déclinaison latine, si celle-ci n'avait pas été ébranlée fortement par les changements phonétiques. Nous verrons plus tard que le latin avait réduit le *-m* final à une résonance nasale, qui elle-même avait fini par disparaître *(terra[m]).* En outre une voyelle finale telle que *-ĭ* se rapprochait de *-e;* dans une grande partie de la Romania *-ŭ(m)* se confondait avec *-o.* Il résulte de tout cela que les trois cas *amico* dat., *amicum* acc. et *amico* abl. devenaient identiques. Ce *amico* était maintenant acc., dat. et abl.; cette identité devait favoriser l'emploi des prépositions. Ainsi les inscriptions de Pompéi offrent déjà: *Saturninus cum discentes.* Dès le 1er s. après J.-Chr. l'acc. avait donc empiété sur le domaine de l'abl. Au 4e, au 5e s. les prépositions avaient déjà en grande partie supplanté les terminaisons. Ce changement profond est donc le résultat de trois facteurs: 1° les changements phonétiques, 2° les quelques constructions prépositionnelles qui, en latin classique, concurrençaient les cas flexionnels, et 3° la modification profonde de la mentalité générale qui s'éloigne de plus en plus d'un type de phrase synthétique.

Nous allons retrouver une situation analogue dans nombre de cas, et chaque fois nous constaterons aussi que le latin vulgaire du 4e ou du 5e s. est très loin du latin classique, mais tout près de l'ancien français. Chaque fois aussi nous verrons le latin classique fournir un point d'appui dans une forme ou dans une construction rare.

La comparaison

Ainsi la comparaison latine avait un caractère flexionnel, synthétique:

fortis *fortior* *fortissimus*

Mais de tout temps un certain nombre d'adjectifs ont échappé à cette formation régulière, en particulier les adjectifs en *-uus*, *-ius*. On n'aimait pas la rencontre de trois voyelles, on préférait *magis arduus*, *maxime arduus*. Nous avons donc ici un comparatif synthétique et un comparatif analytique. Le latin classique ne fait qu'une place très restreinte à cette 2e forme de comparatif. Mais plus on avance dans le latin du Bas-Empire, plus ces nouveaux comparatifs deviennent fréquents. *Durior* finit par être remplacé par *magis durus*, et seuls quelques comparatifs synthétiques particulièrement fréquents ont été conservés par la langue (*melior* > *meilleur*, etc.). Il va sans dire que l'habitude de joindre ce *magis* diminuait la force expressive du comparatif synthétique. Aussi rencontrons-nous dans les 'Vitae Patrum' des formes comme *magis intentius*, où le comparatif est affaibli jusqu'à devenir un positif.

Même chose pour le superlatif. Le latin classique possédait la forme synthétique en *-issimus*. Seulement cette forme réunissait deux valeurs, celle du superlatif absolu et celle du superlatif relatif (*fortissimus* 'très fort'; 'le plus fort'). Au sens de 'le plus fort' on se servait du comparatif dès qu'il ne s'agissait que de deux objets *(fortior)*, et nous venons de voir que ce *fortior* a été remplacé par *magis fortis*. Souvent aussi, dans le sens de 'très fort', le latin classique se servait d'un adv. qui donnait à l'adj. sa valeur de superlatif, tels que *multum*, *valde*, *bene*. Donc:

superlatif absolu		superlatif relatif
multum fortis	*fortissimus*	*(fortior)*
		↓
		magis (plus) fortis

Or, le latin vulgaire a abandonné *fortissimus*, il a délaissé la forme synthétique qui était en même temps une forme à double sens. D'un côté il prend la forme analytique *valde (multum) fortis;* de l'autre, il étend l'usage du comparatif, qui compare deux objets, à toutes les comparaisons, quel que soit le nombre des personnes ou des choses[1], c'est-à-dire qu'il en fait un superlatif. Ce développement a son pendant curieux dans l'histoire du pronom indéfini. En latin classique *alius* veut dire 'un autre', *alter* 'l'autre (en parlant de deux personnes)'. Sous l'Empire *alter* commence à empiéter sur le domaine de *alius* et il finit par le supplanter tout à fait[2]. Le parallélisme des deux développements est frappant. Ils marquent un retour à un degré inférieur de culture intellectuelle: *Alius* et *fortissimus* (au sens du superlatif relatif) font penser à toute une série d'objets ou de personnes; ils demandent une imagination plus forte, plus exercée, une attention plus suivie que *alter* et *fortior*. Ces deux derniers mots se contentent d'opposer deux personnes, deux choses, donc la dernière et l'avant-dernière de toute une série; les autres se cachent pour lui derrière l'avant-dernière et le sujet parlant n'a pas à en prendre connaissance.

A côté du superlatif absolu *valde magnus*, dont on rencontre

[1] C'est encore l'état de l'ancien français, où *plus fort* n'a pas besoin de l'article pour servir de superlatif.

[2] Cette extension sémantique de *alter* rend du reste impossible son emploi dans certaines fonctions. C'est ainsi que le lat. *alter alterum* a dû être remplacé par *l'un l'autre*.

du reste encore quelques survivances en mfr. *(vaupute* 'péché contre nature' < *valide putida)* et jusque dans certains patois bourguignons (*vaudoux* 'fade, insipide'), le latin connaît encore la composition avec *per: permagnus.* On compte, en latin, à peu près 200 adj. de ce type. Or, ici aussi, la dissolution se fait sentir. L'affectivité du langage familier décompose ces adj. formés avec *per-* dès le latin classique. Dans ses grands discours Cicéron rattache toujours *per* à l'adj.; mais dans ses lettres, surtout dans celles à Atticus, il sépare souvent ces deux éléments: *per mihi gratum est.* Par la suite, surtout depuis le 3e s., l'on trouve de plus en plus souvent des phrases où *per* est séparé de l'adj. par des mots atones. Paulus, dans ses 'Digesta', écrit *per enim absurdum est*, où le latin classique aurait dit *perabsurdum enim est.* Et cette forme décomposée est aussi celle du vieux français *(moult par a bien dit).*

L'article

Une des manifestations les plus frappantes de cette tendance à l'analyse, à la décomposition des formes synthétiques est la naissance de l'article. Cette partie du discours manque encore au latin, tandis que le grec la possédait dès son époque classique. L'article invite l'interlocuteur à se figurer une personne déterminée ou un objet déterminé et non pas un autre. On veut, au moyen de l'article, présenter la personne ou l'objet en question. Le latin vulgaire, suivant en cela l'exemple du grec, s'est habitué peu à peu à se servir dans ce sens des pronoms démonstratifs, en les affaiblissant sémantiquement. Ce sont *ille* (fr. *le*, esp. *el*, ital. *il*) et *ipse* (qui est resté dans le sarde *su*). Comparez dans la Peregrinatio Aetheriae (6e s.): *Ananias cursor per ipsam portam ingressus est ... Tunc ait ille sanctus presbyter* (il s'agit de passages dans lesquels le contexte interdit de donner à *ipsam* et à *ille* la pleine valeur pronominale).

Si nous parlons d'article en latin vulgaire, nous devons nous garder d'attribuer à ce mot le sens qu'il a dans le français ou l'allemand modernes[1]. Aujourd'hui l'article a perdu toute valeur

[1] Voir, sur l'origine de l'article, en particulier E. Lerch, Gibt es im Vulgärlateinischen oder im Rumänischen eine Gelenkpartikel? Z 60, 113—190; E. Lerch, Zum Gebrauch des Artikels, namentlich beim Abstraktum Z 61, 225 à 256.

démonstrative; on l'applique donc indifféremment à tout subst. Il n'en était pas ainsi à l'époque dont nous parlons. Tout ce qui est abstrait se passe d'article; tout ce qu'on peut se représenter par les sens est susceptible de prendre l'article. C'est exactement l'état du vieux français, et c'est très exactement celui du grec. Le grec connaissait un emploi particulier des subst. abstraits: on pouvait se servir des subst. exprimant des qualités pour désigner ceux qui en étaient pourvus. Ainsi *rhomē* 1° 'force'; 2° 'les hommes forts', *kakía* 1° 'méchanceté'; 2° 'les gens méchants'. Or, au sens abstrait, ces subst. s'emploient sans article, au sens concret avec article. On ne saurait mieux prouver que l'art. sert ici à présenter. – Or, le vieux français fait de l'art. exactement le même emploi que le grec, et le latin du Bas-Empire aussi ne se sert de l'art. que pour les noms concrets. Nous voyons donc de nouveau le vieux français se ranger absolument du côté du latin vulgaire et se détacher du français moderne, où l'article est devenu obligatoire pour tout substantif. Cet accord entre le latin vulgaire et le vieux français se constate jusque dans les plus petits détails. Nous avons vu p. ex. que les subst. abstraits ne prennent pas l'article. Mais le vieux français fait une exception dès qu'ils s'individualisent. Il dit

'avoec se mesla *jalousie*,
desesperanche et *derverie*' (Feuillée)

mais: '*la* grant pesance de son cuer
ne *la* dolor ne *la* grant peine' (Vair Palefroi)

Dans le 2ᵉ exemple *de son cuer* donne une valeur concrète au nom, et aussitôt l'article apparaît. Cela créait des distinctions très subtiles, auxquelles le français moderne a renoncé. Ainsi on aurait dit p. ex. *mariage est malheur*, mais *le mariage a été un malheur pour elle.* Or, cette distinction si fine, ce sentiment si prononcé pour la différence entre concret et abstrait se trouvent déjà dans la Vulgate: dans la Vulgate aussi les noms abstraits ne sont pas en général précédés d'article; mais dès que ces noms se rapportent à un individu particulier, dès qu'il s'agit p. ex. des sentiments ou du caractère de telle ou telle personne, l'article apparaît. Ex.: *Et simulationi eius consenserunt ceteri Judaei, ita ut et Barnabas duceretur ab eis in illam simulationem.*

Nous venons de voir que le latin du Bas-Empire a constitué définitivement l'art. défini. L'article indéfini remonte également à cette époque. Si l'art. déf. est devenu nécessaire pour présenter une personne ou un objet dont on a déjà parlé, il faut un autre mot pour les présenter quand il n'en a pas encore été question; c'est là le rôle de l'art. indéf. Le latin possédait déjà un mot qui pouvait servir dans ce cas. C'était *quidam*. Mais presque dès les plus anciens textes il y a à côté de *quidam* et dans le même sens le nom de nombre *unus*, qui a une valeur affective. Plaute: *unam vidi mulierem audacissumam;* Térence: *inter mulieres unam aspicio adulescentulam.* Dans la 'Vulgate' les exemples fourmillent où *unus* n'a guère plus que le sens de *quidam*. Si la 'Vulgate' dit *cum venisset autem una vidua*, il n'y a plus guère de différence entre ce *una vidua* et le fr. *une veuve*. A partir du 4e s. l'emploi de *unus* comme art. indéf. devient presque général. Les écrivains qui se rapprochent de la langue parlée, l'emploient de plus en plus. Cette constatation est d'accord avec le fait que *quidam* disparaît vers la même époque.

Le verbe

La catégorie de mots qui a été modifiée le plus est peut-être celle du verbe. Le latin classique avait un système verbal très clair et très net:

		présent	passé
ind.	présent	*canto*	*cantavi*
	imparfait	*cantabam*	*cantaveram*
	futur	*cantabo*	*cantavero*
subj.	présent–futur	*cantem*	*cantaverim*
	imparfait	*cantarem*	*cantavissem*

Les deux séries avaient gardé quelque chose de leur ancienne signification indo-européenne; la 1re série impliquait le sens d'une action qui intéresse en tant qu'action et non comme résultat (infectum), d'une action qui n'est pas achevée; la 2e série exprime une action en tant qu'elle est achevée (perfectum). En latin la notion de temps l'a emporté sur la notion d'aspect, quoique celle-ci n'ait pas disparu tout à fait et se soit même conservée un peu jusqu'à nos jours *(il lisait quand son frère entra)*.

Ces formes, et celles que nous n'avons pas encore nommées, comme p. ex. le passif, se maintiennent dans les textes jusqu'à la fin de l'Empire, même au-delà. Les concordances que présentent les langues romanes sur ce point nous permettent de conclure que beaucoup de ces formes n'étaient plus vraiment en usage.

Quelques-uns de ces temps ont été rapprochés entre eux par le développement phonétique du latin. Ils se sont rapprochés au point de se confondre entre eux à presque toutes les personnes. Ainsi:

cantarem, *-es*	*cantavero*, *-is*	*cantaverim*, *-is*
|	|	|
cantare, *-es*	*cantaro*, *-es*	*cantare*, *-es*

Cette identité rendait impossible la coexistence de ces trois temps. Une forme qui aurait signifié en même temps 'que je chantasse', 'que j'aie chanté' et 'j'aurai chanté' n'est pas possible. Elle doit opter pour un de ces trois sens ou bien disparaître. En effet le subj. parfait a disparu de toutes les langues romanes; il doit être inconnu dès le 5e s. Les deux autres temps ont aussi disparu de l'Italie et de la Gaule Romaine. Mais le subj. imparf. vit encore en Sardaigne, le fut. antérieur en roumain, en espagnol, en portugais.

Le futur s'est également rencontré avec d'autres formes, surtout quand, au 2e s. de notre ère, le *-b-* intervocalique était devenu *-v- (habere > avere)*. Ces formes avec *-v-* sont très fréquentes dans les textes et les inscriptions de cette époque. De ce fait plusieurs des personnes du futur sont devenues homonymes des personnes correspondantes du parfait: *cantabit – cantavit*, *cantabimus – cantavimus*. Ces accidents phonétiques ont ouvert la brèche à de nouvelles formations qui existaient depuis longtemps à l'état latent. Ainsi, pour ne parler que du futur, le latin possédait depuis longtemps des constructions qui exprimaient certaines modalités de l'action future. Ce sont surtout *volo facere*, *debeo facere*, *habeo facere*. Chacune de ces trois périphrases avait une nuance particulière; elles pouvaient très bien vivre ensemble. Mais, avec le temps, l'usage de plus en plus fréquent leur fait perdre le sens modal, et la faiblesse morphologique du futur normal agit dans le même sens. *Velle* et *debere* correspondent exactement à l'angl. *I will* et *I shall*, et ont survécu, le premier dans le roum. *voiu face*, le 2e dans le sarde *depo kantare. Habeo facere* s'explique par un sens un peu particulier du verbe auxiliaire. *Habere* veut dire quelquefois 'avoir besoin de'. *Haec res habet deliberationem* veut dire 'cette chose demande de la réflexion'. Depuis le 1er s. après J.-Chr. on rencontre assez souvent *habere* avec l'inf. Dans la Vulgate il devient très fréquent: *habet venire*, etc. Il sert même à traduire quelquefois le futur du texte grec: apoktenei > *occidere se habet.* Au 4e et au 5e s. cette périphrase était donc déjà fréquente, et elle est devenue la forme la plus répandue du futur dans les langues romanes.

Dans *habeo venire*, *habeo* était à l'origine un verbe modal. Son sens était 'je dois', ou 'j'ai l'intention de'. Comme tout verbe modal on pouvait naturellement aussi le mettre au passé. C'est ainsi que Sénèque écrit *quid habui facere* 'qu'avais-je à faire, qu'est-ce que je devais faire alors (qu'est-ce que j'aurais dû faire)'. Ou bien dans une traduction de la Bible qui date du 2e s. après J.-Chr., nous trouvons l'expression *ubi habebat venire* 'où il avait l'intention de venir'. Or, nous venons de voir que le sens modal de la formule *habet venire* s'est affaibli peu à peu, que *habet venire* est devenu un simple futur. *Habebat venire* a dû suivre ce mouvement; entraîné par *habet venire* il a parcouru un développement analogue, parallèle. Il s'agit donc vraiment d'un futur dans le passé. De cette façon le latin vulgaire crée un temps que le latin classique avait ignoré, le conditionnel. Ce nouveau temps exprime ce qu'on *avait* l'intention de faire, ce qui *était* imminent, mais ce qui n'a pas été réalisé parce que telle ou telle condition a fait défaut. C'est ainsi que nous trouvons un temps nouveau dès le 5e s.: *sanare te habebat Deus, si fatereris* 'Dieu t'aurait guéri, si tu avais avoué'.

Avec cet exemple nous avons déjà commencé l'étude des phrases hypothétiques. Pour exprimer l'irréalité le latin ancien possédait les types suivants:

a) au présent: *si veniat*, *cantemus*
b) au passé: *si veniret*, *cantaremus.*

Or, il est évident que l'impf. du subj. exprime l'irréalité d'une manière beaucoup plus forte que le subj. prés. Dans *si veniret*, l'irréalité est exprimée par deux moyens: par le subj. d'abord, par le passé ensuite. On comprend donc qu'on se soit souvent servi de la formule *si veniret* comme expression affective de l'irréalité dans le présent. On s'en est servi si souvent que la nuance affective s'est perdue et que cette forme est devenue la formule normale. *Si veniret* est donc devenu un présent; il fallait une autre formule pour l'irréalité dans le passé. On la trouva dans le subj. plusqpf. Le latin classique dit donc:

a) au présent: *si veniret*, *cantaremus*
b) au passé: *si venisset*, *cantavissemus.*

Dès que ces expressions sont devenues normales, le même phénomène peut se reproduire. La phrase hypothétique du passé peut devenir l'expression affective de la condition au présent. En outre nous avons déjà vu qu'au 5e s. au plus tard, l'impf. du subj. a commencé à disparaître de la plupart des pays parlant latin. Il fut surtout remplacé par les formes *b)*. A la fin du Bas-Empire il ne reste donc plus que la formule *b)*, et elle exprime l'hypothèse sans qu'on tienne particulièrement compte du temps. Il semble donc qu'aux 5e et 6e s. on n'ait plus distingué entre l'expression du présent et celle du passé pour les phrases hypothétiques. C'était la situation qui devait décider de la valeur exacte de la phrase. Nous verrons la même chose encore pour l'ancien français. De nouveau nous constatons que la langue abandonne la précision des rapports temporels, qu'elle renonce à la netteté des délimitations[1].

La conjugaison latine ne s'est pas seulement enrichie d'une nouvelle forme, le conditionnel, elle a aussi créé toute une conjugaison périphrastique qui devait ouvrir des horizons nouveaux et où la postérité trouvait largement le matériel qu'il lui fallait pour combler les vides. Les verbes *habere* et *esse* furent combinés avec les p. p. des autres verbes. Dans ces constructions le p. p. avait d'abord la valeur d'un adj. Dans *Caesar urbem occupatam*

[1] Le développement de tout ce système des temps a été infiniment plus nuancé et plus varié qu'on ne saurait le présenter dans un livre si succinct. Voir, outre les ouvrages cités, p. 9 s., GAMILLSCHEG, E., Studien zur Vorgeschichte einer romanischen Tempuslehre; Sitzungsberichte der Kais. Akademie der Wissenschaften in Wien 172, 2.

habet on ne pourrait pas remplacer les deux derniers mots par *occupavit.* Ils signifient plutôt 'il possède la ville, et elle est occupée par ses soldats'. Ici *habet* n'est pas du tout verbe aux.; il marque la possession. Mais il devait y avoir des cas où cette construction se rapprochait du parfait simple. On en rencontre dès les plus anciens textes. Ainsi Plaute écrit *liberos parentibus sublectos habebis* 'tu auras des enfants soustraits à leurs parents', ce qui est très voisin de 'tu auras soustrait des enfants à leurs parents'. Ou dans Tite-Live *venenum quod multo antea praeparatum habebat* 'poison qu'il tenait en réserve depuis longtemps'. C'est presque 'qu'il avait préparé il y avait longtemps'. Des phrases semblables deviennent de plus en plus fréquentes au temps du Bas-Empire, surtout comme locutions toutes faites. La phrase romane est donc préformée dès le latin classique[1]. Et quand la contrainte classique disparaît, *cantatum habeo* devient vite général. Grégoire de Tours emploie p. ex. *habeo cognitum* avec la valeur de 'cognovi'. Il dit *episcopum invitatum habes* 'tu as invité l'évêque'.

LA NÉGATION

Le langage familier, affectif, se signale surtout par les exagérations. Dans les moments d'émotion nous voyons tout en grand, ou bien en petit; en tout cas les dimensions sont changées pour nous. La négation est une des parties du discours qui est la plus influencée par l'émotion. De tout temps on a senti le besoin de la renforcer en lui joignant des mots qui désignent des objets très petits ou sans valeur. On en rencontre dès le latin archaïque, mais quelques-uns d'entre eux semblent avoir pénétré particulièrement dans le latin vulgaire:

Pétrone: 'quinque dies aquam in os suum non coniecit, *non micam panis*' (= 'pas le plus petit morceau de pain').

Plaute: 'cui neque parata *gutta* certi consilii'.

[1] Pour tous les détails, voir THIELMANN, PH., Habere mit dem Part. Perf. Pass., Archiv für lateinische Lexikographie und Grammatik 2, 372–423, 509 à 549; HERZOG, E., Das -to-Partizip im Altromanischen. Beihefte zur Zeitschrift für Romanische Philologie 26.

Cicéron: 'ne *punctum* quidem temporis oppugnatio respiravit'; 'non licet *transversum digitum* discedere'; '*pedem* in Italia video nullum esse qui non in istius potestate sit'. Ces formes de négation dues à une influence affective correspondent à de grandes catégories de l'existence (temps, espace) ou aux formes du monde physique. Les principaux auxiliaires de négation de l'ancien français en sont sortis:

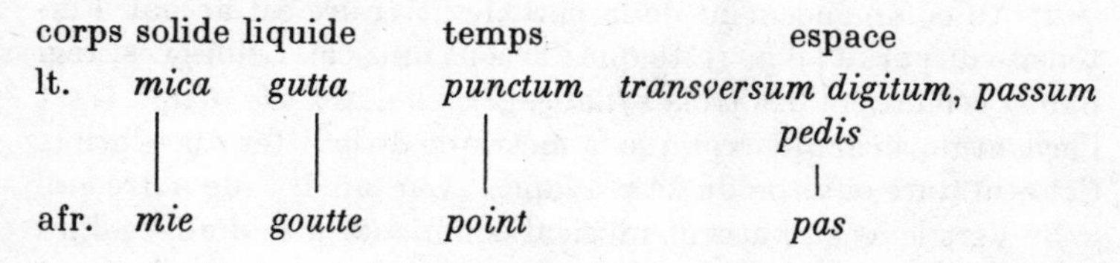

PHONÉTIQUE

Dans le développement de la syntaxe il a été possible de trouver une certaine ressemblance avec le développement général de la civilisation. Il est bien plus difficile de trouver des rapports entre ce même état de civilisation et les changements phonétiques d'une langue. Les phonèmes sont la partie la plus matérielle d'une langue, celle qui est la plus éloignée de la vie de l'esprit. Les modifications de la mentalité d'un peuple n'ont, sur le système phonique, qu'une influence directe relativement petite, ou si elles en ont une, cette influence est difficile à saisir.

Nous nous contenterons donc de montrer les principaux changements qu'a subis le latin du Bas-Empire.

L'accent

L'élément le plus important du système phonique est l'accent. Les langues indo-européennes en connaissent deux espèces, l'accent expiratoire et l'accent musical. Ils sont répartis très inégalement. Il y a des langues où ils sont plutôt mêlés, d'autres où l'un des deux domine, toutefois sans que l'autre ne manque jamais tout à fait. Ainsi l'accent du grec était surtout musical. Cela lui donne un caractère mélodique. C'est aussi le cas du français moderne, où l'accent musical prévaut sur l'accent expiratoire.

Pour le latin nous devons distinguer trois périodes:

1° Le latin prélittéraire avait hérité de l'indo-européen un accent musical très marqué. Mais en outre il avait acquis un accent d'intensité très fort qui frappait toujours la 1re syllabe du mot. Il en résulta une forte réduction des voyelles post-toniques, comp. *facio: cónficio*, *lego: cólligo*, *quinquedecim* > *quindecim*.

2° Au commencement de la période littéraire cet accent d'intensité disparaît; il ne reste que l'accent musical. Celui-ci est régi par la célèbre loi des trois syllabes: *regā́lis*, *ascĕ́ndo*, *tétĭgĭ*. C'est l'accent musical qui explique la métrique de la littérature latine. Cet état dure environ du 2e s. avant J.-Chr. au 4e s. de notre ère.

3e Vers le 4e s., l'accent musical commence à se doubler d'un nouvel accent expiratoire. Nous verrons plus tard que la force de ce nouvel accent doit avoir varié selon les régions. Le grammairien Pompejus dit: 'illa syllaba *plus sonat* in toto verbo quae *accentum* habet'. *Accentum* c'est l'accent musical, tandis que *plus sonat* ne peut se rapporter qu'à l'accent expiratoire. Celui-ci est devenu de plus en plus important.

Les langues romanes sont restées très fidèles à cet accent. L'accent d'intensité frappe presque toujours la syllabe qui, en latin classique, portait l'accent musical.

Le vocalisme

Le vocalisme du 4e et du 5e s. s'oppose absolument à celui du latin classique. Il repose sur un principe tout à fait différent. Les voyelles du latin classique se distinguaient par leur quantité, celles de la fin de l'Empire par la qualité. En latin classique il y avait deux *e*, l'un était long, l'autre bref, et ainsi de chaque voyelle. Or, dans beaucoup de langues les voyelles longues ont eu tendance à devenir plus fermées que les brèves correspondantes (all. *ich*, *Ihnen*). Le latin aussi a connu cette tendance. Et, sans renoncer pour cela à la quantité, il a joint à la quantité la qualité:

1° *ī į̆ ẹ̄ ę̆ ā ă ǫ̆ ọ̄ ų̆ ụ̄*

Le grammairien Servius dit, vers 400: '*e*, quando producitur, vicinum est ad sonum *i* litterae, ut *meta*, quando autem correptum, vicinum est ad sonum diphtongi, ut *equus*'.

Au 4e s. nous trouvons dans des inscriptions des formes comme *menus*, *semul*. Ces formes sont les témoins d'une nouvelle étape que ces voyelles ont atteinte: *į* et *e* se sont rejoints, et de même *ų* et *ọ*[1]. Si nous n'avions pas ces formes, les langues romanes seraient là pour nous attester l'identité de *į* et *ẹ* d'une part, de *ų* et *ọ* de l'autre.

fĭde > fr. *foi*, it. *fẹde* *gŭla* > fr. *gueule*, it. *gọla*
habēre > fr. *avoir*, it. *avẹre* *sōla* > fr. *seule*, it. *sọla*

2° Donc: *i ẹ ę a ǫ ọ u*

Enfin un grammairien du 5e s., Consentius, nous atteste une nouvelle étape de ce développement: 'quidam dicunt *piper* producta priore syllaba, cum sit brevis'. *Piper*, qui en latin classique avait un *ĭ*, lequel a dû devenir *į̆*, allonge ainsi sa voyelle accentuée. On a donc maintenant *ẹ̄*. Cette nouvelle modification atteint les voyelles en syllabe ouverte. En syllabe libre les voyelles s'allongent; en syllabe entravée elles deviennent brèves. C'est là l'origine d'une différence qui sera grosse de conséquences surtout pour le français. Le tableau suivant résume tout ce développement:

ī ĭ ē ĕ ā ă ŏ ō ŭ ū

ị̄ (į̆ ẹ̄) ę (ā ă) ǫ (ọ̄ ų̆) ụ̄

i ẹ ę a ǫ ọ u

(ī ĭ) (ẹ̄ ẹ̆) (ę̄ ę̆) (ā ă) (ǭ ǫ̆) (ọ̄ ọ̆) (ū ŭ)

Le consonantisme

Le consonantisme aussi a subi certains changements. En voici quelques-uns:

Tous les phonèmes faibles finissent par disparaître. *h*-tombe. Ainsi *habere* devient *abere*. L'-*m* final n'a plus été qu'une résonance nasale en latin classique. Priscien dit: '*m* obscurum in extremitate dictionum sonat, ut *templum;* apertum in principio,

[1] Dans une partie de la Romania, notamment en Sardaigne et en Roumanie, l'évolution des voyelles prend un autre cours; il commence à se dessiner là une forte différenciation régionale du latin. Voir aussi à ce sujet le chapitre suivant.

ut *magnus*, mediocre in mediis, ut *umbra*'. Cette description de Priscien trouve son écho dans le sort que le français a réservé à ces trois *m:* l'*m* final de *templum* n'a pas laissé de trace; celui de *umbra*, que Priscien désigne comme 'mediocre' s'est conservé comme résonance nasale *(ombre);* l'*m* fort de *magnus*, c'est-à-dire devant voyelle, est resté intact.

La phonétique syntactique

En latin chaque mot était senti comme un individu indépendant, même dans la phrase. La phrase latine ressemble à une assemblée de citoyens libres, autonomes chacun dans son domaine. Chaque mot porte en lui-même tout ce qu'il faut pour exprimer avec netteté sa fonction dans la phrase *(amico, -i, -um)*. La grande indépendance dont jouissait chaque mot explique que le latin classique ne connaisse presque pas les phénomènes de la phonétique syntactique, c'est-à-dire que la forme des mots ne dépende en aucune manière de leur place dans la phrase (comp. it. *la casa*, mais *a ccasa;* fr. *les livres*, mais *les arbres*).

Or, en latin vulgaire l'indépendance de ces différents membres de la phrase se perd parce que la flexion disparaît. Et aussitôt nous voyons les mots réagir l'un sur l'autre, changer de forme selon leur entourage. Prenons un ex.: l'*s* initiale suivie de consonne commence à demander une voyelle quand le mot précédent se termine par une consonne: *scribere* > *iscribere*. Depuis le 2e s. ces formes sont fréquentes dans les inscriptions. Le mot avait donc deux formes; on disait *illa scola*, mais *in iscola* (c'est exactement l'it. *la scuola*, *in iscuola*). En revanche, les mots commençant par un *i* perdaient cette voyelle après les mots terminés par une voyelle.

Donc: *scribere*
inscribere } *iscribere, scribere*
exscribere
Hispania > *Spania* (it. *la Spagna*, *in Ispagna*).

5. DIFFÉRENCIATION PROVINCIALE DU LATIN

Après un tremblement de terre, un mur, s'il a pu demeurer debout, reste couvert de lézardes, les unes très profondes, les autres moins. Les premières constituent des sortes d'artères principales, les autres un enchevêtrement de lignes plus ténues. Toutes se croisent et s'entrecroisent, constituant un réseau très compliqué. Si l'on pouvait reconstruire une carte linguistique exacte de l'Empire au moment où il succombe, elle ressemblerait beaucoup à ce mur[1].

Romania orientale et Romania occidentale

Il est difficile de dire à quel moment ces différences ont commencé à être sensibles. Mais, bien que les relations n'aient jamais cessé d'être très suivies entre les différents pays de l'Empire, il est certain que les différences allèrent augmentant de siècle en siècle.

Le fossé le plus large, le plus sensible et le plus ancien est celui qui sépara l'Est de l'Ouest de la Romania. L'Est c'est l'Italie (sans la plaine du Pô) et la Roumanie, l'Ouest comprend les autres pays. Le trait le plus important c'est certainement la chute de l'*-s* finale. Dès le latin archaïque on avait laissé tomber cette *-s* devant une consonne. On disait donc *optimus omnium*, mais *optimu rex* (comp. fr. *mauvais esprit*, mais *mauvai(s) livre*). Le latin littéraire avait rétabli l'*-s* partout. Mais dans le parler des paysans cette habitude de prononciation s'était maintenue. Cicéron la blâme comme rustique. Or, nous voyons que l'Est de la Romania a généralisé l'usage rustique, les autres pays l'usage littéraire. Comp. *duos* – 1° roum. *doi*, it. *due;* 2° sarde *duos*, rhét. *dus*, fr. *deux*, prov. esp. *dos*, pg. *dous*[2]. Ceci a été de la plus grande importance pour le système morphologique. Là où l'*-s* tombait, l'acc. du plur. des subst. devenait identique au sing.: *murus*, *murum*, *muros* > *muro; muri* > *muri.* Dans l'Est de l'Empire on ne pouvait donc distinguer le plur. du sing. qu'en se servant du

[1] Sur les origines des premières différenciations du latin et de la formation des nouvelles frontières linguistiques dans l'intérieur de la Romania voir l'ouvrage cité à p. 63.

[2] Il est vrai que l'*s* finale s'est conservée aussi dans certains dialectes de la Basilicate.

nominatif. Dans l'Ouest en revanche sing. et plur. restaient distincts. Voilà qui explique le contraste entre it. *muri* et afr. *murs*, esp. *muros*.

Sous d'autres rapports l'Est paraît plus conservateur que l'Ouest. Il a surtout laissé intactes les consonnes intervocaliques.

-t-	roum. *mută*	it. *muta*	esp. *muda*
-k-	*foc*	*fuoco*	*fuego*
-p-	*iepure*	*lepre*	*liebre*

La sonorisation de ces consonnes explosives date du 3e s., puisque à cette époque nous trouvons déjà des graphies comme *frigare* pour *fricare*, et que les mots latins empruntés par l'anglo-saxon montrent le même phénomène (ags. *laeden* < *latinu*)[1].

Régions conservatrices

Le latin d'Ibérie devait être particulièrement remarquable pour son caractère conservateur. Nous le voyons surtout dans l'histoire d'un grand nombre de mots[2]. Je ne voudrais citer que deux ex.: pour 'parler' le latin disait *loqui* et *fabulari*, le premier appartenait au style soutenu (la grande éloquence), le 2° au langage familier. *Loqui* a disparu, mais *fabulari* est resté en espagnol et, sous la forme dér. *fabellari*, dans les parlers sardes et rhéto-romans. L'Italie par contre et la Gaule ont accueilli un nouveau terme, *parabolare*, dérivé de *parabola*, lequel, grâce à son emploi dans le langage de l'Eglise, avait passé du sens de 'parabole' à celui de 'parole'. Ou bien prenons les subst. qui désignent l'épaule: l'esp. *hombro* conserve le lt. *humerus*, tandis que l'italien et le galloroman ont *spatula* ('omoplate'). Ici, chose curieuse, nous voyons le roumain marcher avec l'espagnol (il dit *umar*). Les cas sont assez fréquents où le roumain et l'espagnol ont conservé l'ancien mot latin, tandis que les autres pays de langue romane, l'Italie et la Gaule surtout, ont adopté un autre mot. – Le latin classique avait eu deux mots pour 'beau': *pul-*

[1] En Espagne cette sonorisation paraît avoir commencé dès le Ier siècle, v. Tovar, Homenaje a Fritz Krüger (Mendoza 1952) 1, 9–15.

[2] Pour l'histoire du vocabulaire latin vers la fin de l'Empire voir surtout JUD, J., Probleme der altromanischen Wortgeographie, Zeitschrift für Romanische Philologie 38; BARTOLI, M., Introduzione alla neolinguistica, Genève, 1925; BARTOLI, M. Per la storia del latino volgare, Archivio Glottologico Italiano 21.

cher, le terme général, appartenant au style soutenu, et *formosus*, qui désignait particulièrement la beauté extérieure (< *forma*). *Pulcher*, trop prétentieux pour le peuple, a disparu partout. Mais l'esp. *hermoso* et le roum. *frumos* restent tout de même dans la tradition classique. Le latin de Rome pourtant a préféré un adj. *bellus*, qui voulait dire 'joli'. L'Italie et la Gaule ont suivi ce mot d'ordre (fr. *beau*, it. *bello*). – Pour 'bouillir' le latin disait *fervere;* mais à côté il possédait un second verbe, *bullire*, qui voulait dire 'bouillonner, former des bulles'. *Bullire* était certainement plus fort, puisqu'il évoquait immédiatement l'idée de l'eau en ébullition. Le roum. *fierbe* et l'esp. *hervir* continuent la tradition classique, tandis que l'it. *bollire* et le fr. *bouillir* trahissent la prédilection que ces deux pays avaient pour les termes forts, expressifs, populaires. Du reste on a l'impression que le caractère conservateur de l'Ibérie et celui de la Dacie ne procèdent pas de la même cause. L'Ibérie est restée en contact suivi avec le reste de l'Empire; en se fermant aux mots nouveaux, elle a montré son goût pour la tradition; elle a opposé une véritable résistance à l'invasion des mots trop vulgaires. Si la Roumanie a conservé tant d'anciens mots, c'est simplement parce que les innovations de Rome ne pouvaient plus arriver en Dacie, le contact étant perdu par suite des invasions.

A la fin de l'Empire le latin de la Gaule (Midi et Nord) et de la Rhétie devait se distinguer particulièrement par un phénomène d'une extrême importance, la conservation d'une véritable déclinaison: sing. *murs – mur*, plur. *mur – murs* (voir p. 101), tandis que dans d'autres régions on maintenait à peine la distinction entre nom. et acc. pour quelques subst. désignant des personnes. Le roumain, il est vrai, a en outre gardé la forme du datif.

II. DU LATIN VULGAIRE A L'ANCIEN FRANÇAIS

1. LES GERMAINS

Les Germains et l'Empire

La destitution du dernier empereur d'Occident, en 476, n'était que la confirmation d'une longue série de faits. Depuis plus de cinq siècles les Romains devaient compter avec les Germains. Si l'Empire n'est pas tombé plus tôt, c'est que les Germains n'étaient pas organisés; ils vivaient sous forme de petits groupements, le plus souvent ennemis les uns des autres. Les Romains pouvaient presque toujours se servir des uns contre les autres.

Pour l'influence du germanique sur le latin et sur le roman il faut bien distinguer entre les mots qu'a empruntés déjà le Bas-Empire, et ceux que les Goths, les Francs, etc. ont apportés plus tard dans les pays conquis et occupés par eux[1]. Les Romains ont toujours été en contact tantôt hostile tantôt pacifique avec les Germains. Les mots d'emprunt germaniques vont nous montrer la nature de ce contact. Les marchands romains entretenaient un commerce assez suivi avec les pays germaniques. Ils en importaient en particulier, chose curieuse, le savon: lt. *sapo* < germ. **saipo*. Très souvent, il est vrai, le mot latin désigne plutôt une espèce de crème dont on se servait pour se teindre les cheveux en blond. C'est que le monde élégant de Rome raffolait de cette couleur. Voilà pourquoi le germ. **blund* a passé dans les langues romanes. Si les Romains ont admiré le blond des Germains, ceux-ci n'ont pas été moins frappés de la mode romaine qui imposait les cheveux coupés. C'est pourquoi, en échange du mot *blond*, ils prirent au latin le mot *calvus* (> all. *kahl*, ags. *calu*). – Les légionnaires romains en garnison le long du Rhin et du Danube avaient souvent des *focariae* germaniques, qui leur faisaient la cuisine. C'est ce qui explique l'emprunt de mots comme *rôtir* < *rostjan*, all. *rösten*.

[1] Voir GAMILLSCHEG, E., Romania Germanica; Sprach- und Siedlungsgeschichte der Germanen auf dem Boden des alten Römerreichs; 3 tomes; Berlin 1934–1936.

Dès le 1er s. beaucoup de Germains entrèrent dans l'armée romaine, au 4e s. ils y étaient peut-être en majorité. Leurs qualités militaires leur permettaient d'avancer assez vite; ils devenaient officiers ou finissaient par occuper des places importantes dans l'administration civile. Du moment que l'on abandonnait le métier des armes aux Germains, il n'est pas étonnant qu'une grande partie de la terminologie militaire soit devenue germanique: *helm* > afr. *heaume*, it. *elmo*, esp. *yelmo*, *furbjan* 'nettoyer les armes' > *fourbir*, *brand* > afr. *brant* 'épée' (frm. *brandir*), *wardon* > *garder*, etc.[1].

Une autre manière d'attacher les Germains à l'Empire était d'en faire des colons, des cultivateurs. La Gaule surtout en voyait souvent arriver, les uns prisonniers de guerre, les autres en quête d'une terre. Et puisque le nombre des terres abandonnées était toujours grand, on n'était jamais embarrassé pour leur assigner un domaine. Ces colons apportèrent des termes comme *bâtir*, *crosse*, *banc*. C'est ainsi que les Romains trouvaient avantage à faire travailler et combattre la Germanie pour le bien de l'Empire.

L'invasion

Tout cela changea lorsque l'invasion des Huns força des peuples entiers à abandonner leurs pays. C'est alors que les Visigoths, après avoir traversé l'Italie, arrivèrent en Gaule. Ils occupèrent le Midi en 412. Les débris des Burgondes, qui avaient échappé au terrible massacre dont le souvenir est conservé dans les Nibelungen, se tournèrent aussi du côté de la Gaule. Nous les trouvons dès 443 dans la région du Lac Léman, d'où ils étendirent peu à peu leur domination sur Lyon, la Franche-Comté, la Bourgogne. Pour la Gaule la fin de l'Empire était déjà consommée avant l'année 476. Outre les Visigoths et les Burgondes, un troisième peuple envahit la Gaule, ce sont les Saxons. Ils arrivèrent par la mer et durant le 4e et le 5e s. ils dévastèrent le littoral de la Manche et de l'Océan, à tel point que l'on appelle ce littoral 'litus saxonicum'. Les Saxons, eux aussi, laissèrent des colonies

[1] Certains romanistes ont tendance à voir dans la plupart de ces mots des emprunts faits par le galloroman au francique et qui auraient passé par la suite du français aux autres langues romanes. Dans les articles correspondants du FEW nous croyons avoir démontré que cette manière de voir porte à faux.

dans cette région, et le souvenir en est conservé dans quelques noms de lieux picards et normands, mais aucune trace plus durable n'en est restée. Appelés par les habitants des îles britanniques au milieu du 5e s. ils se ruèrent sur ce pays. Indirectement cette invasion de la Grande-Bretagne par les Anglo-Saxons eut de l'importance pour la Gaule. Les 'Britanni' ne vécurent pas longtemps en paix avec leurs nouveaux alliés: ils se virent forcés de quitter le pays et ils trouvèrent une nouvelle patrie dans la presqu'île alors peu peuplée que les Romains avaient appelée d'un nom celtique 'Aremorica' et qui dès lors s'appela 'Bretagne'. Les Bretons occupèrent cette région vers l'an 450.

Les derniers venus sont les Francs. Au Nord des Burgondes et des Visigoths une province romaine était demeurée détachée de l'Empire et vivait de sa propre vie. C'était le royaume de Syagrius. En 486 Clovis mit fin à l'indépendance de ce royaume et l'occupa avec ses Francs. Des trois peuples germaniques qui s'étaient partagé la Gaule, les Francs étaient les plus forts. Clovis battit les Visigoths en 507, et le royaume des Burgondes fut réuni à celui des Francs en 534. L'indépendance de ces deux Etats germaniques avait donc duré un peu moins d'un siècle. Leur langue n'en a pas moins laissé des traces. On sait que les Burgondes traitaient leurs sujets galloromains avec ménagement. C'est la raison pour laquelle ils ont laissé dans la langue un assez grand nombre de mots[1] comme suisse _fata_ 'poche' < _*fatta_, suisse _budda_ 'étable' < _*buwida_, sav. _landa_ 'poutre' < _*landa_ 'perche', lyonn. _faraman_ 'femme de mœurs équivoques' < _faramannus_ 'vagabond'. Et il est très intéressant de voir qu'un des rares mots germaniques se rapportant à la vie intellectuelle que l'on trouve dans les parlers romans, est d'origine burgonde: à Lyon on dit _brogi_ 'réfléchir' < _brugdian_.

Les Francs

L'invasion des Francs a d'abord créé la frontière linguistique entre le germanique (flamand, néerlandais) d'un côté et le français de l'autre. C'est cette ligne qui traverse la Belgique de l'Est à

[1] L'état actuel des recherches permet d'en reconnaître environ 78. Voir à ce sujet v. Wartburg, W., Z 80, 1–15.

l'Ouest. Jusqu'à cette limite le pays a été germanisé complètement. Au-delà la colonisation franque a été très forte; en Picardie la plupart des noms de lieux trahissent une origine germanique. Au sud de la ligne Oise-Aisne ils sont beaucoup moins nombreux; l'importance de la colonisation franque y diminue, bien qu'elle reste encore très sensible, surtout là où l'on avait établi des colonies militaires. Mais tous les grands centres de civilisation, toutes les villes portent des noms latins ou celtiques. Ces villes ont conservé le latin et lui ont assuré la victoire sur le dialecte germanique. Pour des raisons politiques le roi Clovis tâchait de gagner les évêques. Quand il se fit baptiser, Clovis, entrant dans l'Eglise romaine, obtenait de ce fait l'appui des Gallo-Romains dans la lutte qu'il voulait entreprendre contre les Visigoths, lesquels étaient ariens. Il entra ainsi dans l'Eglise romaine, dont la langue était le latin. Les Francs acceptaient donc le latin comme langue religieuse. Et ce fut là une deuxième cause, et très importante, de la victoire du roman. Et enfin les rois de la dynastie mérovingienne cessèrent vite de faire une différence entre les chefs francs de leur armée et les patriciens d'origine gallo-romaine.

Un grand nombre de mots d'origine franque ont passé dans le français. Une grande partie de la terminologie militaire est devenue franque, p. ex. *épieu* < *speut* 'pique', *broigne* < *brunnja* (all. *brünne*), etc. La vie publique prenait de plus en plus la forme féodale. Nous en avons constaté les premiers indices dès l'époque galloromaine. Ce sont les Francs qui lui ont donné la forme définitive. Aussi *l'alleu* et le *fief* portent-ils des noms germaniques. Mais la collaboration de la noblesse galloromane se manifeste par le caractère bilingue de la terminologie politique et administrative: *roi*, *duc*, *comte* sont des titres d'origine latine (au temps des Mérovingiens on hésitait encore entre *comes* et *grafio*); *maréchal* (< *marhskalk* 'chef de la cavalerie'), *sénéchal* (< *siniskalk* ,chef de la domesticité'), *échanson (< skankjo*>, *baron* (< *sakibaro* 'fonctionnaire subordonné au comte, qui s'occupe de la juridiction'), représentent à la *cour* (< lt. *cohors*) l'élément germanique.

Les Francs n'aimaient ni les villes, ni les métiers. Leurs occupations favorites, en dehors de la guerre, étaient la chasse, l'agriculture, l'élevage du bétail. Et c'est ainsi qu'un mot tel que *waiðanjan* 'faire paître' (all. *weiden*) a été incorporé à la langue gallo-romane (> *gagner*, d'où le *regain*). Les mots *gerbe (< garba)*, *blé* < _*blād_ 'fruit des champs' montrent l'intérêt que les Francs portaient à l'agriculture. L'ensemble des bêtes d'une ferme s'appelait en vfr. *folc (< folk)* ou *herde (< herda)* ou *troupeau*, qui est également un mot d'origine germanique, la plupart des animaux domestiques, par contre, conservant leur nom latin. Le *jardin* et la *haie* montrent que les Francs avaient l'habitude de cultiver avec un soin particulier une pièce de terre clôturée et attenante à la maison. Un très grand nombre de noms de plantes sont d'origine franque, tels que l'*aune*, l'*osier*, le *houx*, le *cresson*, le *troène*, etc. Quand on se demande pourquoi telle plante porte un nom d'origine franque, tandis que telle autre (*frêne*, *tilleul*, *ormeau*, etc.) conserve son nom latin, la réponse nous est souvent offerte par le rôle que jouait cette plante pour les Francs. Le *saule* (< *salha*) et l'*osier* avaient une importance capitale pour les maisons franques dont les parois étaient tressées. C'est avec des bâtons de *houx* (< *hulis*) qu'on donnait les coups de bâton auxquels étaient condamnés les coupables. Les Germains entouraient la place où s'assemblait le peuple avec des branches de noisetier auquel ils attribuaient une force magique; de là le mot *hallier*, dérivé du francique *hasla*. Le *troène* (< *trugil*) était beaucoup employé pour former des haies. Le *bois* (< *bosk*) et la *forêt* (< *forhist*), ainsi que l'afr. *gaut* (< *wald*) désignent un ensemble d'arbres, de même que *herde*, *troupeau*, *fouc* ont été introduits en galloroman pour désigner un ensemble d'animaux. – De même certains oiseaux qui ont été l'objet d'une attention particulière de la part des Francs ont gardé leurs noms franciques: l'apparition du *freux* (< *hrôk*) permettait de prédire l'avenir; la *mésange* (< *meisinga*) jouissait d'une protection particulière; le droit germanique interdisait de la tuer. Si le *hanneton* (< *hano* 'coq') porte un nom francique, c'est que cet insecte est peu connu dans les régions méditerranéennes. – L'apiculture doit avoir été assez développée chez les Francs, puisque le mot *rayon de miel* (afr. *ree* < *hrâta*) est d'origine francique. Ce sont eux aussi qui ont introduit dans la France septentrionale la ruche de paille. De même quelques noms de parties du corps sont dus aux Francs, ainsi *échine* (< *skina*), *flanc* (< *hlank*), *gifle*, à l'origine 'mâchoire, joue' (< *kifel*), *fronce* 'ride' (< *hrunkja*, all. *runzel*).

Un certain nombre de pièces d'habillement portent un nom francique, tel le *froc* (< *hrokk*), la *poche* (< *pokko*, les Anciens n'avaient pas de poches à leurs habits); le *gant* (< *wantu*) était employé comme symbole quand on recevait un fief du seigneur. Le *feutre* (< *filtir*) était une étoffe chaude en vogue parmi les Germains.

Les Francs avaient un très riche vocabulaire pour exprimer de façon nuancée les sentiments et les traits de caractère. Dans ces domaines la correspondance sémantique des mots d'une langue à l'autre est moins exacte qu'ailleurs. C'est pourquoi les Francs, lorsqu'ils passèrent progressivement à l'idiome roman, conservèrent leurs expressions habituelles, incorporant ainsi au français de nombreux vocables, tels que *orgueuil (< urgôli)*, *honte (< haunitha* 'dérision'), *honnir (< haunjan)*, *hardi* (p. passé de *hardjan*), afr. *baut* 'courageux' *(< bald)*, *grain* 'attristé' *(< gram)*, *laid* 'désagréable' *(< laid)*. Ces quelques exemples ne donnent qu'une faible idée de la contribution que le vocabulaire franc a fournie au vocabulaire galloroman: le nombre des mots que les Francs ont incorporés au lexique français dépasse 400. Leur répartition est assez limitée. Le plus souvent ils ne franchissent guère la ligne qui va de la Loire à Belfort; quelques-uns sont descendus au sud de cette ligne, mais à une époque postérieure. La suprématie du Nord de la France sur le Midi a transporté dans le Sud de la France bon nombre de ces mots à l'époque de l'ancien français et du français moderne.

En apprenant le gallo-roman les Francs ont conservé leur manière de décliner leurs noms propres: *Hugo*, *Hugon*, et ils l'ont maintenue avec assez de ténacité pour la faire accepter aux Gallo-Romans. Voilà pourquoi on décline en vieux français: *Hues – Huon*, *Berte – Bertain*.

Cette déclinaison a même été étendue à des subst. désignant des personnes, mais hérités du latin: *pute – putain*, *ante – antain*, *none – nonain*.

En outre les Francs ont apporté quelques suffixes qui sont devenus très fréquents en français: *-ard* dans *vieillard*, *richard*, etc.; *-ald* > *-aud* dans *badaud*, *ribaud*, etc.; *-inc* > *-enc* dans *paysan*, *cormoran*. De même le préfixe *mé-* est dû au franc; il correspond à l'all. *miss-*.

Les Francs ont même modifié le système phonétique: ils ont fourni deux nouvelles consonnes aux Galloromans du Nord. Les Germains possédaient un *h* dont les Romans n'avaient plus l'équivalent et un *w* bilabial. Dans tous les autres pays romans les mots germaniques avec *h-* ont perdu leur initiale. Ni en Italie, ni en Epagne, ni dans le Midi de la France l'influence germanique n'a été assez forte pour imposer aux indigènes ce son qui était étranger à leurs habitudes articulatoires. Seule la partie septentrionale de la Gaule a dû se plier à ce régime, et les parlers rhétiques, qui l'ont reçu des Alamans. Donc: germ. *helm* > it. *elmo*, prov. *elm*, esp. *elmo;* fr. *heaume*.

2. ORIGINES DE LA LANGUE D'OÏL

LANGUE L'OÏL ET LANGUE D'OC

L'acquisition de ce *h* nous fait entrer dans une nouvelle époque. Nous avons vu que seul le Nord de la France l'a admis: le morcellement linguistique de l'Empire continue donc sur le sol de la Gaule. En effet, celle-ci, comme tous les pays romans, voit naître sur son territoire un nombre croissant de parlers locaux.

Les forces centrifuges l'emportent de plus en plus sur les forces centripètes; il se forme ainsi de nouvelles crevasses dans le sol de la Gaule. La plus importante est celle qui sépare le Nord du Midi, autrement dit, les deux domaines comprenant les langues que l'on appellera plus tard 'langue d'oc'[1] (ou 'provençal', aujourd'hui de préférence 'occitan') et 'langue d'oïl'.

Différenciation phonétique

L'évolution des voyelles toniques et des consonnes intervocaliques est un des traits les plus caractéristiques de cette différenciation:

[1] Du mot *oc* (< lt. *hoc*) dont le Midi se servait au sens de 'oui'. Le Nord disait *oil* (< *hoc ille*, scil. fecit). C'est ainsi que Dante appelle l'Italie 'il bel paese là dove il *sì* suona' (it. *sì* 'oui').

	latin	langue d'oc	langue d'oïl
voyelles	*cantare*	*cantar*	*chanter*
	cọr	*cọr*	*cuer*
	mẹl	*mẹl*	*miel*
	flọre	*flọr*	*flour*
	tẹla	*tela*	*teile*
consonnes	*maturu*	*madur*	*meür*
	pacare	*pagar*	*paier*
	sapa	*saba*	*seve*

On voit tout de suite que l'occitan et le français ont le même point de départ, mais que le français est allé beaucoup plus loin. Le provençal conserve p. ex. les consonnes du latin du 5e s. *(d, g, b)*, tandis que le français a continué à les affaiblir, jusqu'à faire disparaître complètement certaines d'entre elles.

Dans la Gaule septentrionale les voyelles toniques dominent le mot par leur accent beaucoup plus que dans le Midi, et elles s'allongent en syllabe ouverte.

Or, quand quelqu'un s'enrichit, c'est presque toujours aux dépens d'un autre. Si les voyelles toniques portent un accent très fort, elles absorbent une très grande partie de l'énergie articulatoire dépensée pour un mot. Il s'ensuit un affaiblissement des autres syllabes, des voyelles non accentuées. Si le français est caractérisé par ce développement hypertrophique des voyelles toniques en syllabe ouverte, il n'est pas moins frappant que les voyelles atones disparaissent ou ne se maintiennent qu'à peine et sous une forme amoindrie. Les traits généraux sont bien connus:

1° *-a* s'affaiblit et devient *-e*, *herba* > *erbe*,

2° toute autre voyelle:

- *a)* se maintient comme *e* si elle porte un accent secondaire, *cúbitù* > *cọ(u)de;*
- *b)* disparaît, immédiatement après la syllabe accentuée: *muru* > *mur;*
- *c)* est conservée dans cette dernière position après un groupe de consonnes qui a besoin d'une voyelle d'appui, *fébre* > *fievre.*

Les voyelles atones du milieu subissent exactement le même

sort: *càntatóre* > *chanteour*, *pìsturíre* > *pestrir*, *nùtritúra* > *norreture*.

L'affaiblissement des consonnes intervocaliques n'est qu'une sorte d'assimilation à l'entourage vocalique: elles deviennent d'abord sonores, ensuite elles perdent leur caractère d'explosives. Or, cette assimilation se retrouve ailleurs. Ainsi p. ex. les consonnes nasales se fondent avec les voyelles qui les précèdent: *bęne* > *bien*. Les limites nettes entre voyelle et consonne ont disparu; il en est sorti un son unique. Cette nasalisation a frappé les diphtongues aussi bien que les voyelles simples; comp. *plein* à afr. *teile* 'toile', *cuens (< comes)* à *cuer (< cŏr)*. Les voyelles nasales ont tendance à descendre vers *ã: vin* > *vẽ*, *vent* > *vã;* d'autres consonnes se vocalisent aussi: *l* devient *u* devant consonne: *alteru* > *autre*, *caball(o)s* > *chevaus*.

Enfin une troisième série de consonnes se vocalise également en partie; ce sont les palatales. Nous avons déjà vu le *c* devenir *χ: factu* > *faχtu*, maintenant ce *χ* devient *i: fait*.

En général on peut dire que le système consonantique du français subit un processus de palatalisation d'une intensité extraordinaire. Autre ex.: *c'l* > *ƚ (auricula* > *oreille)*, *g'l* > *ƚ (vigilare* > afr. *veillier)*.

La plus étrange de ces palatalisations est celle que provoque l'*a* sur le *c* et le *g* qui précèdent: *carus* > *chier*, *galbinu* > *jaune*. Cette transformation du *c* devant *a* a probablement commencé dès le 5e siècle[1].

Du reste la réaction de la consonne sur la voyelle est également très caractéristique pour le français. Cette réaction peut partir de n'importe quelle palatale: *laxare* > *laissier*, *medietate* > *moitié*. Et une réaction toute semblable frappe l'*e*: *mercede* > *merci*, *placere* > *plaisir*.

Nous sommes loin d'avoir énuméré tous les changements phonétiques qui ont eu lieu entre le 6e et le 10e s. Mais ce que nous avons dit peut suffire pour montrer combien tout le système phonique a été renouvelé. Tandis que les sons des autres langues romanes sont restés très près du latin vulgaire, le français s'en est beaucoup écarté.

[1] Voir pour cette date et d'autres Elise Richter, Beiträge zur Geschichte der Romanismen; Halle 1934.

Morphologie et Syntaxe

Les innovations morphologiques et syntactiques de cette époque ne sont pas très nombreuses. Il semble p. ex. que cette époque ait créé les deux séries de pron. poss., l'une accentuée, l'autre atone: *mon livre*, mais *le mien*. Les deux formes remontent au lt. *meum*, mais devant le subst. le pron. poss. n'ayant pas d'accent propre, a perdu son indépendance phonétique. De là ces formes contractées. Dès le 7e s. le grammairien Virgile, originaire de Narbonne, fait la constatation que voici: 'sunt et alia pronomina ... ut *mus*, genitivus *mi*, dativus *mo*, accusativus *mum* ... sic erit et *tus* pro *tuus*'.

Pour les pron. pers. la formation des deux séries avait commencé dès le latin vulgaire. L'ancien français arrive aux formes *me–mei*, *te–tei*, etc., mais ce n'est que la continuation des tendances qui ont précédé l'époque romane.

Le vieux français a un système de déclinaison assez différent de celui du latin vulgaire. Mais les modifications qui s'y sont produites sont surtout le résultat des changements phonétiques que nous avons déjà étudiés. La conjugaison est marquée par l'attraction que certaines formes ont exercée sur d'autres. Mais la plupart de ces actions analogiques ne frappent pas toutes les régions en même temps. Ainsi la 1re pers. du plur., qui dans le latin vulgaire avait six terminaisons différentes, n'en a plus qu'une seule en vieux français *(-ŭmus > -ons)*, mais la Vie de St-Légier a encore *devemps* < *debemus*. Ou bien l'impf. de la conjugaison en *-ere* fait disparaître celui des verbes en *-are: cantabas* > **cantebas* d'après *debebas*. Mais l'Ouest de la France conserve *-abas*, et de même la Wallonie.

SÉPARATION DES DEUX LANGUES GALLOROMANES

La limite des deux langues[1]

La limite qui sépare aujourd'hui le français de l'occitan n'est pas une ligne nette, mais plutôt une zone intermédiaire plus ou

[1] Voir sur cette question WARTBURG, W. v., Die Ausgliederung der romanischen Sprachräume; Bern, Francke, 1950.

moins large. Cette zone de transition est néanmoins assez étroite pour que l'on puisse écarter une idée de GASTON PARIS. Celui-ci prétend que l'on passe d'un domaine linguistique à un autre par une longue série de transitions et qu'on ne peut nulle part dire où finit à proprement parler le français, et où commence le provençal. Et il résumait cette remarque en disant : il n'y a pas deux Frances. Mais cette zone de transition se ramène presque à une ligne. Cette limite commence à l'embouchure de la Gironde ; elle décrit ensuite une courbe qui passe à peu près au nord du Massif Central ; elle traverse le Rhône entre Valence et Vienne, pour se perdre ensuite dans les Alpes.

Ce tracé se fonde sur les dialectes modernes. Mais GILLIÉRON, M. GAMMILLSCHEG et d'autres ont démontré qu'à l'origine il passait beaucoup plus au nord. L'occitan s'étendait autrefois jusqu'à une ligne qui allait depuis l'embouchure de la Loire jusqu'aux Vosges méridionales, et ce n'est qu'au cours des siècles que les parlers du Poitou et de la Saintonge ont peu à peu perdu de leur teinte occitanienne pour prendre un caractère français. Dans une certaine mesure, c'est le cas aussi du Berry et du Bourbonnais.

Cette ligne coïncide assez exactement avec une limite ethnique et politique qui s'était formée vers 500, grâce aux invasions germaniques. En effet le Nord, qui est devenu la proie des Francs, a vu arriver ceux-ci en nombre plus considérable que les Visigoths dans le Midi et en Espagne. Nous avons déjà vu l'importance de l'élément franc pour les noms de lieux de la France septentrionale, tandis que l'élément visigothique dans le Midi est très faible. Les Francs vivaient dans le voisinage immédiat de la Gaule septentrionale ; les régions limitrophes de celle-ci étaient pour eux un réservoir inépuisable d'hommes et de forces. Ce n'est pas une migration limitée que celle des Francs ; c'est un courant continuel et incessant ; il ne s'arrêtera que le jour où les petits-fils de Charlemagne diviseront définitivement l'Empire franc en deux parties, l'une germanique, l'autre romane.

C'est cette affluence incessante de l'élément germanique, cette colonisation franque descendant jusque dans le bassin de la Loire, qui a fait naître cette barrière linguistique entre le Nord et le Sud. L'influence de l'idiome germanique a profondément changé l'aspect du roman dans le Nord de la Gaule.

Ainsi p. ex. nous avons vu (p. 48 s.) qu'au 5e s. le latin vulgaire commençait à allonger ses voyelles en syllabe ouverte. Cette innovation est restée sans conséquence dans les autres pays de la Romania occidentale. Mais les Francs distinguaient nettement dans leur propre langue entre longues et brèves. Cette distinction était nécessaire, parce que certains mots ne différaient l'un de l'autre que par la quantité de la voyelle. Ils étendaient cette forte différenciation aussi aux voyelles des mots romans et soulignaient ainsi cette différence, qui n'avait pas eu la même fonction en roman. En outre la voyelle tonique portait en germanique un accent bien plus fort qu'en latin vulgaire. Ces deux faits, l'allongement des voyelles en syllabe ouverte et l'accentuation germanique, ont eu des résultats d'une importance considérable. Par là, la Gaule septentrionale a connu deux formes différentes correspondant à une voyelle primitive, et ce phénomène a conditionné l'évolution postérieure tout entière.

En effet nous avons vu (p. 61) qu'une des différences les plus importantes entre l'occitan et le français concernait les voyelles accentuées en syllabe ouverte. Les voyelles occitanes sont indépendantes du caractère de la syllabe, tandis que les voyelles françaises subissent en syllabe ouverte des modifications qui sont inconnues en syllabe fermée. L'occitan dit *bas* (< *bassus*) et *nas* (< *na sus*), tandis que le français a *bas* et *nez*. En occitan, on dit *cǫrs* (< *corpus*) et *cǫr* (**core*, acc. de *cor* 'cœur'); en ancien français la voyelle de *cǫrs* diffère de celle de *cuer*, etc.

Bilinguisme du Nord de la France

Nous avons vu que dans le galloroman septentrional les sons hérités du latin vulgaire ont connu un véritable bouleversement entre 500 et l'an 900; à la fin de cette période ils sont très différents de ce qu'ils avaient été au commencement. Mais la même période touche relativement peu au système morphologique et syntactique de la langue. L'histoire des formes et de la syntaxe contredit donc sensiblement celle des sons.

Comment expliquer cette différence ? L'influence profonde du système phonique des Francs sur l'idiome de la Gaule septentrionale est l'effet du bilinguisme triséculaire d'une grande partie du peuple, bilinguisme qui a précédé l'assimilation complète des Germains. La cour franque a toujours été bilingue. Celui qui voulait jouer un rôle comme chef devait connaître les deux langues. Ainsi il se forma, dans la société, une couche supérieure bilingue. L'on sait que les phonèmes d'une langue constituent la partie la plus difficile à apprendre. Or le désir de prononcer correctement est inconnu à une époque de décadence. Les chefs francs apprenaient tant bien que mal le vocabulaire, la morphologie, la syntaxe du latin, mais ils le parlaient avec un accent tout à fait germanique. Le respect que les Francs portaient au latin et l'habitude qu'ils avaient de parler un idiome plus compliqué les empêchaient de trop toucher au système morphologique et syntactique de la nouvelle langue, qu'ils parlèrent d'abord en même temps que leur langue propre, avant de l'adopter définitivement. Toutefois, le système morphologique et syntactique du français n'a pas été sans subir aussi l'influence du francique. C'est ainsi que le système des pronoms démonstratifs latins, qui distinguait trois personnes *(hic – iste – ille)*, et qui s'est maintenu en ibéroroman et dans l'Italie centrale et méridionale, a été remplacé par un système à deux personnes (afr. *cist – cil*, fr. mod. *celui-ci – celui-là*), sur le modèle du système germanique. De même la loi, qui veut que la deuxième place dans la phrase soit réservée au verbe (p. 103), n'est connue, parmi les langues romanes, que du français, qui l'a en commun avec les langues germaniques. Mais l'effet des habitudes articulatoires est beaucoup plus difficile à éviter, parce qu'il est souterrain, caché. Les efforts des Francs se sont portés sur le système d'expression de la langue. Ayant eux-mêmes un système vocalique où les longues s'opposaient nettement aux brèves, ils prononçaient les voyelles latines beaucoup plus longues (ou beaucoup plus brèves – selon les cas) que les Galloromans; ils conservaient leur accent expiratoire fort marqué en parlant latin. Et étant donné que dans la classe dirigeante les Francs constituaient certainement la majorité, les Galloromans qui appartenaient à la même classe acceptèrent peu à peu leurs habitudes articulatoires. Ensemble ils ont propagé lentement la nouvelle prononciation dans toutes les couches de la population.

Pendant de longs siècles la France du Nord a été bilingue[1]; une forte minorité qui était particulièrement importante dans la classe dirigeante et parmi les paysans libres continuait à parler son idiome germanique. Bien que cette minorité se fût mise bientôt à parler aussi le roman, la langue franque avait encore assez de vitalité en Neustrie au 9e s. pour qu'on y rédigeât la traduction des textes d'Isidore en ancien-haut-allemand. Ce n'est que vers 900 que la romanisation des Francs de Neustrie semble enfin terminée. Cette forte interpénétration de tradition romane et de forces germaniques, qui n'a son égale dans aucun autre pays de l'ancien Empire, si l'on y ajoute l'invasion arabe en Espagne explique que la France du Nord soit devenue le centre de l'Occident avec sa nouvelle civilisation en train de se former. C'est donc l'invasion franque qui a créé une barrière linguistique entre le Sud et le Nord; c'est elle qui a donné au roman cette forme particulière connue sous le nom de français.

3. ÉVOLUTION GÉNÉRALE DE LA FRANCE DU 6e AU 10e SIÈCLE ET SES RAPPORTS AVEC L'ÉVOLUTION DE LA LANGUE

Les Mérovingiens et les Carolingiens

Pendant toute la période dont nous venons de raconter les événements linguistiques, la France a été secouée par d'interminables guerres intestines. Les rois mérovingiens avaient l'habitude de partager le royaume entre leurs fils. Ainsi le pays fut de plus en plus morcelé et les frontières se trouvaient déplacées après chaque partage. Certaines régions changeaient de maître cinq ou six fois par siècle. En outre les différents frères se faisaient très souvent la guerre parce que chacun tâchait d'agrandir ses domaines au détriment des autres. De temps à autre l'un de ces rois réussissait, au moyen de l'assassinat et de la trahison, à supprimer ses frères ou ses cousins et à unifier le royaume franc. Mais ce royaume centralisé ne durait jamais longtemps: celui de Clotaire

[1] Voir sur ces questions surtout Steinbach, F., et Petri, F., Zur Grundlegung der europäischen Einheit durch die Franken, Leipzig 1939; v. Wartburg, W., Die fränkische Siedlung in Nordfrankreich. Z 59, 284–301.

Ier avait trois ans quand il disparut, en 561; Dagobert Ier règne 11 ans sur la France entière (628–639). Mais dès 634 il se vit obligé de donner un roi propre à l'Austrasie (la partie orientale du royaume). A sa mort une nouvelle guerre civile éclata entre la Neustrie et l'Austrasie. Une grande partie du Midi devint indépendante sous des dynasties locales. La décadence des Mérovingiens continua donc au profit des nobles. L'aristocratie locale devint de ce fait de plus en plus puissante. La vie prit un caractère de plus en plus local, le morcellement territorial continua. Et la conséquence en fut la formation de nombreux dialectes et sous-dialectes. Nous en parlerons plus tard.

Dès le commencement du 7e s. la faiblesse des rois permit aux Maires du Palais (Majordomus) de prendre toujours plus d'importance. Ces Maires, choisis parmi les grandes familles, gouvernaient les différentes parties du royaume. Ils étaient en quelque sorte les premiers ministres ou, plus exactement, des régents munis de pouvoirs dictatoriaux. La faiblesse des rois mérovingiens devait être une tentation continuelle pour les Maires, une invitation à les supplanter tout à fait. Au début du 8e s., une puissante famille austrasienne céda à cette tentation. En la personne de Charles Martel elle avait donné à la France le grand chef qui la sauva de l'invasion arabe (732 bataille de Poitiers). Son fils, Pépin le Bref, profita du prestige de la famille pour destituer le dernier roi mérovingien et s'emparer du trône (752). Cette dynastie des Carolingiens devait régner deux siècles et demi. Le plus grand représentant de la famille, Charlemagne, réunit sous son sceptre l'Allemagne jusqu'à l'Elbe, l'Italie, une partie de l'Espagne, et rétablit l'Empire d'Occident (800).

La renaissance carolingienne et le français

Le prestige de Charlemagne fut immense. Il ne se fondait pas seulement sur sa puissance politique et ses succès militaires; il venait aussi des efforts qu'il faisait pour redonner aux peuples de l'Empire les biens de la civilisation qu'ils avaient perdus. On se rappelle les nombreuses écoles qu'il a fondées et sa cour où il avait réuni les plus brillants représentants des lettres de son temps. Son activité marque aussi une réaction contre le barbarisme dans l'emploi de la langue latine. On appelle cette réaction la renaissance carolingienne. A cette époque les principaux changements dont nous avons parlé étaient déjà accomplis. L'écart entre le latin classique et la langue parlée était devenu tel qu'il n'était plus possible de comprendre un texte latin sans une étude sérieuse. La renaissance du latin classique devait donc mettre les choses au point. Jusqu'à cette époque, on avait écrit un latin de plus en plus barbare en croyant écrire le vrai latin. Dans les documents du 7e s., les scribes ne se gênent pas pour écrire *rauba* pour *vestis*, ou *soniare* pour *curare*. Les savants de la cour de Charlemagne s'efforcent d'écrire le latin de Cicéron. De ce fait le latin devient une langue savante, nettement distincte du parler populaire. Il va sans dire que les savants et le clergé regardent le roman, le parler populaire comme un idiome barbare, inférieur. Il n'en est pas moins vrai qu'il s'oppose maintenant définitivement au latin. On pourrait donc dire que, grâce à la renaissance carolingienne, le français a pris conscience de lui-même. Pour longtemps encore il sera mineur, mais il est reconnu comme individu à part.

De nombreux indices confirment ce que nous venons d'exposer. Un des plus importants c'est la décision du concile de Tours (813). Elle prescrit aux prêtres d'expliquer la parole de Dieu dans la langue du peuple: 'transferre in rusticam Romanam linguam, aut in theotiscam, quo facilius cuncti possint intelligere quae dicuntur'. Cette année 813 consacre donc l'usage du parler vulgaire dans le culte. C'est une date importante à retenir.

Vers la même époque on paraît aussi avoir senti le besoin de faciliter l'étude du latin en composant des glossaires. Le plus important de ces documents ce sont les gloses de Reichenau, appelées ainsi parce que le manuscrit en a été conservé longtemps à Reichenau. Ces gloses ont été composées pour rendre accessible le texte de la Vulgate. Elles sont au nombre de 1200 à peu près et elles contiennent des mots que le peuple ne pouvait plus comprendre. Elles ont été écrites en Picardie, probablement à Corbie. En voici quelques exemples: *oves – berbices* (fr. *brebis*); *vespertiliones – calvas sorices* (fr. *chauve-souris*); *onustus – carcatus* (fr. *chargé*). Naturellement on affuble d'une terminaison latine les mots romans. Mais c'est un habit dont ces mots ne s'accommodent plus.

Le premier texte en langage franchement vulgaire, français, ce sont les célèbres Serments de Strasbourg. A la mort de Louis le Débonnaire, fils et successeur de Charlemagne (840), une lutte acharnée s'engage entre ses trois fils: Lothaire, Louis (le Germanique) et Charles (le Chauve). Ces deux derniers s'allient contre les prétentions de leur frère aîné. Ils demandent qu'on partage le vaste empire, tandis que Lothaire veut en conserver l'unité. Lothaire est battu, et l'année suivante, en 842, les deux frères cadets se donnent rendez-vous à Strasbourg pour s'allier contre Lothaire. Ils y rassemblent leurs hommes et ils les haranguent, Louis en langue germanique, Charles en langue romane. Ensuite ils jurent devant l'assemblée de se prêter un secours mutuel contre Lothaire. Louis, pour être compris des vassaux de Charles, jure en langue romane, Charles en allemand. Ensuite les vassaux jurent à leur tour pour garantir la parole de leur seigneur, ceux de Louis en langue allemande, ceux de Charles en roman.

Ces quelques lignes sont le premier texte en langue française qui nous ait été conservé.

La France après 843

L'année suivante, en 843, les trois frères conclurent le traité de Verdun. Lothaire, de guerre lasse, se contenta d'un tiers de l'Empire et du titre d'empereur. Il conservait les pays du milieu, les pays compris entre la Meuse, l'Escaut et le Rhin, ceux de la Saône et du Rhône, la Provence, l'Italie. Louis le Germanique reçut l'Allemagne; Charles le Chauve la France à l'ouest des Etats de Lothaire. L'empire de Lothaire s'étendait sur une longueur de 1500 km et 200 km de largeur. C'est dire qu'il ne pouvait pas vivre. Il fut en effet vite morcelé, et ses parties se rattachèrent tantôt à un royaume tantôt à l'autre, et finirent par être incorporées à l'un des autres grands pays. Mais ce partage a créé quelque chose de plus durable, à savoir la France et l'Allemagne. Il est l'origine des Etats modernes. Nous voyons donc la France se constituer et prendre conscience d'elle-même presque en même temps que le français. C'est à partir de cette date que la valeur du mot *Francia* se rétrécit peu à peu. On parla encore pendant quelque temps de Francia orientalis (Allemagne), media Francia (Lotharingie), Francia occidentalis (France), mais le nom restait attaché surtout au pays de la Seine qui avait été le vrai centre de la royauté mérovingienne.

La dynastie des Carolingiens eut le même sort que celle des Mérovingiens. Quelque puissant qu'ait été Charlemagne, ses petits-fils et ses arrière-petits-fils étaient déjà des princes dégénérés, et les nobles reconquirent vite leur ancienne indépendance. Le dernier des Carolingiens mourut en 987. La même année les grands du royaume élurent roi le duc de France, c'est-à-dire de Paris et de ses environs, Hugues Capet. Nous reviendrons sur l'importance de cet événement pour l'histoire du français.

Les premiers textes littéraires

Le siècle qui nous a fait parvenir le premier document français nous a aussi laissé le premier texte poétique: la Cantilène de sainte Eulalie. C'est le récit, en 28 vers, du martyre de la vierge Eulalie. Ces vers sont liés deux par deux à l'aide de l'assonance. Cette cantilène date de 880 à peu près. La forme métrique de ce texte et des suivants dérive de la poésie latine de cette époque, en particulier de la séquence et de l'hymne[1]. Mais, pour le fonds, ces premiers poèmes français témoignent d'une indépendance remarquable vis-à-vis des textes latins correspondants. Tandis que la séquence latine dédiée à sainte Eulalie a un caractère nettement lyrique, le texte français donne une courte, mais impressionnante narration de son martyre. De même on a éliminé de la Passion du Christ (129 strophes de 4 vers), qui date de la fin du 10e s., tout ce qui est émotion religieuse; elle ne conserve que la partie narrative du texte sacré. La Vie de St-Légier, de la même époque (40 strophes de 6 vers), est aussi remarquable par sa forte allure épique. La littérature française des premiers siècles frappe par son caractère avant tout épique. Les plus anciens monuments appartiennent donc à la littérature religieuse. Ils sont destinés à aider à l'éducation religieuse du peuple. Rien ne fait mieux voir combien la religion domine la vie spirituelle de l'époque. La langue écrite était encore le latin, et toutes les études se faisaient en latin, mais on se servait de la langue vul-

[1] Voir Ph. A. Becker, Die Anfänge der romanischen Verskunst; Zeitschrift für franz. Sprache u. Lit. 56, 257–323.

gaire quand on s'adressait au peuple. C'est en langue vulgaire que les prêtres commentaient au peuple les textes évangéliques. Nous en avons un curieux témoignage dans le fragment d'une homélie sur le prophète Jonas. Ce sont des notes prises au cours d'un sermon et écrites moitié en latin, moitié en français. Mais ces textes sont les seuls que nous possédions et la prose française proprement dite se fait attendre jusqu'au commencement du 13e siècle.

Les premiers latinismes

Nous avons vu que la Renaissance carolingienne a marqué une étape dans l'histoire du français, qu'à cette date on prend vraiment conscience du fait que la langue romane est un idiome différent du latin. Cela est important pour l'histoire du vocabulaire français. Jusqu'à cette date le clergé lui-même ne distinguait pas très bien entre les formes romanes orales et les formes latines qu'il écrivait tant bien que mal. Des graphies comme *estiblacione* pour *stipulatione* montrent de quelle manière on mettait d'accord la prononciation vulgaire avec le peu de latin que l'on savait encore. Les deux idiomes marchaient côte à côte; c'est pourquoi un mot passait assez facilement de l'un à l'autre. Après la réforme de Charlemagne, un échange de ce genre constitue un véritable emprunt. A partir de cette époque le français n'a plus jamais cessé de puiser à la source commode du latin, quand il lui fallait exprimer une idée qui, pour lui, était nouvelle.

Ce contact ininterrompu entre le latin de l'Eglise et le roman du peuple explique la forme de beaucoup de mots. Un mot comme *angelus* revenait toujours dans les prières que prononçaient les fidèles. Il serait faux de ranger l'afr. *angele* simplement sous les mots d'emprunt, puisqu'il a toujours vécu dans le peuple. Celui-ci le répétait sous la forme qu'il entendait dans la liturgie et qui était plus ou moins voisine de la vraie forme latine; par là *angelus* était préservé, au moins en partie, des altérations phonétiques. Il faut juger de la même façon un mot comme *virgene* < *virgine*, *veritet*, *trinitet*, etc., ou comme *esperit* < *spiritu*. Même chose pour des mots comme *chapitre* < *capitulum*, dans lequel l'influence ecclésiastique a empêché tout d'abord le changement de *p* en *b*. Plus tard ce *-p-* de *chapitre* a été traité comme celui de *cŭppa* > *cupa* > *cope*.

Après Charlemagne les mots d'emprunt sont plus faciles à reconnaître. Les textes religieux, les traductions en sont particulièrement riches. Les mots bibliques comme *abominable*, *cantique*, *rédemption*, *opprobre*, *solennité* entrent dans la langue française avec les traductions de la Vulgate.

4. NOUVELLES INVASIONS

LES NORMANDS

Fondation d'un Etat normand

Nous avons vu qu'à l'époque de Charlemagne la fusion des Francs avec les Galloromains était chose accomplie, qu'on ne parlait plus qu'une langue en France: le français, issu du latin, mais émaillé de nombreux éléments germaniques. Or, à ce moment-là, les flots de l'invasion n'étaient pas encore endigués. Les Germains du Nord, les Scandinaves n'avaient pas encore fait leur exode. Vers 800 les Vikings apparaissent pour la première fois dans la Manche. Ils se montrent de temps à autre, vivent surtout de piraterie, mais débarquent aussi sur les côtes et remontent le long des fleuves (Somme, Seine, Loire). Ils pillaient les riches couvents et les villes, ils dévastaient le pays; plusieurs fois même ils poussèrent leurs invasions jusqu'à Paris et jusqu'en Bourgogne. Les guerres civiles qui sévissaient en France affaiblissaient la résistance qu'on tâchait de leur opposer. L'on réussissait de temps en temps à les repousser (victoire du roi Louis III à Saucourt, en 881), mais ils ne manquaient jamais de revenir le lendemain d'une défaite. C'est alors que le roi Charles le Simple eut l'heureuse idée de céder à ces hommes du Nord (Normanni) le littoral de la Manche, région qu'ils occupaient de fait depuis assez longtemps. Il fit ainsi de ces pillards féroces les défenseurs du royaume. Puisque le pays était dorénavant à eux, ils avaient tout intérêt à ce qu'il se relevât de ses ruines. Leur duc Rollo se fit chrétien, et ses hommes suivirent son exemple. Le pays reçut d'eux le nom de Normandie (capitale Rouen). Les noms de lieux d'origine scandinave, fréquents dans la Haute-Normandie et dans la partie septentrionale de la Basse-Normandie, manquent presque complètement dans la partie méridionale de celle-ci, ce qui permet de conclure que les établissements des Vikings n'ont atteint ni le département actuel de l'Orne ni le sud de la Manche et de l'Eure. Après deux ou trois générations les Normands étaient complètement romanisés. Ils ne perdirent pas pour cela le goût des aventures et des entreprises guerrières par voie de mer. Un siècle et demi après leur installation en Normandie, les Normands débarquèrent en Angleterre où ils portèrent la langue française. Presque en même temps un petit groupe de ces aventuriers chassa les Sarrazins de l'Italie méridionale et de la Sicile, où ils fondèrent un puissant royaume normand. C'est ainsi que ces gens du Nord, qui avaient si souvent mis la France à feu et à sang, devinrent vite les propagateurs les plus actifs de la langue et de la civilisation françaises.

Eléments normands dans le vocabulaire français

Si les Scandinaves ont assez vite oublié leur langue, ce ne fut pas sans enrichir l'idiome roman d'un assez grand nombre de mots. Ce que la France leur doit, c'est avant tout la découverte de la mer. Les Francs n'étaient point familiarisés avec elle; les Galloromans n'avaient pas eu assez d'initiative pour s'y risquer. La fondation d'un duché scandinave à l'embouchure de la Seine donna à la France l'élément marin qui lui faisait défaut jusque-là. Les Normands donnèrent à la navigation un développement inconnu jusqu'alors. On comprend donc facilement que, en devenant les navigateurs de la France, les Normands aient conservé leur vocabulaire maritime. Et le français de Paris a naturellement accepté ces termes, puisque pour la navigation maritime Paris dépendait de la Normandie.

Les baies étroites où les Normands avaient l'habitude de se cacher, s'appelaient en vieux-norois *kriki*, d'où le fr. *crique*. Le mot *vague* représente le nor. *vagr*. Les noms de leurs petits vaisseaux rapides ont passé en assez grand nombre en ancien français (*esneke < snekkja*, etc.). Mais à la fin du moyen âge d'autres types de vaisseaux ont remplacé les barques des Normands, dont les noms disparaissaient au même moment. Cependant plusieurs parties du bateau ont conservé leurs noms normands: le *tillac < thilja*, *étrave < stafn*, *étambot < *stafnbordh*, *bitte < bita*, *hune* < *hūnn*, *tolet* < *thollr*, *ris* < *rif*, *guindas* < *vindáss*. Les manœuvres qu'on exécute en naviguant ont aussi en partie des noms normands: *cingler* < *segl*, *guinder* < *vinda*. La pêche maritime doit au norois les noms de quelques poissons, p. ex. le *turbot* < **thornbūtr*, le *marsouin* < *marsvīn*.

Le combat étant un des principaux éléments de la vie des Normands, ceux-ci incorporèrent aussi au français des termes de guerre; parmi ceux-ci le plus remarquable est *navrer*, dans les premiers textes *nafrer*, d'un norois **nafra* 'percer'. Le sens du mot français était d'abord 'blesser'; le sens moral s'est développé plus tard. Comme tous les peuples germaniques les Normands tenaient beaucoup à leurs habitudes et à leurs procédés juridiques. On sait qu'on leur doit l'institution des assises. Le fr. *nantir* 'mettre en possession d'un gage' remonte au nor. *nām* 'action de prendre' (fr. *gage*, *garantir*, afr. *plevir*, qui sont plus ou moins synonymes, sont aussi d'origine germanique).

La colonisation scandinave ne se contenta pas de la côte; même à l'intérieur du pays elle fut réalisée sur une grande échelle. Les noms de lieux qui la rappellent sont très nombreux. Le lecteur des nouvelles de Maupassant, ou le voyageur qui traverse le pays à pied, rencontre à tout moment des noms comme *Bolbec*, *Caudebec* (< *bekkr* 'ruisseau'), *Elbeuf* (< *būdh* 'cabane'), *Becdalle* (< *dalr)*, *Le Torp* (< *thorp* 'village'), *Tournetot* (< *toft* 'masure'), *Yvetot*, ou bien des noms qui ont la terminaison *-ville* et renferment dans la première partie le nom d'un possesseur scandinave, p. ex. *Trouville (< Tōrolf-villa)*.

LES ARABES

Leur irruption dans l'Occident

Les peuples qui se sont établis sur le sol de l'ancien Empire romain s'étaient mis en route poussés surtout par des raisons d'ordre économique. Ils ont tous accepté la religion officielle de l'Empire mourant, le christianisme. De la sorte, le bassin occidental de la Méditerranée avait gardé quelque chose de son ancienne unité: il était resté chrétien et latin.

Or, vers la fin du 7ᵉ s., un nouveau peuple avait pénétré dans les pays méditerranéens: c'étaient les Arabes. Ils étaient poussés par une idée religieuse, bouleversaient tout, et ce qui était encore resté de l'ancienne civilisation dans l'Afrique du Nord disparut devant eux. En 711 ils avaient défait l'armée des Visigoths d'Espagne, et en peu de temps ils avaient occupé presque tout le pays. C'est là le grand événement qui détruisit l'unité de l'Occident. Les Arabes avaient leur religion à eux, et ils gardaient leur langue. Pour plus de mille ans les deux rives de la Méditerranée devaient rester très loin l'une de l'autre, séparées par un monde, se faisant très souvent une guerre plus ou moins ouverte. Cela n'a changé que passagèrement avec l'installation des Français en Algérie.

Eléments arabes dans le vocabulaire français

L'on sait que les pays islamiques ont acquis rapidement une civilisation très raffinée et que les peuples chrétiens se sont mis à leur école. C'est en Espagne que le contact entre chrétiens et musulmans a été le plus fort. Aussi a-t-on longtemps cru que tous les emprunts arabes venaient d'Espagne. A tort: il est possible aujourd'hui de démontrer que souvent un seul et même mot a pénétré par deux voies différentes dans les pays romans. Ainsi au mot arabe *sukkar* correspondent d'un côté l'esp. *azúcar*, le pg. *açucar* (dont la voyelle initiale provient de l'article arabe), de l'autre l'it. *zucchero*, le fr. *sucre*. Ces deux séries s'expliquent par le fait que les Arabes ont essayé la culture de la canne à sucre dans deux régions: en Andalousie et en Sicile. Ces deux régions ont transmis le mot aux parlers voisins. Le fr. *sucre* est donc venu de l'Italie, tout comme l'all. *zucker*. En fait il est possible de distinguer plusieurs sources, plusieurs courants qui ont amené les mots arabes en France.

La canne à sucre n'est pas la seule plante dont l'Occident doive la connaissance aux Arabes. Ainsi ils ont également cultivé le *cotonnier* en Sicile et en Andalousie (ar. *kutun*). De là l'it. *cotone*, le fr. *coton* d'un côté, l'esp. *algodón* de l'autre. La canne à sucre et le cotonnier n'ont pu se maintenir ni en Sicile ni en Andalousie. Mais les noms arabes sont restés. D'autres plantes introduites par les Arabes ont obtenu droit de cité en Occident. Ainsi le *safran* (< sic.; esp. *azafrán* < andal.), l'*artichaut* (< *al-*

ḫaršūf), le *carrouge* (< *ḫarrub*), l'*orange* (< *nāranǧ*, qui vient à son tour du persan).

Toutes ces plantes cultivées ont été introduites par les Arabes; il était inévitable qu'on leur empruntât aussi leurs noms. Mais on est étonné de voir que même des plantes sauvages et indigènes portent des noms arabes: ainsi le *nénufar* (< ar. *nēnūfar*). Ce beau nom, d'une sonorité orientale, nous fait rêver des merveilles des jardins de Bagdad. Malheureusement cette plante ne doit pas son nom à sa belle fleur qui a inspiré tant de poètes, mais à ses racines bulbeuses et cachées dans l'eau. Les médecins arabes leur reconnaissaient une vertu antiaphrodisiaque. Ils en ont tiré un remède, et c'est grâce à leur science que le nom arabe de cette plante a été propagé dans l'Occident.

C'est que, aux 10e et 11e s., la médecine arabe a été bien supérieure à celle des pays chrétiens. Les écoles de Salerne et de Montpellier ont longtemps vécu de ce que les Arabes leur avaient transmis, et la littérature médicale se composait surtout de traductions d'ouvrages arabes (Constantinus Africanus 11e s.). Il n'est donc pas étonnant qu'un assez grand nombre de mots ayant plus ou moins rapport à la médecine ait pénétré en français: *soude* < *sōdā'* 'migraine', *musc* < *misk* 'esp. de drogue', *momie* < *mūmiyā*, d'abord 'espèce de matière résineuse avec laquelle les cadavres sont conservés', *sirop* < *šarāb* 'boisson'. Les traductions des ouvrages anatomiques des Arabes ont apporté un mot comme *nuque* < ar. *nuḫā'*. On leur doit aussi le mot *raquette* < ar. *rāhet* 'paume de la main'.

La médecine n'était pas la seule science pratiquée par les Arabes. *L'alchimie* aussi est née chez eux, à preuve le nom de cette science. Elle a surtout été en vogue en Espagne; la plupart des mots relevant de l'alchimie ont donc été transmis par l'espagnol. C'est pourquoi ils sont presque tous pourvus de l'article arabe: *alambic*, *alcool* 'sulfure de plomb' (on s'en servait dans la toilette féminine pour noircir les paupières; de là 'la partie la plus subtile, la plus raffinée de quelque chose', ensuite spécialement 'la partie la plus raffinée du vin'), *borax* < *bōrak*.

D'autres mots relèvent du domaine des mathématiques. Rappelons p. ex. le mot *algèbre* < *al-ǵebr*. Les Arabes ont introduit en Europe leur manière d'écrire les chiffres. Avec les chiffres romains le calcul décimal n'aurait pas été possible. Les Arabes ont appris des Hindous à écrire les chiffres à l'aide du zéro. Le mot hindou pour 'zéro' était *sūnya* 'vide; zéro'. C'est pourquoi les Arabes donnèrent aussi à leur adj. *sifr* 'vide' le sens de 'zéro'. De là le fr. *chiffre*, qui voulait dire d'abord 'zéro'; depuis le 15e s. on l'emploie dans le sens de 'nombre écrit'. Au sens de 'zéro' il a été remplacé en même temps par *zéro* < it. *zero* < blt. *zephirum*, adaptation du même mot arabe.

Les Arabes n'ont pas seulement révélé la science aux Occidentaux; ils leur ont fait connaître aussi le luxe et le bien-être de la vie privée. Les Chrétiens ont toujours admiré les palais somptueux des Musulmans, auprès desquels leurs manoirs devaient ressembler à des tanières. Plus d'une fois ils se sont laissé attirer par les agréments de cette vie. C'est ce qui explique l'emprunt de mots comme *matelas* < *matrah*, ou *aucube* 'literie des tentes' < *al-kobba* (*alcôve* emprunté au 17e s. à l'espagnol).

Les relations commerciales avec les différents pays musulmans étaient très suivies avant que l'Afrique du Nord ne devînt un repaire de pirates. Ainsi les marchands marseillais avaient des entrepôts dans les villes algériennes; ils les appelaient du nom arabe *magasin* (en Orient on les appelait *fondique*).

III. L'ANCIEN FRANÇAIS

1. INSTITUTIONS POLITIQUES ET SOCIALES SOUS LES CAPÉTIENS

Décomposition politique et régionale

Les luttes qui avaient sévi sous les derniers Carolingiens avaient toutes profité à l'aristocratie régionale. Le régime de la fidélité, des relations personnelles de seigneur à vassal et de protecteur à protégé, avait fait place à la relation foncière et à un régime de féodalité territoriale. La noblesse est bien plus attachée au sol qu'autrefois, et elle représente le véritable pouvoir. L'organe central est extrêmement affaibli; la souveraineté est morcelée; les pouvoirs publics sont dispersés. On n'obéit plus qu'au pouvoir local[1].

«Nous touchons ici au dernier stade de ce lent travail de décomposition. Il ne morcelle plus seulement l'unité extérieure de l'Etat; il va découper, séparer aussi les fonctions et les attributs de la puissance publique. Justice, police, cens, impôts, armée, tous ces droits qui formaient un faisceau se détachent les uns des autres, se brisent même en parcelles de plus en plus petites. Ce sont des atomes de pouvoir.

En devenant un bien privé l'autorité a subi la loi de toute appropriation individuelle. Elle n'est plus une fonction, mais une valeur, une chose de commerce qui se démembre au gré, aux convenances du possesseur. Celui-ci vend, donne, lègue, échange, engage comme il lui plaît et ce qui lui plaît, ici un marché, là un droit de justice, ailleurs des corvées. La France n'est plus qu'un immense marché où se brocante la souveraineté ... La justice est découpée en tronçons indéfinis. Le seigneur cédera la justice civile, mais se réservera l'incendie, l'homicide, le vol ...

Droits régaliens, domaine public, impôts, routes, rivières, marchés, ports, écluses, ponts subiront cette même loi de morcellement. Comme le sol et les hommes, tout se désagrège, tout s'émiette. Il existe un roi et un royaume, mais un roi sans pouvoir, un royaume sans unité. Des principats grands comme une région ou

[1] Voir Imbart de la Tour, Histoire politique 1, 278 (dans Histoire de la Nation Française, publiée sous la direction de G. Hanotaux).

comme une province; des souverainetés égales à un département, un arrondissement, un canton; des Etats minuscules qui n'englobent qu'un bourg, quelques villages, un quartier; de simples droits de justice ou de police sur une rue ou une maison, telle est la France seigneuriale des débuts du onzième siècle. Elle est l'extrême diversité et l'extrême particularisme. Et, par surcroît, le triomphe de l'instable...»

Le régime féodal

Le régime féodal repose sur les relations de vassal à suzerain. Il ne fixe en rien les rapports entre les pairs. Ces rapports vont dans le sens vertical, ils n'existent guère dans le sens horizontal. Voici ce qu'en dit l'historien LUCHAIRE: «La loi établit des rapports entre suzerains et vassaux, du haut en bas de la hiérarchie; elle a oublié d'en créer latéralement entre les pairs. Ces nobles, placés sur le même échelon, vivent étrangers les uns aux autres: ils n'ont entre eux d'autre lien que le rapprochement accidentel amené par la nécessité de remplir un devoir commun auprès du suzerain. Ici l'isolement est le fait habituel, presque la règle.»

Et voici encore ce que dit IMBART DE LA TOUR (p. 282) de la vie économique: «Tout le secret de cette organisation domaniale est d'assurer la vie matérielle. Et elle s'explique elle-même par les conditions économiques de l'époque. Denrées, matières premières, main-d'œuvre, où le seigneur les trouverait-il ? Dans l'anarchie intérieure le commerce s'est effondré. Des routes en mauvais état, infestées de pillards, hérissées de péages ne sont plus sillonnées que par de rares caravanes de marchands, appartenant presque tous à des monastères. Plus d'industrie dans les villes, aucun ouvrier libre dans les campagnes, vivant de son métier ou louant ses bras. *La vie économique a dû se développer sur place.* Non seulement le seigneur doit se nourrir, mais encore fabriquer; vêtements, ustensiles, constructions, tout se fera sur son domaine.»

2. LES DIALECTES DE L'ANCIEN FRANÇAIS

On ne peut comprendre ce qui s'est passé en France au point de vue linguistique sans tenir compte de cette structure sociologique et économique.

La différenciation d'une langue peut se faire en deux sens, verticalement ou horizontalement. Si elle se fait horizontalement, ce sont les personnes de la même couche sociale qui parlent le même langage. Quand elle est plutôt verticale, c'est que les rapports entre les différentes régions sont devenus faibles: dans ce cas il se forme des parlers régionaux. A une époque comme celle dont nous parlons, le seigneur a peu de rapports avec le seigneur de la région voisine, tandis qu'il a souvent à parler à son serf. Il parlera donc à peu près le même langage que celui-ci. Nous verrons plus tard d'autres époques où la différenciation régionale sera moins efficace que la différenciation sociale. L'ensemble du développement linguistique est presque toujours le résultat des deux forces, mais selon les époques c'est tantôt l'une tantôt l'autre qui prédomine[1]. Ce développement territorial, social, économique de la France du Nord explique assez son morcellement linguistique.

Il faut ajouter que le pays n'avait pas de centre dont il eût pu imiter, adopter la langue. Les Carolingiens tenaient leur cour tantôt ici, tantôt là. Aucune région, aucune ville n'était reconnue comme supérieure aux autres. Chaque région naturelle avait son petit centre à elle. Il est évident qu'entre deux régions voisines les communications étaient plus faciles que sur de longs parcours. Aussi la différenciation dialectale connaît-elle de très nombreuses gradations. Ces gradations dépendent des distances, des obstacles naturels (montagnes, grandes forêts, fleuves, etc.), des frontières politiques et souvent aussi des frontières ecclésiastiques entre les évêchés. Ainsi se formaient dans la France du Nord de nombreux dialectes et sous-dialectes, qui se détachent plus ou moins nettement les uns des autres. Certaines régions, comme la Normandie, ont toujours eu une vie intellectuelle très intense, elles ont eu conscience de leur individualité. Cette segmentation a ses racines dans l'époque mérovingienne; elle s'accentue encore plus sous les Carolingiens et les Capétiens, et il s'y ajoute, à cette époque, des différenciations de plus en plus marquées à l'intérieur des zones de chacun de ces dialectes.

[1] Voir sur cette question l'intéressant opuscule de M. Ettmayer, Über das Wesen der Dialektbildung, erläutert an den Dialekten Frankreichs; Denkschriften der Akademie der Wissenschaften in Wien 66, 3 (1924); il est vrai qu'on y applique ces principes d'une manière un peu trop dogmatique.

LE FRANCO-PROVENÇAL

La région qui se détache avec le plus de précision est celle du franco-provençal. Elle comprend les pays autour de Lyon et de Genève, donc les départements de la Loire, du Rhône, de l'Ain, de l'Isère (excepté l'extrême sud-est), la Savoie, la Haute-Savoie, une partie du Jura, à quoi il faut joindre la Suisse française (excepté le Jura bernois), la vallée d'Aoste au sud du Grand Saint-Bernard et la partie supérieure des hautes vallées des affluents du Pô jusqu'à la Stura.

Voici les trois traits les plus saillants de ce groupe de dialectes:

1° *a* accentué en syllabe ouverte reste *a*, comme en provençal *(cantáre > tsãtá*, comp. prov. *cantar*, contre fr. *chanter)*, mais après palatale il se palatalise, comme en ancien français *(carricáre > tsardzyé*, comp. afr. *chargier*, contre prov. *cargar);*

2° un *a* final reste *a*, comme en provençal *(tela > taila*, comp. prov. *tela*, contre fr. *toile)*, mais après palatale il se palatalise, comme en français *(vacca > vatse*, comp. fr. *vache*, contre prov. *vaca);*

3° un *u* final portant un accent secondaire reste comme *-o* au lieu de s'affaiblir en *-e*, comme en français (*cúbitù > códo*, contre fr. *coude)*. Ainsi le franco-provençal garde une variété de la voyelle finale inconnue dans le reste du galloroman. Tandis que l'anc. fr. réduit toute voyelle finale à *-e*, l'anc. prov. à *-e* ou *-a*, le franco-provençal n'a pas conservé moins de quatre voyelles en fin de mot. Comp. anc. fr. *erbe*, *fille*, *coude*, *puce* et anc. pr. *erba*, *filha*, *code*, *piuze* au franco-prov. *erba*, *filli* (*-i* à cause de la palatale précédente), *codo*, *pudze*. Cet aspect phonétique rapproche le franco-prov. de l'italien.

Ces trois traits se tiennent exactement entre les limites du royaume burgonde d'avant 469 et des quelques conquêtes faites par ses habitants sous le régime mérovingien (Vallée d'Aoste, etc.), et les mêmes limites sont respectées par les mots d'origine burgonde restés dans les parlers de ces régions (voir p. 56). Il est permis d'en conclure que le franco-provençal doit sa position toute spéciale à l'élément burgonde. C'est d'autant plus probable que les patois des toutes premières régions occupées par les Burgondes portent dans la déformation des voyelles *ĕ* et *ŏ* les traces d'une forte influence burgonde se manifestant jusque dans la phonétique[1].

Du point de vue politique ces régions sont devenues françaises très tard; elles sont restées en partie indépendantes jusqu'à ce jour. Elles ne prennent guère part à la lente création de la littérature de l'ancien français.

PRINCIPALES RÉGIONS DU DOMAINE FRANÇAIS PROPREMENT DIT

Rapports entre ces régions

Le Nord-Est se détache du français de Paris par plusieurs traits qui apparaissent sur une région assez étendue, mais variable. Ces traits sont dus surtout à deux faits: à leur situation excentrique et à une influence germanique plus forte. Ainsi les voyelles *e* et *a* devant nasale, s'étant nasalisées dans tout le domaine français, ont fini par converger dans le centre et se rejoindre sous la forme d'un *ã* (comp. fr. *vã* < *ventus* comme *ã* < *annus*). Cette innovation, qui doit être d'une époque assez tardive, n'a plus atteint le Nord et l'Est, où les deux voyelles restent distinctes jusqu'à nos jours:

ventus – pic. wallon *vẽ*, lorr. *vo*
annus – pic. wallon *ã*, lorr. *ã*

Le picard, le wallon et le lorrain conservent aussi la prononciation germanique de *w: warder* 'garder', au lieu de le romaniser en le faisant précéder d'un *g*, comme les autres régions *(guarder*, prononcé *gwa-)*. Les mêmes dialectes ignorent l'intercalation d'une consonne transitoire entre *m'l*, *n'r*, etc.: fr. *tiendront*, apic. *tenront.* Ici la Champagne et la Bourgogne vont avec l'Est.

Si le picard marche souvent avec le wallon, il a aussi deux traits importants en commun avec le normand: 1° *c* devant *a* reste *k (canter*, contre fr. *chanter);* 2° *ti* et *c* devant *e*, *i* deviennent *ch (caelu* > pic. *chiel*, contre fr. *ciel; captiare* > *cacher*, contre fr. *chasser).* La palatalisation du *c* devant *a* avait commencé ici

[1] Voir sur cette question l'essai: Zum Problem des Frankoprovenzalischen, dans W. v. Wartburg, Von Sprache und Mensch (Berne 1956), 127–158.

aussi, ainsi que le montre le *i* de formes comme *kief (< caput*, afr. *chief)*, mais elle fut arrêtée, selon toute probabilité, par le fort élément germanique, qui était réfractaire à ce son palatal. En Normandie le rétablissement du *k* est aussi dû aux Germains, plus précisément aux Scandinaves; il s'arrête exactement aux limites de leur invasion (voir p. 73).

L'importance de l'élément germanique dans les régions de l'Est (Wallonie, Lorraine) se manifeste aussi dans l'accentuation des proparoxytons. Tandis que la syncope, qui a fait d'un gallolatin **emputa* (du grec *emphyteuein*, v. p. 20) le fr. *ente*, montre par la conservation de la première et de la dernière voyelle que le galloroman mettait, outre l'accent principal sur la première syllabe, un accent secondaire sur la dernière, conforme en ceci au gallolatin **émputà*, la forme lorraine *empe*, avec chute de la dernière syllabe, dénonce une accentuation progressivement décroissante, en l'espèce un *émpùta.* A un mot comme *hĭrpĭce*, fr. *herse*, correspond en wallon et en lorrain une forme *herpe*, etc. Ce sont les habitudes d'intonation germaniques qui ont imposé à ces parlers une direction si différente dans l'évolution des proparoxytons, direction dont nous trouvons du reste les traces au-delà du territoire alémanique jusque dans certains parlers de l'Italie septentrionale et des Grisons.

La Bourgogne

Au nord du franco-provençal, la Bourgogne, avec la Franche-Comté, occupe une position très importante. C'est un pays de transition, la clef des routes de l'Allemagne et de la Provence, de Paris et de la Lorraine. C'est ce qui lui a donné quelque chose de cosmopolite. Les grands mouvements religieux des Cisterciens et de Cluny sont partis de ce pays. C'est là que devait naître le projet grandiose de Charles le Téméraire qui voulait refaire l'expérience de Lothaire en fondant un Etat mi-allemand mi-roman entre la France et l'Allemagne. – Le dialecte a plusieurs traits en commun avec le champenois ou avec le lorrain, mais il est difficile de le délimiter avec précision. Un des traits les plus frappants c'est le suffixe *-et(te)* qui devient *-ot(te): chaussote*, etc. En Bourgogne on n'a pas estimé que le parler indigène fût digne d'être employé en littérature. On n'a donc presque pas de documents littéraires en bourguignon. Ce dialecte n'est jamais entré en compétition avec les autres provinces pour fournir la langue littéraire.

La Champagne

Quand on suivait les routes qui conduisaient de la Bourgogne vers le Nord et vers le Nord-Ouest, on arrivait en Champagne. Pendant la 2e partie du moyen âge les villes de la Champagne jouèrent un rôle très important pour le commerce de l'Occident. On y tenait de grandes foires, où se réunissaient les marchands de presque toute l'Europe. Les marchands de l'Italie, de l'Angleterre et de l'Allemagne s'y donnaient rendez-vous à mi-chemin. En outre Troyes devint un des principaux centres de la littérature française, grâce à la cour de la comtesse Marie, fille d'Eléonore de Poitou. Le dialecte de la Champagne a toujours été assez voisin de celui de Paris. La Champagne entoure l'Ile-de-France à l'Est en demi-lune. Reims, l'autre métropole, a été toujours particulièrement dévouée à la cause du roi. C'est dans sa cathédrale qu'avait lieu le sacre des rois. La plupart des particularités qui séparent la Champagne de l'Ile-de-France, elle les a en commun avec la Bourgogne ou avec la Lorraine (*m'n* > *n*, au lieu de *m*, *fenne* 'femme'; *eil* > *oil*, *consoil* 'conseil').

La Lorraine

La Lorraine est le pays de deux rivières qui conduisent dans des régions germaniques, la Meuse et la Moselle. C'est un pays au climat rude, aux communications difficiles, entouré et entrecoupé de forêts. Au moyen âge cette région a eu peu de part à la vie de la nation française; plus que toute autre partie du pays elle a vécu d'une vie régionale. Aussi n'y a-t-il pas de province où les dialectes soient plus variés, plus bigarrés. Le lorrain est le prolongement du wallon: comme celui-ci il est farci d'éléments lexicaux allemands, comme lui il a emprunté le son *w;* il apprendra même plus tard à prononcer un χ, il distingue *an* de *en*, il change *ie* en *i (pied* > *pi)*. Il conserve aussi, avec le wallon, l'impf. en *-abat* > *-eve*. – Il va sans dire qu'isolée du reste du pays, divisée en beaucoup de petits Etats, difficile à parcourir, la Lorraine n'a exercé aucune influence sur la formation du français littéraire. Jamais elle n'aurait pu entrer en concurrence avec Paris.

La Wallonie

Le pays au nord de la Lorraine est appelé la Wallonie. *Wallons* est le nom par lequel les voisins allemands avaient l'habitude de désigner les habitants des régions limitrophes (*velche*, etc.). La Wallonie est en principe la partie romane de la Belgique (excepté l'extrême Ouest et le Pays Gaumais au sud-est). Les Germains l'enveloppaient de deux côtés, mais elle a résisté, surtout à cause de la difficulté des communications. Vers l'Est elle est protégée par les marais des Fagnes (Venn) et les forêts.

Le wallon est très conservateur; il se distingue par un certain nombre de mots latins qu'il a seul conservés. Cela s'explique par sa situation excentrique et par le fait qu'il a toujours été séparé de la France au point de vue politique[1]. Ce n'est pas non plus de la Wallonie que pouvait venir la langue littéraire. Parmi les traits caractéristiques du wallon, en dehors de ceux que nous avons indiqués, citons encore la conservation de *u (ou*, et non pas *ü)* et la diphtongaison de *e* en syllabe fermée surtout devant *s* et *r (festa > fieste)*. Toutefois, aucun de ces phénomènes ne couvre toute l'aire wallonne, et quelques-uns la dépassent. L'on[2] a du reste démontré que beaucoup de ces traits se retrouvent de l'autre côté de la frontière linguistique, dans les parlers flamands. Il y a ici une rare communauté de tendances d'évolution, qui montre l'intensité de la symbiose des deux races.

La Picardie

En se dirigeant de Namur vers l'Ouest on arrive en Flandre et en Picardie. Aucune des régions dont nous avons parlé jusqu'ici n'a exercé une influenee sensible sur la langue française, aucune n'a été tentée de faire de son idiome local une langue littéraire, aucune n'a jamais été une concurrente pour l'Ile-de-France. Il en est autrement de la Picardie et de la Flandre. Ces deux régions forment une plaine fertile où la population se concentre en vil-

[1] Voir W. v. Wartburg, Les parlers de Wallonie dans l'ensemble des parlers romans. Dans Actes du 2e Congrès culturel wallon (Liège 1955).

[2] Voir P. G. van Ginneken, Waalsche en Picardische Klank-Parallelen. Onze Taaltuin II, 289–302.

lages, en bourgs, en villes, parce que l'eau potable est difficile à atteindre et rare. C'est la raison pour laquelle des villes nombreuses y sont nées de bonne heure: Arras, Amiens, Beauvais, Lille, Abbeville, Tourcoing, etc. A cause de la configuration du terrain la plaine du nord a connu de nombreuses invasions. Pendant tout le moyen âge on s'est disputé la possession de cette terre: l'empereur et le roi de France, les comtes et les évêques, et d'autres encore cherchèrent à s'en emparer. Les villes à leur tour tâchent de profiter de cet état de choses pour augmenter leurs libertés. C'est pourquoi la Picardie et la Flandre ont, les premières, cet esprit actif, travailleur, éveillé, démocratique, d'une bourgeoisie entreprenante. Une nouvelle force fait là son entrée dans l'histoire de France.

Cet éveil d'une civilisation plus raffinée, de la conscience de ses propres forces et du sentiment de soi-même se manifeste aussi dans la vie littéraire, politique, religieuse. La part que la Picardie a prise à la création d'une littérature française est très grande. L'épopée nationale, les chansons de geste ont été rédigées en grande partie dans cette région. Nulle part l'exemple des troubadours du Midi n'a trouvé un écho plus fort que parmi la noblesse de Picardie et de Flandre. Tous les genres littéraires un peu populaires ont eu leur centre dans ce pays: les fabliaux, la comédie, l'épopée satirique qui se groupe autour de Renart. Au 13e s., la vie littéraire en Picardie est bien supérieure à celle de Paris. Voilà pourquoi de nombreux éléments du dialecte picard s'infiltrent dans les œuvres écrites en Picardie et que la forme qu'on y donne à la langue écrite devient pour quelque temps un véritable concurrent du francien. S'il ne l'a pas emporté, c'est avant tout parce qu'il était trop excentrique, trop près de la frontière, et surtout parce qu'il avait des particularités, des traits dont beaucoup manquaient aux autres parlers: Voici les plus importants: 1° *c* devant *a* > *k*, ex. *cose* 'chose'; 2° *g* devant *a* > *g*, ex. *gambe* 'jambe', *gardin* 'jardin'; 3° *c* devant *e*, *i* > *š*, ex. *chele* 'celle', *rachine* (ces trois aussi normands); 4° absence des consonnes transitoires, ex. *tener* > *tenre* 'tendre'; 5° *en* > *ẽ*, ex. *vẽ* 'vent'; 6° *-ẹllus* > *-iaus*, ex. *caviaus* 'cheveux'; 7° *w* germ. conservé, ex. *warder;* 8° *ọl* > *au*, ex. *solidus* > *saus;* 9° *la* > *le;* 10° *mon*, *ton*, *son* > *men*, *ten*, *sen;* 11° formation d'un nouveau sing. *no*, *vo*, d'après le plur. *noz, voz;* 12° *-eir* (terminaison de l'infinitif) précédé de *e* > *-ir: keïr* 'choir', *v(e)ir* 'voir', *s(e)ir* 'seoir'[1].

La Normandie

Au sud-ouest de la Picardie, le long de la côte, s'étend la Normandie. Nous avons déjà vu que les Normands, dès qu'ils furent romanisés, devinrent les premiers propagateurs de la civilisation française. Ils ont mis leur indomptable courage et leurs forces fraîches au service de cette cause. Ce zèle se manifeste aussi par la littérature. Elle commence par une œuvre religieuse: la Chanson de saint Alexis, qui date de 1050 à peu près. Au 12e s. le dialecte normand a une littérature très riche, et dont les auteurs ont été soutenus par la cour ducale. Les textes franchement normands sont très nombreux (Eneas, le poète Wace, etc.). Le normand a donc été un concurrent sérieux du français de Paris. Ses principaux traits sont: 1° à 3° comme pour le picard; 4° *ẹ* devant palatale > *ie*, ex. *sies* 'six'; 5° *ei* (< ẹ) ne devient pas *oi*, ex. *teile* 'toile'; 6° l'impf. de la 1re conj. s'est conservé, *cantout* < *cantabat;* 7° la terminaison de la 1re pers. pl. est *-um* (= *-on*), au lieu de *-ons*.

L'anglo-normand

Le normand a eu un rejeton important dans l'anglo-normand. En 1066, en conquérant l'Angleterre, les Normands y apportèrent leur langue. Elle y domina, surtout à la cour et dans l'aristocratie, tant que l'Angleterre et la Normandie restèrent réunies sous le même souverain, c'est-à-dire jusqu'au commencement du 13e s. Après, son prestige commença à diminuer. Mais, dans la juridiction et dans l'administration, elle put se maintenir jusqu'au 15e s. La base de l'anglo-normand est naturellement le normand[2]. Mais il est bientôt devenu un idiome assez composite, surtout après que la Normandie eut été séparée de l'Angleterre. La littérature anglo-normande s'émancipe alors du normand, mais pour se rapprocher du français littéraire. Au 13e s. on se donne beaucoup de peine pour écrire le français de Paris. Le

[1] Voir pour plus de détails Ch. Th. Gossen, Petite grammaire de l'ancien picard; Paris 1951.

[2] Ajoutez aux principaux traits du normand le traitement de *a* qui donne avec une nasale *aun*, ex. *aunte* 'tante' (pour l'afr. *ante;* d'où l'angl. *aunt.*)

français ne s'est pas maintenu en Angleterre, mais s'il a disparu, ce n'est pas sans avoir légué à l'anglais un grand nombre de mots français.

L'Ouest

Les autres dialectes de l'Ouest, comme p. ex. ceux de l'Anjou, du Maine, de la Touraine, n'ont jamais eu des traits aussi nets que ceux dont nous avons parlé. L'influence linguistique du centre s'y est fait sentir bientôt.

Nous avons déjà étudié le Sud-Ouest (p. 64). Nous avons vu le Poitou marcher avec l'Aquitaine d'abord, mais s'en détacher par la suite, pour devenir un pays de langue française. Il a pourtant conservé quelques traits particulièrement frappants: *a* après *c* devient en général *e* (et non pas *ie*), ex. *cher* < *carus* (mais *Poitiers* < *Pictavis*); *-a* est conservé dans les plus anciens textes; *el* comme pron. neutre *(< ĭllum)*, ex. *si com el est dreiture.*

3. LE DIALECTE DE L'ILE-DE-FRANCE LANGUE NATIONALE

Causes linguistiques

Nous avons fait le tour de toutes les régions de langue française, excepté celle du centre. Là où se rejoignent trois grandes rivières (Seine, Marne, Oise) s'est formé le centre naturel du pays. Dans les premiers siècles la France linguistique n'allait que jusqu'à la Loire. La région de l'Ile-de-France en était le centre à tous points de vue. Le Midi de la France parlait une autre langue, l'occitan. Et ayant créé une riche littérature il s'opposait au Nord. Jamais l'idée ne serait venue aux gens du Midi qu'au point de vue de la langue ils pussent se rattacher au Nord. Géographiquement Paris était le centre de l'Ile-de-France. – Les communications convergeaient également vers Paris. Il n'est pas étonnant que son dialecte ait gardé une sorte de juste milieu. Quelque forte que dût être la position du normand, p. ex., ou du picard au 12e et au 13e s., ces dialectes devaient avoir quelque chose d'extravagant, de rébarbatif pour les autres régions (ex. *cacher* 'chasser'). Tous ces traits dialectaux avaient quelque chose de périphérique, d'excentrique, qui devait ne pas plaire aux autres régions. Ainsi nous voyons, dès la 2e moitié du 12e s., les auteurs tâcher de se défaire de leurs particularités provinciales. Chrestien p. ex. fait rimer d'abord *fanne (< femina): sanne (synodu)*. Mais plus tard il écrit toujours *fam(m)e*. A la fin du siècle les poètes picards commencent à remplacer leurs formes propres par celles du centre; ils cessent d'écrire *blanke*, ils préfèrent *blanche*. On choisit les formes qui sont en usage sur le plus grand territoire possible. On veut éviter ce qui est limité à une petite région. Un auteur picard se défait de ce qui est particulièrement picard, le champenois renonce à ce qui n'est que champenois, la Normandie sacrifie les normandismes. Et ainsi on se rencontre sur une base commune. Cette base ne pouvait être que le parler du centre, de l'Ile-de-France et de Paris. Mais c'est surtout en évitant les particularités dialectales, donc par un choix négatif, qu'on a réalisé cette unité. On peut dire que ce sont le sentiment de la mesure, le besoin de l'équilibre qui ont contribué puissamment à faire du dialecte de Paris la Koiné. Naturellement il ne l'est pas devenu sans se plier par-ci par-là, sans accepter quelques retouches que lui proposaient les dialectes.

Causes historiques

La victoire que l'Ile-de-France a remportée sur les autres régions est donc due en grande partie à sa situation géographique. Elle a aussi des causes historiques. Je veux parler du fait que l'Ile-de-France a donné au pays sa nouvelle dynastie. L'an 987 est une date extrêmement importante pour la langue française. Ce n'est pas que le pouvoir royal ait été très fort vers 1000 ou vers 1050. Au contraire, les grands vassaux du roi sont souvent bien plus puissants que le roi. Au fond le roi ne règne que dans les régions qui appartiennent à sa famille. Et ces possessions ne constituent pas un ensemble homogène; elles sont dispersées. Le duc de Normandie, les comtes de Blois et de Champagne, ceux d'Anjou et de Flandre sont des vassaux très indépendants et qui, le plus souvent, ne se soucient pas de leur suzerain ou lui font la guerre. Mais si la royauté n'a pas beaucoup de pouvoir réel, elle n'en est pas moins une force spirituelle. Cette force, elle la doit en premier lieu à ceux qui l'ont sauvée de l'anarchie carolingienne pour donner un centre au pays de France. La seule institution durable était alors l'Eglise. Et ce sont les grands représentants de l'Eglise qui ont poussé à l'élection de Hugues Capet. Pendant le 11e s. ce sont souvent eux qui secourent le roi, qui le secondent dans sa tâche ingrate. Le plus noble des devoirs qui incombaient au roi était de faire justice, de protéger le faible contre la violence et la cruauté des grands. Il était trop faible pour y suffire. Et alors, deux ans après l'élection du premier des Capétiens, un concile d'évêques français lança le décret qui stipulait la Paix de Dieu. Ce décret anathématisait celui qui commettait dans une église un vol avec effraction, celui qui frappait un diacre ou un clerc, celui qui volait le bien des paysans ou des pauvres. En 1027 on y ajouta la Trêve de Dieu, qui interdisait la guerre et tous les actes de violence pendant certaines périodes, p. ex. du samedi soir au lundi matin. L'Eglise s'efforçait donc de rendre au pays un peu de sécurité. Cela nous fait comprendre l'alliance et l'accord qui existent dès l'avènement des Capétiens entre le pouvoir royal et les grands représentants de l'Eglise. «C'est une monarchie à demi ecclésiastique que l'archevêque de Reims installait sur le trône des Carolingiens» (Luchaire). Dès le commencement la royauté eut ainsi un caractère presque religieux. Les évêques organisaient souvent une espèce de milice pour maintenir la paix et la trêve de Dieu. Et cette milice ils la mettaient parfois au service du roi. Une alliance durable s'établit ainsi entre le roi et le clergé, à l'inverse de ce qu'on voyait en même temps en Allemagne. Nous avons déjà vu que le commerce aussi était en grande partie entre les mains des monastères. Ainsi le roi et le clergé seuls maintenaient quelque peu les relations entre les différentes régions du pays et cherchaient à leur donner un peu de stabilité et de sécurité. Les rapports du roi étaient particulièrement étroits avec les couvents. La réforme de Cluny, celle des Cisterciens, tout ce grand mouvement du 11e s. travaillaient dans le même sens que le roi. Ces monastères étaient autant d'agences royales.

L'Eglise et le roi tâchaient de défendre le faible contre le fort. Le peuple pouvait donc aimer dans l'un et l'autre pareillement ses protecteurs. De là aussi ce caractère populaire de la royauté capétienne. Il en résultait pour le peuple une liaison étroite entre son idéal politique et religieux, entre ses sentiments nationaux et sa ferveur chrétienne. De là ce caractère politico-religieux des chansons de geste, à commencer par la Chanson de Roland. N'oublions pas que les chansons de geste ont été chantées surtout devant le peuple réuni sur les champs de foire ou devant les pèlerins, qu'elles étaient destinées à faire de la propagande pour une foi militante. Les plus anciennes chansons de geste ont été composées probablement dans l'Ile-de-France. Gormont et Isembart est sûrement francien, la Chanson de Roland et le Pèlerinage de Charlemagne le sont en partie. L'Ile-de-France est déjà comme le centre religieux, idéal du pays. Ou, plus exactement, c'est l'abbaye de St-Denis. M. Olschki[1] a démontré quel a été le rôle prépondérant de ce monastère au point de vue ecclésiastique, politique et économique. St-Denis était le véritable centre idéal du pays, surtout depuis que, en 1082, par l'acquisition du Vexin, le roi était devenu avoué de l'abbaye. C'est là que l'on conservait la bannière du royaume et de l'abbaye, celle qu'on appelait l'Oriflamme.

Longtemps avant d'être le centre des forces matérielles du royaume, Paris en a donc été le centre idéal. Cette position particulière a contribué à faire sortir l'Ile-de-France du rang des autres provinces et à donner à son idiome une dignité particulière. Dès la fin du 11e s. le prestige de l'idiome de la région parisienne a été tel que ceux qui désiraient écrire en langue vulgaire, en subissaient l'attraction. Au 12e s. on assiste à une éclosion de vie littéraire dans beaucoup de régions françaises; presque partout celle-ci est plus intense que dans l'Ile-de-France; et pourtant la plupart de ces auteurs cherchent à se rapprocher autant que possible de l'idiome de Paris. Il va sans dire qu'ils n'y réussissent que partiellement et que de nombreux éléments (sons, formes verbales, mots inconnus à Paris, etc.) trahissent leur lieu d'origine. C'est ainsi que presque chaque région, tout en s'efforçant d'écrire en un français commun, développe une variété à elle de la langue littéraire nationale. On a parlé p. ex. à juste titre de franco-picard, c'est-à-dire d'une langue écrite dont la base est le français de Paris, mais fortement mêlé de picardismes[2]. La vitalité de ces variétés de la langue écrite diffère

[1] Der ideale Mittelpunkt Frankreichs im Mittelalter. Heidelberg, 1913.
[2] Voir Louis Remacle, Le problème de l'ancien wallon, Liège 1948; Ch

beaucoup selon les régions. Elles se maintiennent en général jusqu'au 14ᵉ s., mais en se soumettant de plus en plus à l'autorité du parler directeur.

Avec l'augmentation de la force matérielle des rois la victoire de celui-ci s'accentuera de plus en plus.

4. L'ANCIEN FRANÇAIS A SON ÉPOQUE CLASSIQUE

Le 12ᵉ siècle voit naître une littérature extrêmement riche sur le sol de la France du Nord. Cette littérature embrasse plusieurs genres. Ce qui nous intéresse surtout, au point de vue de l'usage que l'on fait de la langue, c'est qu'à la fin du siècle nous avons déjà deux styles, deux genres qui s'adressent à deux couches sociales différentes. Cette différenciation est due en partie à l'influence du Midi, du provençal et de ses troubadours. Mais elle provient en partie aussi du développement interne du pays. Il y a donc deux manières très différentes d'user de la langue, l'une populaire, ingénue, l'autre réfléchie, courtoise, consciente de ses effets. C'est la preuve que la langue est arrivée à sa pleine maturité.

Quoi qu'il en soit, il importe maintenant de s'arrêter pour étudier l'état dans lequel la langue se trouve à cette date. Il ne s'agit donc pas pour nous d'exposer dans ce chapitre des événements et des changements, mais de décrire la forme que la langue a au 12ᵉ s. et de voir quels sont les rapports de cette forme avec la mentalité de l'époque. Cette forme est le résultat des changements survenus à l'époque précédente, bien entendu. C'est ce résultat qui nous intéresse maintenant.

LIBERTÉ DANS L'EMPLOI DES MOYENS D'EXPRESSION

Usages syntactiques

Ce qui frappe avant tout, c'est la grande liberté dont jouit l'ancien français, c'est sa forme très relâchée. On peut exprimer la

Th. Gossen, Considérations sur le franco-picard, langue littéraire du moyen âge (dans Les Dialectes belgo-romans 13, 97-121).

même chose de plusieurs façons, et d'autre part la même expression peut prendre plusieurs significations. Les rapports entre la pensée et son expression, entre contenu et forme ne sont pas nets. On ne se sent pas obligé de définir la situation avec précision. On fait crédit à l'imagination de l'interlocuteur, qui ajoutera ce qu'il faut pour reconstruire la pensée de celui qui parle.

Ainsi l'ancien français, comme le français moderne, possède un grand nombre de temps du passé: impf., p. déf., p. indéf., plusqpf., p. ant. Le français moderne s'en sert pour mettre du relief et de la perspective dans le récit (Il *lisait* [ou *lut*] le journal qu'il *avait acheté* la veille). L'ancien français mêle beaucoup plus le prés., les temps simples et les temps composés dans les récits, semblable en cela à la langue de la conversation moderne, qui rapproche souvent hardiment le passé indéfini et le présent. Voyons p. ex. les vers 106–114 du Lai de Guingamor:

> '*Vers lui le tret* (prés.), *si l'a besié* (p. indéf.).
> *Guingamor entent* (prés.), *qu'ele dist* (p. déf.).
> *Et quele amor ele requist* (p. déf.).
> *Grant honte en a* (prés.), *tout en rogi* (p. déf.).
> *Par mautalent se departi* (p. déf.).
> *De la chambre s'en vost* (p. déf.) *issir*
> *La dame le vet* (prés.) *retenir.*
> *Par le mantel l'avoit saisi* (plusqpf.)
> *Que les ataches en rompi* (p. déf.).'

Le point de vue de l'auteur a une grande mobilité. La distance qu'il a par rapport aux événements change. Il est vrai que, quand on lit un texte en prose, on trouve beaucoup moins de cas où les temps sont mêlés de cette façon excessive. Comme l'a montré L. Foulet, il y a sous ce rapport une grande différence entre les parties en prose et celles en vers de 'Aucassin et Nicolete'. On en peut conclure que la part de la liberté poétique est assez grande dans ces irrégularités de l'emploi des temps. Si le texte cité ci-dessus nous offre trois temps différents pour relater ce qui se passe sur un même plan, nous avons d'autre part souvent un temps unique pour raconter des événements qui se sont produits à des époques très différentes. Ex.:

Dis blanches mules fist amener Marsilie
Que li tramist (= avait envoyé) *li reis de Suatilie.*

Dans les phrases hypothétiques nous trouvons exactement la même absence de perspective. En disparaissant, l'impf. du subj. avait légué au plusqpf. du subj., dès le latin vulgaire, le sens d'un temps hypothétique du prés. *S'il venist, nous chantissons* veut dire deux choses: 's'il venait (maintenant), nous chanterions' et 's'il était venu, nous aurions chanté'. Nous avons donc une seule expression pour deux idées. Ainsi le vers 1769 de la Chanson de Roland: *unc nel sonast, se ne fust combatant* veut dire 'il ne sonnerait pas ...', le vers 3439: *sempres caïst, se Deus ne li aidast* 'il serait tombé aussitôt ...'. Le vieux français ne partage pas le malaise que nous aurions, nous autres modernes, en face d'une phrase ayant deux sens si différents.

Peu après 1150 apparaît une nouvelle formule: *s'il fust venuz, nous oüss(i)ons chanté.* Mais la langue ne s'en sert pas tout de suite pour distinguer entre les deux sens. L'ancienne formule se maintient encore pendant plusieurs siècles dans les deux significations. A la fin du 12e s. nous avons donc une seule expression pour deux sens différents et d'autre part on peut exprimer une seule et même idée de deux façons différentes.

s'il venist	's'il venait'
s'il fust venuz	's'il était venu'

On voit donc que ni les rapports de l'idée à l'expression, ni ceux de l'expression à l'idée ne sont nets.

Il faut rappeler que l'ancien français connaissait encore un autre type de phrase hypothétique créé par le galloroman de l'époque mérovingienne. C'est celui qui se sert de l'impf. Il exprime une nuance particulière: il n'est ni irréel ni potentiel ('supposé que'). Ainsi Rou: *truver les purrez ja, s'alkes vus hastiez* 'supposé que vous vous dépêchiez un peu'. Le verbe de la phrase principale est encore au futur. C'est qu'on ne s'exprime pas sur la probabilité de la réalisation. Mais dès le 12e s. il apparaît aussi uni avec le cond.:

Perceval: *se ceste eve passee avoie*
de la ma mere troveroie.

Donc ce nouveau type a envahi le domaine de l'irréel. La phrase hypothétique moderne est constituée. Mais ce qui est intéressant pour le vieux français, c'est que les deux significations vivent côte à côte. On peut dire

s'il venait, j'irai avec lui 'supposé qu'il vienne'
s'il venait, j'irais avec lui 's'il venait'.

Au 12e s. on hésite aussi entre le cond. et l'impf. du subj. pour la phrase principale. Nous trouvons le cond. dès la Chanson de Roland. Rien que pour l'irréalité dans le prés. l'ancien français a donc trois types de phrases hypothétiques: 1° *s'il vînt, j'allasse avec lui* (deux sens!); 2° *s'il vînt, j'irais avec lui;* 3° *s'il venait, j'irais avec lui.*

Ces trois types coexistent depuis le 12e s. jusqu'à la 1re moitié du 17e s. Mais, au point de vue de la fréquence, ils se relèvent dans l'ordre où je les ai notés.

Superlatif

En dehors du verbe nous avons encore de nombreux cas où la délimitation nette manque. Dès lors le lecteur est invité à compléter lui-même ce qui pourrait manquer à l'expression. Ainsi le comparatif *plus grant* réunissait deux fonctions: il était comparatif et superlatif en même temps ('plus grand', 'le plus grand'). Ex.: *Passent cez puiz et ces roches plus hautes* (Roland).

Conjonctions

Nous avons déjà vu que le latin du Bas-Empire avait laissé périr la plupart des conjonctions. A leur place il met partout *quod.* L'ancien français en a fait *que*, et ce *que* est chargé de nombreuses significations, en dehors de celles qu'il a encore aujourd'hui.

Dans *ki seroit loials amis, k'il ne fust fols ne vilains ne mal apris* (Colin Muset) *ke* = 'pourvu que'

Dans *ne teus biens n'avient mie a toz que ce est joie sanz corouz* (Châtelaine de Vergi) *que* = 'car'

Dans *colchiez dous deniers, que li uns seit sor l'altre* (Jean Bodel, Jeu de saint Nicolas) *que* = 'de sorte que'

Mais l'ancien français a réparé la perte d'une partie des conjonctions latines en en créant d'autres, et en grand nombre. Il emploie celles-ci en les variant sans cesse. Il a créé *puis que* en remplacement de *postquam;* seulement, *puis* étant aussi préposition, il introduit souvent des substantifs entre *puis* et *que: puis ce di que*, *puis l'ore que*, *puis cel tens que*, *puis ce que*, etc. Il ne varie pas seulement les formes; il les emploie aussi en les transposant dans d'autres circonstances que celles pour lesquelles elles furent tout d'abord créées. C'est ainsi que *tres que* ne signifie pas seulement 'après que', mais aussi 'depuis que', et même 'lorsque'; *des que* a déjà les fonctions qu'il a aujourd'hui, mais il est aussi employé au sens de 'aussitôt que', de 'puisque', de 'lorsque', de 'quant au fait que'. Chacune de ces conjonctions a une signification centrale, principale; mais elle envahit souvent les plates-bandes de ses voisines. Elles correspondent ainsi à plusieurs notions, selon le contexte; et d'autre part une seule et même notion peut être exprimée de façons très différentes. Il en résulte un très grand relâchement des liens qui rattachent les phrases entre elles; et souvent la situation doit éclairer la valeur d'une conjonction, au lieu d'être éclairée par celle-ci[1].

Nous voyons que l'ancien français se contente volontiers d'un à-peu-près. Il lui suffit de se faire comprendre; il ne sent pas le besoin d'exprimer tout selon les règles d'une logique impeccable. Pourvu qu'à l'aide d'un mot il ait évoqué un certain objet ou une personne, il ne se croit pas obligé de donner à ce mot une exactitude et une précision absolues. Ex.:

li chevaliers le feri
de sa lance e fist grant enui

'le chevalier le frappa de sa lance et *lui* causa une grande douleur'. Le pron. *le* a évoqué le personnage en question; cela suffit à l'auteur, et il ne se soucie pas de mettre le pronom en accord avec le second verbe. – Même chose pour le pron. rel.: *cele a cui il samble ... ne du jor ne se loe point* 'celle à qui il semble que ... et *qui* n'est pas contente de voir paraître le jour'. Avec la plus

[1] Voir surtout le livre fondamental de M. P. Imbs, Les propositions temporelles en ancien français; Publications de la Faculté des Lettres de Strasbourg, 1956.

grande liberté l'ancien français se passe ici de la répétition du pron. rel. au nominatif.

Il arrive même qu'on supprime tout à fait le pron. rel.: *plus sui liés ke tels a chastel* 'je suis plus content que tel *qui* a un château'. Cette liberté dans la liaison de deux phrases se trouve aussi dans les expressions où il faudrait la conjonction *que: je cuit plus bele de ti n'i a* 'je crois qu'il n'y a pas de plus belle que toi'.

Vocabulaire

Dans le vocabulaire de l'ancien français nous trouvons la même richesse d'expression que dans la syntaxe. Surtout pour ce qui est de l'expression des choses de l'âme, des choses appartenant à la vie militaire et sociale, l'ancien français dispose d'un vocabulaire très varié. Toutefois il faut se garder, comme on l'a fait, d'énumérer sans plus les synonymes que donne Godefroy. Ce dictionnaire renferme le lexique d'une dizaine de dialectes et s'étend sur un espace de six siècles.

Pour mesurer la richesse lexicale de l'ancien français il faut examiner le vocabulaire d'un seul et même auteur. Alors seulement on verra quels sont les mots qui ont coexisté dans la conscience linguistique d'une personne de cette époque. L'on a réuni 27 verbes ancien français qui expriment la joie de vivre, pour illustrer l'attachement de l'homme médiéval aux plaisirs de cette vie. Mais Benoît de Sainte-Maure, qui a de loin le vocabulaire le plus riche et le plus varié de tous les auteurs du 12e s. ne possède que deux verbes de ce sens, *sei esjoir* et *esleecier*, auxquels on peut ajouter le v. a. *enhaitier* 'réjouir qn'. Par contre il ne connaît pas moins de 7 synonymes pour 'fou', 10 pour 'chagrin', 11 pour 'courir, s'élancer' *(sei abandoner*, *sei ademettre*, *sei apondre*, *eslaissier*, *sei eslancier*, *sei embatre*, *sei traire*, *sei treslancier*, *branler*, *brochier vers)*, 10 pour 'tuer', 17 pour 'combattre' *(chapler*, *combatre*, *estriver*, *fornir bataille*, *joindre*, *joster*, *rejoster*, *recombatre*, *torner*, *torneier*, *entremesler*, *sei entrembatre*, *sei entreferir*, *sei entredoner*, *sei entrassembler*, *sei entrabatre*, *sei entraler)*, 18 pour 'attaquer', 37 pour 'combat', etc. On voit que l'imagination créatrice en fait de langage est particulièrement féconde dans le domaine du combat, de l'activité physique, de la douleur. Il va sans dire que les notions qui par leur nature poussent l'homme à l'exagération sont richement dotées de synonymes; ainsi Benoît de Sainte-Maure emploie quinze mots différents pour 'beaucoup' *(ades, assez, espessement, estrangement, a fais, foison, fort, fortment, grantment, maint, a grant maniere, une grant masse, mout, plenté, trop)*, dix pour 'foule', huit pour 'longtemps' *(grantment, lonc tens, longement, longes, une grant masse, grant piece, une piece, une grant pose)*.

Ce dernier exemple montre aussi combien les possibilités qui s'offrent pour la formation des mots sont nombreuses, puisque le même adj. *lonc* permet de former trois expressions synonymes. Les mots dérivés à l'aide de suffixes ne sont pas moins variés, les suffixes s'ajoutant aux radicaux avec une très grande facilité, à peu près comme aujourd'hui encore en italien et en occitan. Le même auteur se sert tantôt d'un suffixe, tantôt d'un autre pour exprimer la même chose. Benoît de Sainte-Maure p. ex. dérive les mots pour 'la fin' du verbe *definir* 'finir'. Il dit *definement*, mais aussi *le definail* ou *la definaille;* pour 'retard' il dit *demore*, *demoree*, *demorance*, *demorier*. Comme subst. abstrait correspondant à *fou* on a déjà *folie*, mais aussi *folor* et *folage*. Donc ces suffixes sont très mobiles et interchangeables.

Les sons

La grande variété des moyens d'expression que nous avons rencontrée partout caractérise aussi la phonétique du vieux français. Vers 1100 il ne comptait pas moins de 13 voyelles et 19 diphtongues ou triphtongues. Ajoutons-y 21 consonnes et nous arrivons à un total de plus de 50 phonèmes.

INDÉPENDANCE DES FORMES

Les alternances vocaliques

La grande liberté d'expression dont jouit l'afr. donne à chaque forme une indépendance très grande, surtout vis-à-vis des autres formes du même mot. Le développement phonétique du français prélittéraire avait introduit une grande différence entre plusieurs formes d'un seul et même mot:

laver (< lavare) : leve (< lavat).

On appelle ces différences les alternances vocaliques. Toute langue flexionnelle les connaît, mais toutes possèdent aussi une force qui réagit en sens contraire, une force qui rapproche les formes différenciées. L'analogie de *chanter: chante* demande qu'on dise aussi *laver: lave.* Si la langue résiste à cette tendance, si elle continue à dire *leve*, c'est que pour ceux qui l'emploient cette forme héréditaire a une forte individualité. Il y a deux liens, et il s'agit de savoir quel est le plus fort. D'un côté le lien entre l'action et la personne qui fait cette action (a), d'autre part entre plusieurs actions semblables faites par différentes personnes (b).

	b		
a	action (laver)	action (laver)	a
	|	|	
	il (3e pers.)	nous (1re pers. plur.)	

Il s'agit de savoir si le sujet parlant saisit plutôt le lien a ou le lien b. S'il saisit surtout le lien a, il maintiendra la forme héréditaire *leve;* si c'est b qui domine dans son esprit, les deux formes réagiront l'une sur l'autre, et les formes *lavons*, *lavais*, *laver*, *laverai*, qui sont beaucoup plus nombreuses, finiront par réagir sur *leve* et par en faire *lave.* Or, le lien a se présente immédiatement, il s'impose rien que par les sens puisqu'une action se rattache toujours à un agent. Le lien b par contre demande un certain effort d'abstraction, puisqu'il sépare l'action d'avec l'agent pour la rapprocher d'une autre action.

En fait, l'ancien français est caractérisé par le maintien de presque toutes les alternances. Elles sont très nombreuses, au moins au 12e s. Cela veut dire que l'ancien français identifie surtout la personne avec l'action: pour lui agent et action font un tout indissoluble. L'ancien français connaît peu l'abstraction intellectuelle, il est surtout concret, naïf, impressionniste.

Voyons ces alternances:

voyelle du latin vulgaire:	*o*	*plorons*	*ploure*
	ǫ	*movons*	*muet*
	ǫ + l	*volons*	*veut*
	ǫ + *palatale*	*apoions*	*apuie*

voyelle du latin vulgaire:	*a*	*lavons*	*leve*
	a + nasale	*amons*	*aime*
	ę	*crevons*	*crieve*
	ę + palatale	*neiions*	*nie*
	ẹ	*esperons*	*espoire*
	ẹ̄ + nasale	*menons*	*meine*
	a>	*achetons*	*achate*
voyelle tantôt accentuée, tantôt intertonique	}	*parlons*	*parole*

Cette identification de l'action avec l'agent se trahit aussi par le fait que, comme en latin, les différentes personnes du verbe portent en elles de quoi se distinguer: *chant*, *chantes*, *chante(t)*. On n'a donc pas besoin de pron.; le plus souvent on s'en passe.

La déclinaison – Emploi des deux cas

La déclinaison offre la même particularité que la conjugaison. Le développement phonétique a mis une très grande distance entre les différents représentants de certains subst. ou pronoms. Ainsi: *lere (< látro): laron (< latróne)*. Sous ce rapport la richesse du français dépasse celle de toutes les autres langues romanes. Seul le provençal s'en rapproche. Mais il le cède de beaucoup au français, parce qu'il ne connaît pas le traitement différent que le français impose aux voyelles, selon qu'elles sont toniques ou non. La raison en est que les deux langues galloromanes ont conservé les deux cas, l'acc. et le nominatif. Voici comment se déclinent les masculins. On peut les distinguer de deux manières:

1° les subst. dont le nom. sing. est pourvu d'une *-s* et ceux qui ne connaissent pas cette *-s;* 2° d'après le nombre des syllabes (parisyllabiques, imparisyllabiques). Ces deux principes se combinent, de sorte qu'il y a quatre classes:

		I. avec *-s*		II. sans *-s*
1° parisyll.	sing. nom.	*murs*	1°	*pere*
	acc.	*mur*		*pere*
	plur. nom.	*mur*		*pere*
	acc.	*murs*		*peres*

			I. avec -*s*	II. sans -*s*	
2° imparisyll.	sing.	nom.	*cuens*, *nies*	2° *ber*	*emperere*
		acc.	*conte*, *nevout*	*baron*	*empereour*
	plur.	nom.	*conte*, *nevout*	*baron*	*empereour*
		acc.	*contes*, *nevouz*	*barons*	*empereours*

Nous voyons que beaucoup de subst. de la classe 2° changent d'accent. C'est alors que l'écart devient particulièrement grand entre nom. et acc. *(compain – compagnon*, *ancestre – ancessour)*.

On peut faire la même distinction pour les féminins. Certains d'entre eux ont une -*s* au nom. du sing., d'autres ne connaissent pas cette -*s*, et il y a des parisyllabiques et des imparisyllabiques. Au pluriel, il est vrai, les fém. ne distinguent jamais le nom. de l'acc. Ici, l'anc. fr. continue l'usage du latin archaïque, où le nom. du plur. était *feminas*, comme l'accusatif.

			I. avec -*s*	II. sans -s	
1° parisyll.	sing.	nom.	*flours*	*rose*	
		acc.	*flour*	*rose*	
	plur.	nom.	*flours*	*roses*	
		acc.	*flours*	*roses*	
2° imparisyll.	sing.	nom.	(manque)	*suer*	*ante*
		acc.		*serour*	*antain*
	plur.	nom.		*serours*	*antains*
		acc.		*serours*	*antains*

L'on voit qu'ici la classe I 2 manque de représentant et que la classe II 2, tout comme les imparisyll. masc., ne comprend que des subst. désignant des personnes.

Quelques pron. montreront que cette catégorie de mots jouit de la même indépendance: *quieus – quel; cist – cestui – cest* (pron. dém.); *mes – mon – mi – mes* (pron. poss.).

De même il y a beaucoup d'adj. dont les deux genres sont assez éloignés l'un de l'autre: *anti*, -*ve* 'antique'; *pieus*, *pie; lonc*, *longe; lois*, *losche* 'louche', etc.

On a l'habitude d'appeler aussi ces deux cas nom. et oblique, ou cas-sujet et cas-régime. On se sert du cas-sujet pour le sujet, pour l'attribut au sujet *(il est mes pere)*, ou pour interpeller quelqu'un (vocatif): *ha*, *biaus dous fis*. Le cas-régime sert à marquer les régimes directs et il est employé après toutes les prép. Mais il connaît encore deux autres emplois particuliers. Quand il s'agit de personnes le cas-régime à lui seul suffit pour marquer la possession: *la feme maistre Thomas.* Cette particularité permet de faire des distinctions très fines; comp. p. ex. *le corouz son ami* 'le courroux de son ami', et *le corouz de son ami* 'le courroux qu'elle avait contre son ami'. Quelquefois, mais seulement quand il s'agit de personnes, on trouve aussi le cas-régime comme objet indirect, surtout après certains verbes (voir p. 37): *son oncle conta son afere* 'il raconta son affaire à son oncle'.

LA PHRASE

Les principaux éléments d'une phrase

Grâce à cette indépendance des formes, l'ancien français jouit d'une très grande liberté dans la construction des phrases. Les trois principaux éléments d'une phrase sont: sujet (s), verbe (v), régime (r). Entre ces trois éléments il y a six combinaisons possibles: *Vous waiterés le coc* (svr), *Li dus la carole esgarde* (srv), *Amistié grande Guillaume vous mande* (rsv), *La damoisele ne convoie nus* (rvs), *or ai jou malvais gage* (vsr), *Lors ne pot garder ses paroles la duchoise* (vrs).

Les textes poétiques nous fournissent des exemples de toutes ces combinaisons. Mais l'étude de la prose montre que le vieux français n'abuse pas de la liberté presque illimitée que lui offre sa déclinaison. Seuls les poètes en profitent pour donner de la souplesse à leurs vers. La prose, c'est-à-dire la langue de tous les jours, obéit à cette loi: on réserve au verbe la deuxième place dans la phrase. Ex. *je ne quit mie* (svr), *les deniers prendrons nos* (rvs), *biaus estoit et gens* (préd. v. préd.), *or dient* (circonstanciel verbe)[1]. Il en résulte une position exceptionnelle du verbe. Les autres éléments sont comme ses vassaux. La notion verbale domine la phrase, elle en est le point fixe, le pivot, et les autres éléments tournent autour d'elle. C'est que l'homme du moyen âge vit beaucoup plus dans l'action que dans la réflexion. En

[1] L'on voit que là même où la phrase commence par le prédicat ou par le complément circonstanciel, la deuxième place reste réservée au verbe. Voir sur toute la question l'excellente étude de R. Thurneysen, Zur Stellung des Verbums im Altfranzösischen, Zeitschrift für Romanische Philologie 16, 289 ss.

effet, cette prépondérance du verbe on la retrouve aussi dans d'autres langues du moyen âge, particulièrement en moyen haut allemand. La vision immédiate de l'action comme émanation de la personne et s'identifiant avec la personne, est ce qui domine l'esprit et la langue.

Propositions principales et propositions subordonnées

De la vision immédiate de l'action résulte aussi une juxtaposition des différentes phrases[1]. En effet, l'ancien français ne connaît guère les longues périodes avec leurs propositions principales et subordonnées. Les propositions subordonnées sont beaucoup moins nombreuses qu'en français moderne. A part les phrases relatives et les phrases hypothétiques, elles sont assez rares. L'ancien français préfère la construction paratactique, les propositions principales courtes se suivant. Toutefois, il importe de ne rien exagérer. Il ne peut s'agir ici que d'une différence de proportion. L'ancien français n'exclut pas du tout les phrases subordonnées; seulement elles y sont moins nombreuses qu'elles ne le deviendront par la suite. Ainsi la Chanson de Roland se sert déja d'une dizaine de conjonctions de subordination (*ainz que*, *des que* 'pendant que', *mais que* 'pourvu que', *puis que* 'après que; puisque', *quant* 'lorsque; puisque', *tant que* 'aussi longtemps que; autant que', *tres que* 'jusqu'à ce que'). Il n'en est pas moins vrai que l'ancien français s'exprime par la simple juxtaposition là où le français moderne préfère la subordination. Au lieu de juxtaposition on pourrait souvent dire d'une manière plus exacte: opposition. Ex.: *et bien vos poist*, *si i iroiz* 'bien que cela vous soit désagréable ...'. Ou bien, là où le français moderne dirait: *je regrette qu' il soit malade*, l'ancien français dit: *est malades*, *ço me poise*.

L'ancienne langue préfère donc les phrases coordonnées aux phrases subordonnées, ce qui est encore un trait de caractère des langues populaires. Cela donne à la prose quelque chose d'alerte, mais aussi quelque chose de haché. Ce style coupé nous le retrouvons chez tous les prosateurs à commencer par Villehardouin et

[1] A mon avis, les conclusions que K. Vossler (p. 50 de son livre) tire de ces faits, vont trop loin. Il prétend que l'auteur du Roland ne commence jamais par une vision générale des faits. Mais cela est inexact. Comp. p. ex. la laisse 110 (v. 1412 ss.): *La bataille est merveilluse et pesant / Mult bien i fiert Oliver e Rollant / Li arcevesques...*

Robert de Clari. Comp. Villehardouin (cité d'après BRUNOT 1, 356): *Et vinrent a une cité qu'on apeloit la Ferme; la pristrent, et entrerent enz, et i firent mult grand gain. Et sejornerent enz par 3 jorz, et corurent par tot le païs, et gaaignierent grans gaaiens, et destruistrent une cité qui avoit nom l'Aquile.* Les phrases sont comme jetées au hasard, au petit bonheur, chacune évoquant une petite parcelle de la réalité.

CARACTÈRE CONCRET DES MOYENS D'EXPRESSION

Les modes

Nous avons vu la grande indépendance dont jouissent les différentes formes du verbe et du nom. Il en résulte que par elles-mêmes elles ont plus de plasticité, plus de force expressive en ancien français qu'à d'autres époques. Ainsi p. ex. le subj. est aujourd'hui une forme souvent vide de sens. Son emploi peut dépendre de quelque chose de tout à fait extérieur. P. ex. après les verbes de la pensée et de la parole on emploie l'ind. si ces verbes se trouvent à la forme affirmative, sans considération de la réalité ou de la non-réalité du contenu de la phrase subordonnée. On dit *il dit que nous avons menti*, même si cette opinion est erronée. Il n'en était pas ainsi en ancien français. On dit *J'ai creü que vous fussiez de bone foi* (Châtelaine de Vergi v. 160–161); *Chascuns qui veit dist qu'il seit morz* (Rou 1, 585). En vérité 'vous' n'étiez pas de bonne foi, 'il' n'était pas mort. Nous voyons donc qu'ici l'emploi du subj. ou de l'ind. exprime une nuance de pensée, ce qui n'est plus le cas aujourd'hui. Comparé au français moderne le subj. de l'ancien français a encore toute sa force, toute sa valeur concrète.

L'ancien français avait donc un sentiment très fin de la valeur du subj. Il est intéressant de constater le contraste entre les modes et les temps. Nous avons vu qu'on avait une notion assez vague de la valeur des temps et qu'on ne s'en servait pas pour mettre de l'ordre dans la perspective, dans la suite chronologique des faits et des actions. On distinguait d'autant mieux entre réalité et irréalité, entre ce qui est douteux et ce qui est sûr, entre ce qui n'a qu'une valeur relative et ce qui est absolu. La valeur, le sens, l'importance des actions apparaissent nettement aux yeux de celui qui parle, et l'expression est nuancée par ce choix subtil entre subj. et ind. Il y a donc une grande différence, on peut même dire une opposition complète, entre l'emploi des temps et celui des modes en ancien français. En français moderne, en revanche, la notion de mode est devenue très vague, alors que la notion de temps est aujourd'hui d'une précision extrême.

Les gestes

Cette intensité visuelle, ce caractère concret des moyens d'expression constitue un autre trait général de l'époque. Nous allons l'illustrer encore par quelques autres exemples. Le vieux français était certainement moins sobre de gestes que le français moderne. Certaines expressions ne sont compréhensibles que quand on pense au geste qui les accompagnait[1]. Ex.: *tant soit granz, jo le veintrai.* Cette phrase se compose de deux propositions principales, dont la première exprimait, à l'origine, un désir. Le premier mot *tant* était accompagné d'un geste.

Pour une raison semblable les chansons de geste se servent souvent du pron. dém. à la place de l'article. Comp. Roland v. 1032 ss.: *Luisent cil elme ... / E cil escuz e cil osbercs safrez / E cil espiez, cil gunfanun fermez.* Tous ces pron. dém. il faut les traduire en français moderne par l'article. Ces vers sont récités par un jongleur qui veut charmer et enthousiasmer son public par la vivacité de son récit. Les pron. dém. dont il l'émaille sont comme une évocation indirecte de toutes ces armes éclatantes.

Le même élément démonstratif se retrouve dans l'expression *amis, et je l'otroi* 'mon ami, je le veux bien'. Pour donner plus de poids à ce vocatif on le sépare du reste de la phrase par la conjonction *et.* Par là, le vocatif *amis* reçoit presque la force et le relief d'une phrase entière.

Verbes réfléchis comme expression de l'intensité

Ce caractère concret de l'ancien français se révèle en outre dans les verbes réfléchis. Aujourd'hui, la forme réfléchie marque le retour

[1] Comp. l'étude de M. Lommatzsch, Deiktische Elemente im Altfranzösischen, dans Hauptfragen der Romanistik, Festschrift f. Ph. A. Becker; Heidelberg, 1922.

de l'action sur le sujet: *je couche mon enfant*, *je me couche; je lave le linge*, *je me lave*, etc. Le vieux français connaît un autre emploi du pron. réfl.: *Dunc s'aparut li jorz tuz clers* (Benoît de Ste-Maure). *Ore s'an est fors issue* (Chrestien); *ore s'en rit Rollanz* (Roland).

Dans ces différents exemples le sens du verbe reste le même, avec ou sans pron. (*an est issue*, etc.). Mais l'emploi du pron. réfl. indique que le sujet applique toutes ses forces, son activité à l'action, qu'il y est particulièrement intéressé. Le pron. réfl. donne au verbe une intensité spéciale. Du reste, cette expression de l'intensité, l'italien l'a conservée jusqu'à ce jour *(godo del sole, mi godo il sole)*.

Locutions imagées

Nous voyons que le vieux français est une langue aux couleurs fortes, aimant l'évocation directe et faisant plutôt appel aux sens, à l'imagination de l'auditeur, qu'à l'intelligence. Cela n'est pas étonnant, puisque cette langue n'a pas encore de passé littéraire. Elle porte l'empreinte de son origine populaire. Voyons p. ex. les images, les locutions figurées dont elle se pare: pour 'perdre sa peine, s'efforcer inutilement' on dit *batre Seine*, *peser le vent*, *semer en gravele;* d'un homme qui croit être sûr de son fait on dit *cuide tenir Dieu par les piez;* pour 'tromper' *vendre vessie por lanterne*, pour 'se rabaisser, s'humilier' *faire estain de son or*. On crée volontiers des termes qui font reconnaître les préférences et les appréciations de celui qui parle. Ainsi un buveur s'écrie *quel outrevin!* (anticipant ainsi à sa façon le *surhomme* du 19e s.), une joie qui dépasse toute imagination devient une *passe-joie*, etc. – Comme toutes les langues populaires l'ancien français aime la tautologie, il se plaît à renforcer une expression en lui joignant un synonyme; il crée ainsi une sorte de superlatif, ex. *fol et musart*, *lié et sain*, *mener et conduire*, *sovent et menu*, *vieil et antif*. Les allitérations sont aussi très fréquentes: *sain et sauf*, *tempre et tart*, *ne rime ne raison*, *de lonc et de lez*, *poi et petit*, *ne pain ne paste*. Le peuple éprouve aussi très souvent le besoin d'affirmer, de renforcer par une comparaison. De là un nombre infini d'expressions comparatives, comme p. ex. *vrai come patenostre*, *voir com evangile*, *plus vert que fueille d'ierre*, *plus amer que suie*, *plus ivre que sope*. L'imagination du peuple est aussi très féconde quand il s'agit de renforcer la négation. Les négations explétives héritées du lat.: *goutte*, *mie*, *pas*, *point* avaient déjà perdu en partie leur force expressive. Aussi le peuple dira-t-il maintenant *ne prisier une amende* ... et ainsi *areste*, *beloce*, *biset* (= pois), *bufe* (= chiquenaude), *cime*, *cincerele* (= petite mouche), *clo*, *dent*, *don de sel*, *eschalope* (= coquille d'escargot), *flocel de laine*, *fraise*, *fusée* (= bâton), *hututu*, *mince* (= rejeton), *more*, *nieule*, *penaz*, *plomee*, *rostie*, *siron*, *trait de croie*.

L'INFLUENCE DU LATIN

Les gens qui savaient écrire et qui maintenaient la tradition, c'était le clergé et les scribes de l'administration, ceux-ci du reste étant eux-mêmes le plus souvent des clercs. Il est tout naturel que par eux de nombreux termes latins aient été progressivement introduits dans la langue française. Tout d'abord le vocabulaire religieux a subi cette influence. Ainsi les noms des grands événements de la vie du Sauveur sont empruntés du latin: *résurrection*, *ressusciter*, *crucifix* (d'abord sous la forme plus adaptée *crucefis*, mais le mot, comme beaucoup d'autres, a été par la suite rapproché à nouveau de la forme latine). De même les qualités attribuées à Dieu: *omnipotent*, *trinité*, *déité* (qui s'oppose nettement, à cette époque, à *humanité*, comp. les vers de Philippe de Thaon: *Sulunc humanitet; Nient sulunc deitet*), *majesté* (qui ne s'appliquera que plus tard au roi), *createur*. On voit par le vocabulaire quel effort dut fournir le clergé pour ne pas laisser périr la conception chrétienne de la vie humaine; comp. *componction*, *confession*, *consolation*, *contrition*, *corruption*, *déprécation*, *dilection*, *grâce*, *rédemption*, *religion*, *rémission* des péchés, *salvation*. On a du reste l'impression que le clergé français a fait un effort moindre que les bénédictins allemands, qui ont souvent cherché et trouvé dans le trésor de leur langue maternelle des expressions pouvant contenir les grandes vérités du salut chrétien, comme *Zerknirschung*, *Beichte*, *Trost*, *Gnade*, *Erlösung*, etc. Le culte lui-même comportait un grand nombre de termes latins: *adorer* (qui remplace l'ancien *aorer*), *alleluie* (relatinisé plus tard en *alléluia*), *calice*, *célébrer* une fête, *procession*, *sacrement*, *sépulcre*, *testament*, *solennité*.

L'enseignement religieux a dû aboutir, de tout temps, à une leçon de morale. Toute l'éthique du chrétien, au moins la théorie sur l'éthique, dérivait de sa foi. Il est donc naturel que ces notions aient aussi subi l'influence de l'enseignement ecclésiastique. Comp. des mots comme *patient*, *-ence*, *superbe* (= orgueil), *perfide*, *vanité* (d'abord au sens de 'futilité', surtout dans l'expression *vanitas vanitatum*), *juste*, *avare* (qui remplace l'ancien *aver*), *tribulation*, *humilité*, *miserie* (plus tard *misère*), *illusion* (d'abord 'moquerie'), *vitupérer*. – Le clergé, surtout celui des couvents, était aussi le milieu où l'on conservait, bien qu'assez péniblement, un souvenir du savoir qu'avait possédé l'antiquité. Il s'en servait p. ex. pour calculer les dates du calendrier, de là *solstice*, *équinoce* (plus tard *équinoxe*), *calendier* (plus tard *calendrier*), *occident*, *orient*.

L'influence de la liturgie se fait sentir jusque dans des mots d'origine populaire, surtout quand ceux-ci étaient encore assez près du latin pour reconnaître leur identité. Ainsi l'anc. franç. *esvanir* 'disparaître sans laisser de trace' représentait pour tous le verbe latin *evanescere*, dont on entendait prononcer telle ou telle forme à l'église. Une de ces formes résonnait avec une fréquence particulière aux oreilles du peuple. C'était dans la phrase qui raconte l'ascension: *et ipse evanuit ex oculis eorum*. A la façon galloromane le prêtre l'accentuait sur la dernière voyelle. Et sur ce modèle *esvanir* fut transformé en *esvanouir*. Ainsi l'Ecriture sainte a eu une influence remarquable même en dehors de la terminologie ecclésiastique. On voit par les plus anciennes traductions de textes saints que les prêtres, en expliquant la bible, avaient peur de s'éloigner trop du texte. Ainsi les deux plus anciens psautiers, traduits vers 1120, ont souvent l'air d'une transposition plus que d'une véritable traduction. Quand la Vulgate, p. ex., dit *exterminavit eam* (scil. *vitem*) *aper de silva*, le Psautier y répond par *extermina la li vers* (= le sanglier) *de la selve;* ou bien *substantia mea* est rendu par *la meie substance*. Par cette porte, *exterminer* et *substance* et beaucoup d'autres mots sont entrés dans la langue française. Le mot *escabeau* est peut-être dû aux nombreux passages de la Vulgate où la terre est appelée l'escabeau des pieds de Dieu (*scabellum pedum meorum*). Le prestige de la bible et l'audition du rituel à l'église font ainsi passer dans la langue française un grand nombre de mots qui y reviennent souvent, sans appartenir au domaine ecclésiastique.

L'INFLUENCE DU MIDI SUR LA CIVILISATION ET SUR LA LANGUE

Langue et public des chansons de geste

L'ancien français dont nous avons dégagé quelques traits essentiels, est, comme on vient de le voir, avant tout une langue populaire. Il est vrai que depuis la fin du 11e s. nous avons une littérature assez riche et suivie; ce sont les chansons de geste. Mais les jongleurs qui chantaient ces poèmes avaient devant eux un public de pèlerins ou de guerriers, soit un public qui ne connaissait point les raffinements d'une civilisation supérieure et qui ne les aurait guère goûtés. Les jongleurs restaient donc assez près de la langue du peuple et ne prenaient pas beaucoup de peine pour donner à leurs vers une forme élégante. Ils se contentaient de renforcer leurs expressions, et pour cela ils puisaient à la source même, au langage populaire. Le peuple aimait à entendre raconter des faits extraordinaires, il aimait à entendre parler de héros dont la force et le courage dépassaient son imagination. Il suivait volontiers les récits où il pouvait se retrouver lui-même projeté sur un écran de dimensions gigantesques. Mais il n'eût pas aimé qu'on lui parlât de personnages dont la psychologie différait de la sienne.

La poésie courtoise

Pour qu'on sentît le besoin de modeler la langue, de l'enrichir de nuances délicates, il fallait un autre public, un autre milieu. Ce fut le mérite de la poésie courtoise d'éveiller le désir de travailler davantage sa langue. Avant Crestien la langue des poètes a souvent quelque chose de fruste; ils ne se rendent pas encore compte de toutes les ressources dont elle dispose. Leur effort portait avant tout sur le contenu de leurs récits. Avec Crestien la poésie devient également créatrice du point de vue de la langue.

On sait que cette nouvelle époque est due en partie à l'influence du Midi. L'idéal d'une culture plus raffinée, de mœurs plus douces, plus civilisées, est venu de la France méridionale. Nous connaissons quelques-unes des personnes qui ont servi d'intermédiaires entre le Midi et le Nord. La petite-fille du premier troubadour, Guillaume IX de Poitou, Eléonore d'Aquitaine, avait épousé en secondes noces Henri Plantagenet, duc d'Anjou et roi d'Angleterre. Deux de ses filles furent mariées à des princes français, Alix au comte Thibaut de Blois, Marie à Henri de Champagne. Elles apportèrent à leurs nouvelles cours le goûtde la littérature, de sentiments plus délicats, d'une vie plus libre et plus raffinée. Le protégé de Marie était justement Crestien. On comprend qu'avec lui un autre idéal de style entre dans la littérature.

L'influence du Midi sur la littérature française a été accompagnée d'une influence sur la langue. Citons seulement quelques mots provençaux introduits en français par la poésie courtoise: *abelir* 'plaire' (pr. *m'es bel* 'cela me plaît'), *ballade*, *jaloux* (< pr. *gelos*), *amour* (contre *ameur*, qui subit une déchéance sémantique et finit par désigner le rut des animaux). Plus tard, du reste, l'influence du provençal devient de plus en plus forte. La défaite des Albigeois a conduit à l'annexion du Languedoc, et à partir de cette date, de nombreux mots ont pénétré en français. C'est surtout à travers la Provence et le Languedoc que le français s'est enrichi de termes concernant la vie méditerranéenne (*asperge*, *artichaut*, *yeuse*, *orange*, etc.).

5. LE FRANÇAIS À L'ÉTRANGER

Depuis la fin du 11e s. le français s'écrit et s'emploie comme langue littéraire d'une manière vraiment suivie. Deux générations ont suffi pour qu'il acquière en Europe un prestige extraordinaire. Pour toutes sortes de raisons la connaissance du français se répand à travers tout le continent et même au-delà. Partout on lui reconnaît une grâce, une souplesse, une noblesse qui dépasse celle des autres langues. Des étrangers, surtout des Italiens, se mettent à écrire en français. Le maître de Dante p. ex., Brunetto Latini, composa vers 1260 une sorte d'encyclopédie médiévale, le 'Tresor'. Il l'écrit en français, et voici comment il se justifie: 'Et se aucuns demandoit por quoi cist livres est escriz en romans, selonc le language des François: l'une, car nos somes en France; et l'autre porce que la parleure est plus delitable et plus commune à toutes gens.' Plusieurs de ses compatriotes répètent ce jugement; Marco Polo dicte en français le récit de ses voyages en Tartarie et en Chine quand, en 1298, il s'ennuie dans une prison à Gênes.

Sur quoi se fondait ce prestige? D'abord sur la littérature française, les chansons de geste et surtout le roman courtois, qui ont été copiés, traduits, imités dans presque tous les pays. Ensuite il ne faut pas oublier l'Université de Paris qui attira de bonne heure de nombreux étudiants étrangers et contribua ainsi à la diffusion du français. Enfin à cet épanouissement littéraire correspond une grande expansion militaire et politique.

En Italie

En Italie l'influence littéraire de la France fut très grande. L'histoire de Charlemagne et ce qu'on appelait la matière de Bretagne pénètrent bien vite dans la péninsule et s'y enracinent au point de devenir familières. Dans l'Italie du Nord, où l'on parle des dialectes assez voisins du français, on hésita pendant quelque temps entre le français, le provençal et l'italien comme langue littéraire. Dans le Piémont, le français devint même la langue officielle, la langue de la cour de Turin, grâce aux rapports étroits avec la Savoie. Beaucoup de poèmes français ont été copiés en Italie dans une langue mixte ou au moins pleine d'italianismes (Roland, Buovo d'Antona, etc.). Il naquit même un dialecte factice, mi-français, mi-lombard, qu'on appelle franco-italien, et qui n'existe que dans quelques textes. A Naples même la langue de l'administration royale devint le français quand Charles d'Anjou supplanta les Hohenstaufen. Il s'y maintint durant un demi-siècle à peu près, et il est bien probable que pendant quelque temps les bourgeois et les marchands de Naples ont parlé le français.

Dans l'Orient et en Grèce

A la fin du 11e s. et surtout au 12e s. les croisades portèrent le français jusque dans l'Orient. On sait le rôle prépondérant que jouèrent les Français dans ces entreprises communes de l'Occident. Aussi le français devint-il la langue officielle et juridique des pays conquis. Mais la conquête ne dura pas et le français disparut bientôt. S'il ne put pas s'imposer, ce fut aussi en partie parce qu'il se trouvait en face d'une civilisation supérieure. Les Arabes et les Grecs étaient plus civilisés que les Français; ils gardèrent donc leur propre langue. La langue arménienne a gardé encore quelques tracesde l'influence française, parce que les Arméniens, grâce à la communauté de la foi religieuse, furent les alliésdes Croisés.

L'existence du français à Constantinople et en Grèce après la 4e Croisade (1204) ne fut pas moins éphémère. Seule l'île de Chypre connut une influence plus profonde du français, parce que pendant trois siècles elle resta sous la domination d'une dynastie française, les Lusignan. En 1489 l'île devint vénitienne, et l'influence française cessa.

En Angleterre

Nulle part le français n'a eu autant de chances de devenir la langue du pays qu'en Angleterre. Après la victoire de Hastings, Guillaume le Conquérant partagea le pays entre les barons français qui l'avaient accompagné. Pendant quelque temps le français éclipsa l'anglais. Dans la seconde moitié du 12e s., alors qu'écrivaient Marie de France et tant d'autres auteurs, l'anglais semblait presque éteint comme langue littéraire. La concurrence du français fut d'autant plus redoutable pour l'anglais que l'immigration française continua longtemps après la conquête. Seulement quand Philippe Auguste confisqua la Normandie et l'Anjou, en 1203, il brisa la chaîne qui liait la colonie anglo-normande à la France. Cet événement affaiblit de beaucoup la position du français en Angleterre. Les deux langues se maintinrent à peu près sur leurs positions jusqu'au milieu du 14e s. En 1300 encore, le Miroir de Justice choisit le français comme étant le langage 'le plus entendable au common people.' Et la noblesse ne cessait de se servir de la langue qu'elle avait apportée d'outremer. Le roi Edouard III, le vainqueur de Crécy, ne parvint même pas, dans une circonstance solennelle, à prononcer correctement une phrase anglaise. C'est pourtant à ce même roi que l'anglais doit sa victoire définitive. Cette bataille de Crécy (1346) marque le commencement de la Guerre de Cent Ans; cette guerre amène en peu de temps une fusion complète des deux civilisations, des deux races en Angleterre. Cela ne put se produire qu'au détriment du français, qui disparut rapidement de l'usage courant. On sait qu'il se maintint jusqu'au 18e s. dans la juridiction, et qu'aujourd'hui encore le roi approuve les lois par la formule 'le Roi le veult'. Nous laissons aux anglicistes le soin de faire l'histoire des innombrables mots français que l'anglais s'est incorporés.

Le français a donc vécu trois siècles en Angleterre à côté de l'anglais. Nulle part comme en Angleterre on ne devait sentir la nécessité d'apprendre à parler correctement cette autre langue nationale. La conséquence fut que l'étude de la grammaire française est née en Angleterre. Au 14e s. on a écrit quelques manuels théoriques de grammaire française. Vers la fin du 13e s. Gautier de Bibbesworth rédige un long registre de mots français; c'est le commencement de la lexicographie française. Puis on écrit des manuels de conversation à l'usage des voyageurs. Vers 1400 enfin, Jean Barton donne le 'Donait françois'. Donc la grammaire française n'est pas née en France. Il faut attendre le 16e s. pour que les Français commencent à s'intéresser eux aussi à la grammaire de leur langue.

En Allemagne et dans les Pays-Bas

L'Allemagne a accueilli, à bras ouverts, les chansons de geste et les romans bretons. Au 12e et au 13e s. l'influence de la civilisation française est extrêmement forte en Allemagne. Le vocabulaire moyen haut allemand en porte de nombreuses traces. C'est surtout le langage courtois qui est imprégné de français, puis la terminologie de l'organisation féodale *(baron*, *prinz*, *vassal)*, l'organisation militaire, l'armement *(panzer)*, etc. L'allemand doit même au français un certain nombre de suffixes, ainsi *-ieren: stolzieren; -îe* > *-ei: arznei.*

Dans les Pays-Bas cette influence fut encore bien plus grande. Une partie considérable du lexique moyen néerlandais est d'origine française. Le français se fait fortement sentir jusque dans la syntaxe. Ainsi la construction participiale des phrases causales *(étant malade*, *il ne peut pas venir)* a passé du français en néerlandais. – Toutefois il faut dire que ces pays n'ont jamais été menacés d'être complètement francisés parce que l'influence française n'a pas pénétré le peuple lui-même.

IV. DE L'ANCIEN FRANÇAIS AU MOYEN FRANÇAIS

1. COUP D'ŒIL SUR L'HISTOIRE DE LA FRANCE DU 13e AU 15e SIÈCLE

Royauté et féodalité

Sa première époque classique, la France l'a eue au 12e s. Les nombreuses œuvres littéraires qu'elle produit à cette époque reflètent fidèlement l'état d'esprit de la société féodale. On peut avoir alors l'impression d'être arrivé à un état idéal d'une certaine stabilité. Aussi cette époque classique et cette société féodale se prolongent-elles dans le siècle suivant, où apparaît la plus noble figure que la société féodale ait produite, saint Louis. Mais rien n'est stable au monde, et si les hommes nourrissent quelquefois l'illusion de la continuité, c'est que les transformations sont moins apparentes; et lorsque leurs effets se manifestent enfin, ils étonnent comme étonneraient des bouleversements soudains.

En vérité entre la France de Louis IX et celle de Louis XI il y a un abîme. Le 13e et le 14e siècles ont changé la face du pays. Nous avons vu qu'au 12e s. la puissance du roi était encore très faible. Chaque région vivait sa vie à elle. La structure féodale qui ne connaissait guère que les rapports de supérieur à inférieur avait placé le roi très haut, très loin de ses sujets, des véritables sources de la force. Or, les successeurs de saint Louis avaient travaillé à étendre insensiblement leur pouvoir. Leur principal instrument consistait en une organisation de fonctionnaires qu'ils avaient su créer lentement. Ceux-ci représentaient le roi dans le royaume; plus ils devenaient forts et influents, plus l'organisation toute verticale de l'époque féodale se doublait d'une nouvelle organisation horizontale. Aux pouvoirs tout à fait régionaux ou même locaux s'oppose ainsi le pouvoir central. Ce développement est appuyé par la reprise des études de droit romain. Le 13e s. assiste à la fondation des grands centres d'études, l'Université de Paris et celle de Montpellier. C'est surtout cette dernière qui excelle particulièrement dans l'étude des deux droits. C'est d'elle que part cette nouvelle formule devenue célèbre:

«Le roi de France est empereur de ses Etats.» Cette phrase réunit deux principes: 1° l'indépendance du royaume en face de l'empereur romain et du pape, 2° la souveraineté du roi dans son pays: voluntas regis suprema lex esto. Ce n'est pas en vain que le trop célèbre chancelier de Philippe le Bel, Nogaret, qui justifie tous les crimes de son roi par une citation juridique, a été d'abord professeur de droit à Montpellier. Il est le représentant d'une nouvelle classe qui tend à supplanter l'ancienne noblesse et qui réussit au moins à s'emparer en grande partie du pouvoir réel. Au 14e s. une nuée de légistes formés dans ces nouvelles écoles s'abat sur la France et exerce les hautes fonctions. Ils deviennent dès l'abord aussi bien les inspirateurs que les serviteurs du nouveau régime. On sait l'immense influence que les gens de robe ont depuis exercée sur le destin de la nation; elle a ses racines ici.

L'organisation du pouvoir royal

La deuxième moitié du 13e s. et le commencement du 14e s. ont aussi jeté les bases de l'organisation de l'Etat moderne. C'est à cette époque qu'il passe, et assez rapidement, de la forme toute synthétique de la féodalité à une nouvelle forme analytique. Le régime féodal avait réuni tout le pouvoir dans la même personne; il n'avait pas distingué entre les différentes attributions. Le roi et sa cour, c'est-à-dire ses conseillers, s'occupent indifféremment de toutes les affaires. Au 12e s. cette cour (curia regis) avait été absolument homogène. Au 13e s., surtout dans la deuxième moitié, elle se sectionne, et au 14e s. nous avons des corporations à peu près autonomes. Elles représentent les trois pouvoirs modernes: le pouvoir judiciaire, le pouvoir législatif et le pouvoir exécutif. Vers le milieu du 13e s., le roi formait souvent des commissions spéciales qui devaient préparer les affaires et lui proposer les conclusions auxquelles elles étaient arrivées. Et bientôt on sent aussi la nécessité de distinguer nettement les attributions de ces commissions. Une ordonnance de 1300 sanctionne cette séparation des pouvoirs. Les fonctions politiques et législatives incombent au 'Conseil', où les conseillers d'office coudoient les princes. L'administration se concentre dans la 'Chambre des Comptes', qui surveille surtout le fonctionnement des finances.

Le corps judiciaire enfin, une des institutions les plus originales et les plus durables de la France monarchique, c'est le 'Parlement' ou plutôt les parlements, car on en institue bientôt un deuxième pour les territoires de langue d'oc, plus tard d'autres encore, selon les besoins. Mais le parlement de Paris a toujours une position et une autorité qui le mettent au-dessus des autres.

Grâce à cette organisation de plus en plus puissante, c'est d'abord la féodalité du domaine qui est atteinte. Les petits seigneurs n'ont plus la force de défendre leur souveraineté. Chaque jour elle se réduit un peu plus. Ils ne sont pas de taille à lutter avec les hommes nouveaux, les légistes. Le féodal dont les archives ne sont pas en ordre ou qui a perdu ses parchemins risque de se voir dépouillé de ses biens. Du reste les villes, qui avaient obtenu une grande liberté, qui se gouvernaient elles-mêmes, perdaient aussi leur position privilégiée, au même titre que les seigneurs.

Une dernière institution date de la même époque: ce sont les Etats généraux et les Etats provinciaux. Ils sont nés par la volonté du roi Philippe le Bel, qui voulait associer la nation à sa politique. C'est pourquoi il ne consulta pas seulement le clergé et la noblesse, mais aussi le commun, ce qu'on appellera plus tard le tiers état. Du reste plutôt qu'une consultation c'était, au commencement du moins, un moyen de propagande pour la politique téméraire du roi. Les premières occasions pour lesquelles on rassembla ces représentants de la nation, ce furent les continuelles luttes avec le pape, l'affaire des Templiers et les incessants besoins d'argent. En effet un des premiers soins de l'administration nouvellement organisée fut de doter le pays d'impôts réguliers (la 'maltôte' p. ex.).

Les couches sociales

Vers 1300, la noblesse turbulente avait cessé de créer des difficultés sérieuses au pouvoir central. Il arrivait encore qu'on se soulevât contre les mesures fiscales du roi, mais ces tentatives de résistance restaient infructueuses parce qu'elles ne partaient pas de personnes qui eussent pu compter sur toutes les ressources de la région. L'organisation de l'Etat, dont les tentacules arrivaient maintenant partout, trouvait son parallèle dans l'organisation des différentes couches de la société, du clergé, des bourgeois, des métiers. Ces organisations commencent à franchir les frontières des petites seigneuries et des provinces. C'est pourquoi il put se former des ligues embrassant le pays entier, comme la ligue des alliés (1314), qui s'était formée pour protester contre les abus du fisc royal.

L'organisation sociale et politique du pays se développe donc dans un sens contraire à celui des siècles précédents. Du 9e au 11e s. elle s'était faite de plus en plus dans le sens vertical. Le 12e s. et la première moitié du 13e s. avaient été le temps classique de la féodalité, où tous les rapports allaient du suzerain au vassal, de haut en bas et de bas en haut. La nouvelle époque va dans le sens contraire, c'est-à-dire dans le sens horizontal. La vie régionale perd de son importance au profit de la nouvelle organisation de la vie publique et privée qui met en valeur surtout la couche sociale.

Nous verrons plus tard que le développement linguistique du pays reflète assez bien ce changement. Sous bien des rapports le mouvement se fait dans une direction opposée à celle de l'époque précédente.

La vie intellectuelle

La vie intellectuelle aussi suivait des routes tout à fait nouvelles au 13e et au 14e s. Cette époque est marquée par une reprise des études scientifiques. Elle commence par une renaissance de l'aristotélisme, contemporaine de la fondation de l'Université de Paris (vers 1220). Si la société du 12e et du commencement du 13e s. s'était enthousiasmée pour le monde idéal des chansons de geste et du roman courtois, la littérature pure perdait maintenant son prestige. L'intérêt qu'on y avait attaché diminuait; il fut porté ailleurs. L'exaltation pour la vie héroïque des croisés faisait place à une course de plus en plus effrénée vers le succès matériel. Saint Louis était un retardataire qu'on admirait sans éprouver beaucoup le désir de l'imiter. Et l'admiration pour la beauté des grandes œuvres littéraires ne résistait plus à l'esprit critique et intellectualisé de la nouvelle époque. C'est pourquoi la force de la nouvelle littérature réside surtout dans la critique sociale. Les vieilles formes régionales de la vie se perdent; le siècle animé d'un grand souffle, d'un grand sentiment, est fini.

Les uns en ont la nostalgie et le regrettent comme un paradis perdu; c'est le cas de Rutebeuf p. ex. D'autres étudient les contemporains; ils se plaisent à nous en dépeindre les faiblesses, le brutal égoïsme, les ruses. La littérature se fait surtout satirique, avec Renart, avec le Roman de la Rose. Elle a quelque chose de dialectique et de didactique; c'est bien l'époque où naît la nouvelle classe des avocats et des légistes. Et cette époque se prolonge jusqu'à la fin du 15e s.

Il y a aussi une littérature qui exprime une autre attitude envers la vie, une attitude plus réaliste et qui accepte les bases de la nouvelle société. Mais cette littérature est tout en prose; elle ne veut que relater fidèlement les événements contemporains. Ce sont des chroniqueurs, comme Joinville, Froissart, et surtout les innombrables auteurs de mémoires du 15e s. Ces gens ne critiquent pas leur époque; ils l'observent et tâchent d'en donner une idée exacte: l'esprit scientifique pénètre jusque dans la littérature. L'art de la description se développe et prend une place de plus en plus importante. Ce n'est pas le hasard qui a donné à la nouvelle française du 15e s. un essor si remarquable: la nouvelle vit en partie de l'art de la description.

La guerre de Cent Ans

En 1328 la France eut le malheur de voir s'éteindre la ligne directe des Capétiens, avec les fils de Philippe le Bel. Il s'agissait maintenant de savoir qui hériterait de la couronne: la sœur du dernier roi avait été mariée au roi d'Angleterre. Mais les seigneurs français proclamèrent roi un neveu de Philippe le Bel, Philippe de Valois. Il en résulta une guerre qui, interrompue deux fois, devait durer de 1339 jusqu'en 1453. On sait qu'au moment où le roi de France était tombé le plus bas, il fut sauvé par une enfant sortie du fond de la Lorraine.

Cette terrible guerre, doublée d'une atroce guerre civile, le fléau des maladies, les dévastations incessantes, avaient changé l'aspect de la France: en 1340 elle avait été le pays le plus florissant de l'Europe; sa population, évaluée à 20 millions, dépassait de beaucoup celle des autres pays. Un siècle plus tard le pays était en ruines; il avait failli perdre son indépendance. Une grande partie de la noblesse avait accepté les nouveaux maîtres. Les rois de la maison des Valois avaient compliqué eux-mêmes la situation par leur système des duchés d'apanage. Ils dotèrent à plusieurs reprises leurs fils cadets de territoires échus à la couronne. C'est ainsi que s'étaient constituées les dynasties latérales des ducs de Bourgogne et d'Orléans. Après avoir dompté l'ancienne féodalité la royauté avait laissé se constituer ainsi un nouveau danger. Ce danger s'aggrava par la faiblesse de ceux qui portaient la couronne: Charles VI étant fou, il fallut organiser une régence, et son fils, Charles VII, était une nature timide, faible, apathique. La dynastie fut sauvée sans qu'elle y eût de mérite, presque malgré elle. Elle fut sauvée parce que, aux yeux du peuple, elle représentait quelque chose qui était au-dessus des querelles des grandes familles, au-dessus des intérêts régionaux, l'idée de la nation. Elle était le seul signe visible de l'existence de la France. Tous, Anglais, Orléanais, Bourguignons, Armagnacs, luttaient avec une férocité, une violence sans égale; chacun de ces partis ne connaissait que ses intérêts. Avec une effronterie inouïe chacun cherchait à s'emparer d'une partie du pouvoir. Le roi seul, dans son apathie, ne luttait pas et pouvait donner l'impression d'être un saint au milieu des passions déchaînées. Cette indolence, cette peur de la violence lui gagnaient certainement la sympathie du peuple.

Le fruit de la guerre de Cent Ans fut donc la naissance d'une nouvelle forme du sentiment national. Ce sentiment national, qui au 12e s. avait animé surtout les guerriers, les seigneurs, pénétrait maintenant le peuple tout entier, surtout les classes inférieures. Le paysan du 12e s. n'avait guère connu que son seigneur. Au 15e s. l'homme de la campagne se rallia surtout à la dynastie. Par là l'idée monarchique s'enrichit aussi d'un élément démocratique. Le peuple s'attacha au roi qui, comme lui, avait souffert de la violence des grands. Nation et dynastie sont comme soudées l'une à l'autre par cette longue et douloureuse histoire. Ainsi l'idée de l'unité nationale n'a pas été imposée d'en haut; c'est l'œuvre conjuguée du roi et de la nation. Aux heures décisives, quand le roi n'aura ni la force ni l'indépendance nécessaires pour continuer l'œuvre, le peuple prendra sa place et fera vraiment sienne cette œuvre de plusieurs siècles. Après la mort de Charles le Téméraire, en 1477, l'unité nationale est sauvée définitivement. Au commencement du 16e s. un poète, Pierre Gringoire, peut résumer ainsi cet idéal de la France nouvelle: 'Ung Dieu, une foy, une loy, ung roy.'

2. LA LANGUE FRANÇAISE DU 13e AU 15e SIÈCLE

CONSIDÉRATIONS GÉNÉRALES

Progrès du français littéraire

Dès le 13e s., le français a fait des progrès considérables dans l'intérieur du pays. Il a gagné du terrain surtout en pénétrant de plus en plus dans les actes, dans les documents publics. C'est au 13e s. que l'on commence à les rédiger en langue vulgaire. Le Midi, du reste, avait commencé déjà depuis longtemps à abandonner le latin comme langue de l'administration. Partout, cela commence par les actes de notaire. Ce sont surtout les villes picardes, que nous trouvons toujours et partout à l'avant-garde, qui ont abandonné le latin pour se servir du parler vulgaire (Douai 1204). Les collections de loi suivent: Philippe de Beaumanoir rédige en picard les Coutumes du Beauvaisis (1283). Sous le règne de saint Louis la chancellerie royale suit ce mouvement général: à partir de 1254 une partie au moins des documents sont en français.

Si le latin perd une partie de ses positions, c'est surtout au profit du français de Paris. Nous avons vu la faiblesse des premiers rois capétiens: Paris devait son prestige linguistique plutôt à sa situation géographique qu'à sa force politique ou à l'ascendant de sa littérature. Vers la fin du 13e s. Paris se met également à la tête du mouvement littéraire. Mais de nouveau il doit cela plutôt à l'affaiblissement progressif des autres centres qu'à son propre mérite. L'éclat de la cour de Troyes disparaît quand, en 1285, la dynastie des comtes de Champagne s'éteint. Vers 1300 les riches villes picardes entrent dans une époque de lente décadence. La Normandie enfin avait cessé dès 1203 de jouer le rôle d'autrefois: détachée de l'Angleterre et annexée par Philippe Auguste elle perdit son indépendance culturelle. C'est ainsi que Paris devient aussi le centre littéraire. Depuis 1300 la suprématie de la langue de Paris est incontestée. Froissart, qui écrit vers 1400, est le dernier auteur important dont la langue soit imprégnée de mots et de formes dialectaux. La guerre de Cent Ans même, qui semble être faite pour détruire l'unité linguistique, accélère au contraire le mouvement vers l'unité. Après 1400 les dialectes, délaissés par les auteurs, tombent de plus en plus au rang de patois.

Les transformations de la langue

Nous avons vu la société féodale se transformer insensiblement. Nous avons rappelé les événements qui ont changé l'ancienne France et en ont fait l'Etat moderne. Des changements si profonds doivent être accompagnés de changements analogues de la langue. En effet dès le commencement du 13e s. la langue glisse peu à peu vers un nouvel état. Ces transformations deviennent très sensibles à l'époque des troubles. L'époque féodale est close à l'avènement des Valois; de même la période postclassique de l'ancien français se clôt vers la même époque. Gaston Paris fait commencer le moyen français en 1328. Pour la langue on ferait peut-être mieux d'aller jusque vers le milieu du 14e s., parce que pour le développement linguistique le commencement de la guerre de Cent Ans est une étape plus importante que l'avènement de la nouvelle dynastie. Mais, bien entendu, la plupart des transformations commencées au 13e s. se prolongent jusqu'au 15e s. et ne s'achèvent que vers la fin de ce même siècle. Ce n'est qu'au 16e s. que le français arrive de nouveau à une époque de grands auteurs, époque qui peut donner l'illusion d'une certaine stabilité. Nous ne nous arrêterons qu'à la Renaissance pour faire une étude descriptive de la langue. Pour le moment, nous allons voir quels sont les changements généraux qu'a subis le français du 13e au 15e s. Mais notre terminologie rattache le 13e s. et la première moitié du 14e à l'ancien français, et la deuxième moitié du 14e s. et le 15e au moyen français.

EVOLUTION DES SONS

Les altérations phonétiques sont loin d'avoir la même violence que celles qui se sont produites du 6e au 10e s. Ce sont en partie les dernières conséquences des grands changements de l'époque précédente. Mais pour la plupart ce sont des tendances nouvelles et tout opposées aux premières. Ainsi il y a deux mouvements contradictoires. Voici d'abord les dernières répercussions des anciennes tendances:

Chute de consonnes et de voyelles

Le vieux français avait fait disparaître la plupart des consonnes qui fermaient les syllabes, comme p. ex. les labiales et les vélaires *(septem > set)*. La dernière de ces consonnes avait été *s*. Son affaiblissement avait commencé au 11e s., surtout devant les consonnes sonores, comp. angl. *dine* contre *feast*. A la fin du 13e s. la chute est accomplie, quoique l'écriture maintienne l'*s* jusqu'au 18e s.

De même l'affaiblissement de l'*e* non tonique continue, surtout dans le voisinage d'un *r* ou d'un *l: sacramentu > sairement* (12e s.) > *serment* (14e s.), *derrenier > dernier*. La chute de cet *e* n'est que la dernière conséquence du développement des voyelles atones à l'époque précédente. Toutefois cette chute n'a lieu qu'en syllabe libre. En syllabe fermée, l'*e* ne peut pas tomber: *vertu*. C'est vers la même époque que disparaît de la prononciation le *-e* final qu'avait encore connu l'anç. français *(pere > per)*. La structure phonétique est profondément transformée par là, puisqu'il n'y a plus maintenant de mots terminés par une voyelle non accentuée. Il y a un groupe de parlers qui ne suit pas ce mot d'ordre, c'est le franco-provençal. Par là ceux-ci se détachent maintenant, encore plus que par le passé, du français et se rapprochent en revanche davantage de l'italien. Le français ne connaît donc plus, pour le vieux fonds lexical hérité du latin, que des mots composés de une ou de deux syllabes, un mot comme *a-le-bas-tre* étant devenu maintenant *albâtre* (pron. *albatr*). Par le même développement les mots accentués en ancien français sur l'avant-dernière syllabe deviennent maintenant des oxytons, et ce type d'accentuation reste le seul possible. Voilà pourquoi les mots empruntés nouvellement du latin, ont toujours l'accent sur la dernière syllabe (lat. *fácilis* devient *facíle* en français). – C'est au 15e s. aussi que *ie* après palatale se simplifie et devient *e*: *mangier > manger*.

Tandis qu'autrefois l'évolution phonétique des sons suivait sans hésitation les tendances générales des différentes époques, la langue littéraire, représentant la tradition, devient une entrave pour certaines transformations qui se font jour au cours de cette période. Dans cette lutte entre l'innovation et la tradition c'est tantôt celle-ci, tantôt celle-là qui l'emporte. Ainsi *formi* devient *fourmi*, tandis que *fossé* reste (*foussé* dans certains patois), l'ancien *asparge* devient *asperge*, tandis que *lerme* devient *larme*. Le subst. *eür* (< *augurium*) avait en ancien français les mêmes voyelles que l'adj. *meür* (< *maturus*), mais maintenant l'un devient *heur*, l'autre *mûr*.

Monophtongaison

Nous avons admiré l'extrême variété vocalique du français du 12e s., résultat des diphtongaisons et de la création de voyelles transitoires. Vers 1100 commence un mouvement qui va en sens inverse de celui qui s'était développé antérieurement à cette date. Les diphtongues et les triphtongues ont tendance à se monophtonguer. Ainsi *ai* > *ęi* > *ę* (d'abord en syllabe fermée: *maistre* > *mestre*, plus tard aussi *pais* > *pes*); *au* > *ǫ* (ex. *autre*, le mouvement n'aboutit qu'au 16e s.); *eu* > *œ̣* (ex. *fleur*); *ue* > *œ* (*jeune* dès le 13e s.); *ẽi*, *ãi* > *ẽ* (dès le 12e s.).

La chute des consonnes intervocaliques avait créé un grand nombre d'hiatus. Dans cette nouvelle période tous ces hiatus se réduisent: *eage* > *âge*, *meür* > *mûr*, *août*, *soûl*, *faon*, *chaîne*, *gaagner* > *gagner*, *raençon* > *rançon*, *feïs* > *fis*. Deux autres diphtongues n'ont pas été réduites, mais elles ont par contre subi une concentration en ce sens qu'elles ont reporté l'accent sur la deuxième partie: *üi* > *üí (nuit* > *nuít*, *huí)*, *ói* > *wé*. Dès le 13e s. nous trouvons des rimes comme *estoiles: eles* (ce qui est à prononcer *estwèles: èles*), *estoit: ait (= estwèt: èt)*. Dans la deuxième moitié du 15e s. la graphie suit quelquefois le développement phonétique. Nous trouvons: *roė* 'roi', *assavoer* 'assavoir'.

Ce dernier exemple nous montre aussi une concentration en ce sens que plusieurs voyelles ou diphtongues, distinctes à l'origine, se rencontrent et deviennent identiques.

cruce > *crǫis*
nausea > *nǫise* } *oi* > *wè*
credis > *creis* > *crois*

Nous observons le même mouvement de concentration ou de simplification dans l'histoire des consonnes: *ts > s (ciel)*, *tch > ch (charbon)*, *dj > j (jardin)*.

ÉVOLUTION DES FORMES

L'époque de l'ancien français était caractérisée par une très grande indépendance des différentes formes d'un seul et même mot. Qu'il s'agisse d'un subst., d'un adj., d'un pron. ou d'un verbe, nous sommes toujours frappés de la grande variété des aspects qu'il présente. C'est ainsi que l'on distinguait pour un même mot, la forme *emperere* d'une autre forme *empereour*. *Emperere* exprimait en même temps l'idée ('empereur') et le rôle que ce mot jouait dans la phrase. Donc idée et fonction (suj., rég., etc.) étaient exprimées en même temps. Or, la nouvelle époque tend de plus en plus à rapprocher les différentes formes d'un mot. La surprenante variété de formes est peu à peu nivelée par la force de l'analogie.

Conjugaison

Dans les formes verbales l'analogie se fait sentir de deux façons, parce que le libre développement phonétique du vieux français les avait séparées de deux manières:

1° *canto > chant* contre { *intro > entre* / *dubito > dote* }

2° *lavas > leves* contre *lavatis > lavez*

Deux verbes appartenant à la même conjugaison pouvaient donc avoir des terminaisons différentes et d'autre part le radical de nombreux verbes était sujet aux alternances. Il s'agit tantôt d'une réaction analogique d'un groupe de verbes sur un autre groupe, tantôt d'un nivellement à l'intérieur d'un même verbe.

Quelques exemples du premier phénomène: à la 1re pers. sg. prés. les verbes du type *chant* étaient plus nombreux que les autres. On aurait donc dû s'attendre à voir passer les verbes comme *dote* à l'autre type *(> dot)*. On trouve en effet parfois des formes de ce genre. Mais dès le 13e s. *chant* est de plus en plus remplacé par *chante*. Pourquoi la classe la moins nombreuse l'a-t-elle emporté sur l'autre ? En général les formes les plus nombreuses l'emportent sur les autres. Toutefois cela ne comporte pas une rigueur mathématique. La raison en est, en partie, dans le fait que la 2e classe comportait un certain nombre de verbes absolument irréductibles: c'étaient ceux du type *entre*, *tremble*, etc. La voyelle d'appui contenue dans ces verbes leur était absolument indispensable. C'est donc l'autre classe qui a dû céder. Dès le 13e s. les formes telles que *treuve*, etc. deviennent fréquentes. Vers 1500 le mouvement est presque achevé. Au 16e s. nous trouvons encore quelquefois *je pri*, *je suppli*, mais ce sont des exceptions.

Au subj. prés. le vieux français avait aussi deux séries:

chant	*entre*	*dorme*
chanz	*entres*	*dormes*
chant	*entre*	*dorme*

Ici aussi la 1re classe se laisse attirer peu à peu par la 2e. Mais le mouvement est beaucoup plus lent. Pourquoi ? A l'ind. la 1re pers. seule était engagée dans cette lutte. L'identité morphologique de *chantes* avec *entres*, de *chantet* avec *entret* avait certainement beaucoup contribué à accélérer le mouvement. Au subj. il s'agissait de convertir trois formes qui faisaient bloc. Aussi le mouvement n'est-il pas achevé avec le 15e s.

Dans ces deux cas une série de formes fait disparaître l'autre. Mais il arrive aussi qu'aucune des deux séries opposées ne l'emporte sur l'autre. Le pl. de la 1re et de la 2e pers. nous en offre un exemple intéressant. Le vieux français avait connu deux terminaisons pour chacune de ces deux classes de verbes; l'une était née après palatale:

1° *metons* – 2° *faciens*
metez *faciez*

La langue a longtemps hésité entre les deux séries, tantôt 1 empiète sur 2, tantôt c'est l'inverse. Cette lutte finit par un compromis. De la combinaison de *-ons* et *-iens* il sort une forme hybride *-ions*. A partir du 14e s. elle devient très fréquente.

Le parfait avait été d'une très grande variété au 12e s. Il ne comporte pas moins de huit types. Dans les siècles suivants ceux-ci se rapprochent beaucoup les uns des autres. Tantôt c'est l'analogie qui en est la cause; tantôt le développement phonétique y aide. Ainsi l'assimilation des voyelles en hiatus contribue à unifier les deux parfaits:

vi *vëis*
mis *mesis* } *vis, mis*

L'unification de ces types fait disparaître en même temps une irrégularité que les autres langues romanes ont conservée: le changement d'accent. – Il y a même des verbes qui refont le parfait sur le prés.: *mors, morsis* > *mordis*. Ainsi l'unification se fait sentir à l'intérieur même du verbe. Ou bien *vendiet* devient *vendit*, d'après *dormit*, parce que, à la 1re pers., les deux verbes sont pourvus de la même terminaison.

Les nombreuses alternances vocaliques avaient donné un aspect bigarré à la conjugaison du vieux français. Ici encore la langue a subi un grand mouvement de concentration. C'est du 13e au 15e s. que la plupart de ces alternances disparaissent. Donc: *lieves* > *leves*, *espoires* > *esperes*, etc. Le plus souvent le grand nombre des formes accentuées sur la terminaison fait pencher la balance du côté de celles-ci. Un ex. bien connu du contraire, c'est le verbe *aimer*. *Claime – clamons* est devenu *clame, -ons*. Mais dans *aime – amons* la 1re forme l'a emporté; c'est qu'on conjugue ce verbe surtout à la 1re et à la 2e pers. du sg. – Quelques alternances se sont conservées et sont restées jusqu'à nos jours; ce sont les verbes très fréquents, comme *pouvoir*, *vouloir*, *tenir*, *venir*, etc., qui se permettent ce luxe, parce que toutes leurs formes sont bien gravées dans l'esprit de ceux qui parlent.

Impossible de passer sous silence que cette époque a vu naître quelques nouvelles alternances. La chute de l'*e* atone a séparé *apele: apelons* en *apęl*, *aplõ*. Ces alternances n'ont pas été redressées. Mais leur nombre est bien plus petit que celui des verbes qui ont unifié leur conjugaison.

En général on peut donc dire que le mouvement de concentration a fait de très grands progrès dans la conjugaison.

Déclinaison

Dans la déclinaison ce mouvement n'est pas moins sensible. On cherche à mettre toutes les formes sur le même niveau. Prenons

p. ex. les pron. poss. En ancien français le fém. s'opposait au masc., et la 2e et la 3e pers. à la 1re:

mien ←	*tuen* ←	*suen*
↑		
moie ←	*toue* ←	*soue*

L'analogie tend à éliminer trois de ces quatre types. Au 13e s., on commence à remplacer *toue*, *soue* par *toie*, *soie* (Rutebeuf). Mais avant que ce mouvement ne soit achevé, *mien* commence à son tour à attirer les autres pron., les autres pers. (*siens* dans Rutebeuf) aussi bien que son fém. à lui. Il en sort le pron. poss. unifié du français moderne:

mien	*tien*	*sien*
mienne	*tienne*	*sienne*

Il est vrai qu'au 15e s. on rencontre encore quelquefois de vieilles formes, comme *moie* (Charles d'Orléans), mais la victoire du nouveau système est définitive.

Parmi les adjectifs l'ancien français distingue deux classes, l'une qui distingue le masc. du fém., l'autre qui n'a qu'une terminaison: 1° *bon*, *-e;* 2° *grant.*

La 1re classe, étant plus nombreuse, attire peu à peu la 2e classe. Cela commence par les adjectifs s'appliquant à des personnes. Déjà au 12e s. on trouve *douce amie* 'chère amie'. Mais le mouvement ne s'achève qu'au 16e s.

Plusieurs comparatifs et superlatifs synthétiques disparaissent aussi, comme *graignour*, *pesme.*

Là où la langue avait des formes à plusieurs sens, elle cherchait à les différencier. Ainsi le comparatif *plus grant* avait servi aussi de superlatif; maintenant on commence à distinguer les deux degrés de gradation en faisant précéder le superlatif de l'article: *le plus grant.*

Parmi les adjectifs numéraux, les ordinaux perdent de plus en plus leur indépendance. Les mots comme *quart*, *quint*, étaient des mots isolés, dont rien ne trahissait la parenté sémantique. Or, à partir de 1300, ils cèdent leur place aux nouvelles formations qui rangent les ordinaux dans une longue série: *quatrième*, *cinquième*, etc.[1].

[1] Sur l'origine du suffixe voir Gilliéron, Revue de philologie française 32, 101 ss.

Nous trouvons donc partout les mêmes tendances: concentration des formes, différenciation et délimitation plus nettes que par le passé.

L'événement le plus important a sans doute été la perte de la déclinaison à deux cas. Comment expliquer cette perte ? C'est que le système avait de graves lacunes. D'abord il y avait beaucoup de subst. qui ne distinguaient pas entre nom. et acc.: *pere – pere*, *rose – rose*. L'analogie de ces formes a pesé sur les subst. à deux cas: il se produisait des fluctuations qui ébranlaient peu à peu la notion des cas. A cela s'ajoutait le fait que les consonnes finales commençaient à s'amuir. A elle seule cette chute des finales ne pourrait pas expliquer l'écroulement de la déclinaison, mais elle y a contribué.

La déclinaison paraît déjà ébranlée au 13e s., et l'on peut dire qu'à partir du commencement du 14e s. elle n'existe plus dans la langue parlée. Dans la langue écrite on conserve encore pendant longtemps comme un vague souvenir de cas qui prennent une *-s* et d'autres qui n'en prennent pas. Dans les ouvrages du 15e s. cette *s* est mise à tort et à travers; on y rencontre des combinaisons qui se contredisent, comme *le bon homs* à côté de *le bon homme* ou *le crueus dangier*. Les textes fourmillent d'exemples de cette confusion. Au commencement du 16e s. seulement on se résigne à ratifier dans la langue écrite ce développement de la langue parlée et on renonce à remplir les livres de fausses *-s*.

ÉVOLUTION DE LA SYNTAXE

Perte de la liberté de construction

Les conséquences de cette modification devaient être des plus importantes, non seulement pour la flexion, mais pour la syntaxe elle aussi. Au 12e s., en effet, on commençait très souvent la phrase par le régime direct. Or, en renonçant à la distinction des deux cas, le français devait forcément renoncer aussi à la liberté de la construction, et à partir du 14e s. la place dans la phrase était le seul moyen de distinguer le sujet du régime direct. Aussi la construction régime–verbe–sujet subit-elle une déchéance très grande. Dans la Chanson de Roland elle comprend encore 42% de l'ensemble des phrases; cette proportion tombe à 11% quand nous arrivons à Joinville (fin du 13e s.). On ne distingue donc plus le sujet du régime par des moyens flexionnels, mais par des moyens syntactiques. Toutefois cette nouvelle façon de distinguer le sujet et le régime ne s'impose que là où une confusion est possible. Voilà pourquoi Philippe de Commynes dit encore très bien *peu d'espérance doivent avoir les pouvres et menus genz.* Les écrits en prose du 15e s. fourmillent de phrases du genre de *un autre parlement assembla ce duc.* Il n'appartiendra qu'au 17e s. d'interdire, au nom de l'uniformité, cet ordre des mots même là où il ne comporte aucun danger pour la compréhension de la phrase. – Mais cette nécessité de fixer l'ordre des mots a de nouveau de graves conséquences pour le verbe. Au 12e s. le verbe occupait d'habitude la 2e place dans la phrase; il la dominait. Maintenant, il lui arrive de céder cette place au sujet. Au 12e s. on aurait dit **maintenant s'agenoillent li six message.* Mais Joinville écrit *maintenant li six message s'agenoillent.* Ainsi le verbe perd peu à peu la place dominante qu'il avait eue à l'époque classique du vieux français. La nouvelle époque, plus adonnée à la réflexion et au calcul que l'époque classique de la féodalité, ne sentait pas le même besoin d'accorder au verbe cette place centrale.

Il va sans dire que ce développement se fit aussi en faveur des constructions prépositionnelles et au détriment de celles où les rapports étaient marqués par la simple juxtaposition. Jusqu'à la fin du 15e s. le régime sans préposition garde la faculté d'exprimer l'appartenance: *Robert filz Philippe; Marguerite seur Philippe le beau, et fille de la roynne Marie.* Mais pourtant cette construction, de tout temps réservée aux subst. désignant des personnes, perd du terrain.

Nécessité de joindre le pronom au verbe

La chute des voyelles atones est lourde de conséquences pour la syntaxe également, en particulier pour le maniement du verbe. Le vieux français avait distingué facilement les formes *chant, chantes, chantet, chantent.* Assez souvent, il est vrai, il les avait fait précéder du pronom sujet, qui, en afr., était toujours accentué. Le vieux français avait refusé de faire commencer une phrase par un mot atone ou de peu de poids et il avait réservé au verbe la 2e place dans la phrase. Au besoin il avait fait appel au pronom: *nous poons plus perdre que nous n'avons conquis*. Ce fréquent usage avait fini par affaiblir les pronoms, de sorte que, quand on veut les accentuer on préfère aux formes venant du nominatif, celles qui dérivent de l'accusatif. Dès le 14e s. on hésite entre *il* et *lui* comme nominatif accentué. Quand, vers 1400, les consonnes et les voyelles finales tombent et que les quatre formes citées plus haut deviennent identiques dans la prononciation, l'emploi du pronom sujet devient général. Au 15e s. les meilleurs prosateurs omettent encore quelquefois le pronom; mais leur usage est plein de contradiction: il décèle une hésitation entre la tradition et l'usage de la langue parlée de leur temps. Au 15e s. le pronom sujet devient donc obligatoire dans la langue parlée. Et si le 16e s. amène un mouvement en sens inverse, c'est par imitation savante du latin. Le pronom finira par devenir partie intégrante du verbe (voir p. 256).

Cette tendance à séparer dans l'expression l'agent et l'action conduit aussi à une extension plus grande de la construction impersonnelle. Les phrases à deux sujets, un sujet logique et un sujet grammatical, deviennent nombreuses. Commynes p. ex. écrit: *Il n'est creable la hayne*. Les textes de l'époque fourmillent de phrases de ce genre.

Une tournure toute nouvelle surgit au 15e s. pour exprimer l'idée passive. C'est la forme pronominale: *et se peut congnoistre le bon vouloir; nostre gentilhomme qui mignon se pouvoit nommer*.

Il s'agit là d'une véritable personnalisation de l'action. Cela se fait également sentir dans la tournure composée de *ce* et du verbe *être*. On rencontre des phrases comme *ce ne suis je pas; je cogneu bien que c'estiez vous*. Mais de plus en plus cette tournure est remplacée par une autre où *ce* est sujet, tandis que le sujet véritable est regardé comme attribut: *c'est moy*.

L'éveil de la raison, qui cherche à mettre de l'ordre partout, se fait sentir surtout dans l'emploi des temps. Rappelons que l'ancien français, qui possédait déjà tous les temps du français moderne, ne s'en servait pas pour mettre de l'ordre dans le récit. Villehardouin écrit *distrent lor message ensi com manderent li baron* et non pas *avoient mandé*. La nouvelle époque, dont la pensée est mieux ordonnée, met de la perspective dans le récit. On écrit donc maintenant '*Il recorda* tout le voiage qu'il *avoit fait*' (Froissart); 'Quant chascun *ot beü*, as dames s'en *alérent*' (Brun de la Montaigne). On sait que vers la même époque la perspective apparaît aussi dans la peinture. Au 12e s. toutes les personnes et tous les objets d'un tableau, d'une miniature, paraissent se trouver sur le même plan, de sorte que les têtes des personnes qui se trouvent derrière les autres, ont l'air d'être placées au-dessus. Depuis la fin du 14e s. on apprend à distinguer les différents plans. Les tableaux commencent à avoir la troisième dimension comme à l'époque de la Renaissance. De même les temps grammaticaux commencent à prendre une valeur relative; on n'en saisit la véritable valeur qu'en tenant compte des verbes qui les entourent. L'impf. en particulier prend le rôle qu'on lui connaît en français moderne, le rôle de présent dans le passé. Comp. Joinville '*En ce point que li roys estoit en Acre, se prirent li frere le roy a jouer aus deiz*'.

Cette époque a créé aussi d'autres expressions pour nuancer les aspects que pouvait présenter une action. C'est alors que les locutions modales deviennent très nombreuses[1]. La locution *aller faire*, avec la valeur d'une périphrase d'un futur prochain, a pris son origine à cette époque.

Propositions subordonnées

En vieux français la simple juxtaposition de phrases coordonnées pouvait suffire pour exprimer les relations entre les différentes idées, ou plutôt pour les marquer vaguement. L'éveil de la réflexion entraînait les gens à insister davantage sur ces rapports. Les formes perdant de leur indépendance, le mot détaché et la phrase courte devinrent moins aptes à traduire la pensée. On en vint à allonger les phrases en périodes, à y joindre des subordonnées. Les phrases subordonnées devinrent donc de plus en plus fréquentes. Plus la phrase se développait dans ce sens, plus certaines expressions prenaient le caractère de conjonctions. Il s'agit d'adv. comme *bien*, *combien*, de pron. comme *quoi*, etc. En effet ce n'est qu'au 14e s. qu'on trouve attestées les conjonc-

[1] Voir sur ce sujet GOUGENHEIM, G., Etude sur les périphrases verbales de la langue française. Paris, 1929.

tions concessives *combien que*, *bien que*, *quoique*. Le latin vulgaire avait laissé disparaître *quamquam* et *quamvis*. Leurs équivalents français créés au 14e s. sont un produit du développement intérieur du français. On prétend que ces conjonctions sont dues à une étude plus approfondie du latin, qui aurait fait naître le besoin d'expressions correspondantes en français. Mais il semble que la tendance générale de l'époque suffit comme explication.

La négation

La négation est caractérisée par le fait que le mot explétif *pas* devient de plus en plus indispensable. C'est-à-dire que *pas* perd sa force expressive pour devenir le mot normal. Au 13e s. nous comptons encore 90 passages avec *ne* seul, contre 10 passages avec *ne – pas*. A la fin du 15e s. c'est à peu près l'inverse.

Pronoms démonstratifs et articles

Ce besoin d'insister, dans l'intérêt de la clarté, se manifeste aussi dans l'histoire des pron. dém. L'ancien français avait distingué *cist* et *cil*, le premier servant à désigner les personnes et les choses rapprochées, le deuxième indiquant l'éloignement. Au 14e s. on commence à trouver ce moyen insuffisant; on joint au pronom les adv. *ci* ou *là*. Il faudra trois siècles pour que cette nouvelle formule remplace tout à fait les anciennes formes simples. Mais dès le 15e s. nous voyons la langue manifester une préférence pour *cil* pron. et, d'autre part, pour *cist* adj. Cette préférence est due au fait que *cil*, marquant l'éloignement, était naturellement beaucoup plus fréquent avec le pron. rel. *qui*. Grâce à la combinaison *cil qui*, *cil* est devenu pronom, laissant la fonction d'adj. à *cist*. De deux pron. dém. le français a fait ainsi un pron. dém. et un adj. dém. De là *celui-ci – celui-là*, *cet homme-ci – cet homme-là*.

En vieux français l'art. déf. avait eu une valeur nettement démonstrative. On s'en servait pour individualiser: *li murs* voulait dire 'le mur que voilà devant nous'. Aussi l'article est-il souvent employé à la place d'un démonstratif ou d'un déterminatif. Comp. *ton cheval et le Perceval* '... et celui de P.'. Le vieux français avait donc, ici encore, deux expressions presque synonymes et d'autre part deux fonctions différentes pour une expression.

Le 14ᵉ s. met de l'ordre. L'article abandonne la fonction de pron. dét., mais d'autre part le pron. dém. *cil* devient de plus en plus rare à la place de l'article. Ainsi la délimitation des deux catégories de mots se fait de plus en plus nette. *La St-Jean*, etc. sont les quelques restes de cet ancien état. – A son tour l'art. déf. cesse d'être employé seulement pour l'individualisation; on le rencontre presque dans tous les cas, même là où le mot n'est pas un nom commun, mais un nom propre. On commence donc à dire *le Nil*, *le Rhin*, *la France*, etc. Seuls les noms abstraits résistent encore un peu plus longtemps. Le 16ᵉ s. les pliera aussi à la règle commune.

La même extension de la fonction s'observe aussi pour l'art. indéf. Il y a deux emplois possibles de l'art. indéf. Il sert

1° à individualiser un subst. dont on n'a pas encore parlé: *j'ai vu un paysan dans la rue*,

2° à généraliser: *un paysan n'est jamais content.*

L'ancien français ne connaît l'art. indéf. que dans le premier cas; il était réservé au 14ᵉ s. et au 15ᵉ s. de l'étendre aussi au 2ᵉ cas. A partir du 15ᵉ s. l'emploi de l'art. indéf. devient presque de rigueur comme celui de l'art. déf.

L'extension des fonctions de l'art. déf. atteint également l'art. part. Au 12ᵉ s. cet article ne s'employait que lorsqu'on parlait d'une quantité indéterminée d'un objet déterminé. *Mangiéz del pain* ne voulait pas dire 'mangez du pain', mais 'mangez de ce pain que voilà devant vous'. Il a donc encore une valeur démonstrative. Or, au 14ᵉ et au 15ᵉ s. l'art. déf. perd de plus en plus sa force démonstrative; et dans la même mesure l'art. part. s'affaiblit. Déjà vers la fin du 13ᵉ s. nous trouvons des textes où le subst. sans article alterne avec le subst. précédé de l'art. part. Ce sont surtout les textes dramatiques, comme le Jeu de la Feuillée, qui nous offrent des ex. de cet emploi. Il faut donc chercher l'origine de l'art. part. dans le langage de la conversation. Il est également dû, en partie, à l'affaiblissement de l'art. déf., en partie il est aussi dû à l'amuïssement de l'*s* finale. L'espagnol, qui a conservé l'*s* finale, l'italien, qui a de tout temps distingué le sg. du pl., n'ont guère besoin de l'art. indéf. *Se hai libri* et *si tienes libros* sont des expressions parfaitement claires en elles-mêmes.

Se tu as livres pouvait se rapporter aussi bien à un sg. qu'à un pl., après la chute de l'*s* finale. La possibilité de cette confusion devait contribuer beaucoup à généraliser l'emploi de l'art. part.

LE VOCABULAIRE

Emprunts au provençal

Un des traits les plus caractéristiques des siècles dont nous parlons c'est l'affaiblissement de la vie régionale au profit des rapports qui relient les différentes provinces. Si ce développement a contribué à imposer partout le français de Paris, il a d'autre part ouvert le vocabulaire de la langue nationale à l'invasion des termes régionaux. Le parler de Paris est reconnu comme norme dans sa phonétique, dans sa morphologie, mais il n'exclut pas les apports lexicaux d'autres régions. C'est alors que le français s'enrichit surtout de termes venus du Midi: des mots comme *salade*, *escargot*, *ciboule*, *merlus* désignent des mets que la cuisine a empruntés à la Provence; *cable*, *cap*, *gabare*, *goudron* rappellent le rôle que la Provence a joué dans le développement de la marine française, surtout à une époque où la côte atlantique était occupée par les Anglais; un mot comme *aubade* montre que l'influence littéraire n'avait pas encore cessé complètement; *dôme*, *bastide*, *cabane*, *bourgade*, *estrade* désignent des constructions particulières au Midi et dont les Français du Nord firent la connaissance grâce à un contact plus intime avec les pays de langue d'oc. Quelquefois la Provence a aussi donné au français un mot qu'elle a reçu elle-même de l'Italie. Ainsi le mot *courtisan*, emprunté de l'it. *cortigiano*, a fait un stage à la cour pontificale d'Avignon avant de passer au français de France.

L'argot

En revanche il faut se défaire d'une idée qui a été caressée par plusieurs savants: c'est l'idée que le 15e s. aurait vu naître l'argot. On s'est laissé induire en erreur par ce que raconte un auteur du 17e s., Olivier Chéreau. Chéreau relate que les fondateurs de la corporation des gueux 'ordonnèrent un certain langage' et qu'ils confièrent le soin de cet idiome à toute une hiérarchie de professeurs d'argot pourvus de beaux titres, comme *piliers*, *souteneurs*, *poteaux*, *archisuppôts*, etc. Il s'agit là d'une mystification grossière. L'argot n'est pas, comme on l'a dit, une langue décomposée comme une substance chimique. Il est vrai que, en suivant la tendance générale, les gueux et les mendiants se sont organisés sur une grande échelle. Et les premiers documents un peu étendus de leur langue spéciale datent de ce temps. C'est un petit vocabulaire qu'on a dressé quand on a fait son procès à la bande des Coquillards à Dijon (1455–1458). Mais l'existence d'un langage secret des voleurs nous est attestée déjà par le Jeu de saint Nicolas (vers 1200)[1].

Les latinismes

Nous avons déjà marqué les profonds changements que subit la littérature à l'époque du moyen français. L'intérêt du public cultivé se déplace, il s'attache maintenant à la science, à la littérature savante et sérieuse. Une pareille littérature ne pouvait se constituer qu'à l'aide de traductions des auteurs latins. Aussi le 14e s. voit-il naître une littérature de traduction assez considérable. Les plus illustres sont Bersuire qui 'translate' Tite-Live, et Oresme à qui la France doit une traduction d'Aristote. Les juristes traduisent de même toutes les sources du droit romain (le code de Justinien, les Digestes, etc.). On sent le besoin de rendre également accessibles au public les résultats des recherches scientifiques. On écrit une introduction à l'astronomie; le chirurgien du roi Philippe le Bel, Henri de Mondeville, rédige un traité assez important sur la Chirurgie (1314).

Les savants qui s'occupaient de pareils travaux étaient imprégnés de latin. Les notions dont ils avaient à parler manquaient en grande partie à la langue française. Ces savants se voyaient donc dans l'obligation de créer en français les équivalents des termes latins. Cette nouvelle terminologie pouvait être créée de deux manières: on pouvait imaginer en langue vulgaire l'équivalent d'un vocable latin, c'est-à-dire donner à la notion un habit vraiment français. Mais on préféra l'autre mé-

[1] Voir DAUZAT, A.; Les argots, Paris 1929; WARTBURG, W. v., Vom Ursprung und Wesen des Argot, Germanisch-Romanische Monatsschrift 18, 376-391.

thode: d'un commun accord tous ces auteurs et ces traducteurs gardèrent le mot latin dont ils avaient besoin. Si le mot jurait trop avec le reste du texte, on lui donnait une terminaison française. Les savants du 14e s. ne paraissent pas avoir senti une grande envie d'utiliser les ressources dont disposait le français; au contraire, ils ne conçoivent pas de gloire plus grande pour leur langue maternelle que d'être remplie d'innombrables latinismes. Oresme expose toute une théorie sur cette question; il dit: 'une science qui est forte, ne peut pas estre bailiee en termes legiers à entendre, mès y convient souvent user de termes ou de mots propres en la science qui ne sont communellement entendus ne cogneus de chacun.' Aux 14e et 15e s. le français s'enrichit ainsi de mots latins, et la plupart de ces mots se sont conservés en français moderne. C'est depuis cette époque qu'un texte français a cet aspect bigarré, et qu'une grande partie du lexique peut donner l'illusion que le français est encore très près du latin.

Pour porter un jugement sur tout ce mouvement il ne suffit pas de dresser la liste si longue de ces latinismes; il faudrait les étudier dans leurs rapports avec le vocabulaire indigène. On comprend facilement que les études philosophiques aient fait naître le besoin de termes comme *spéculation*, *limitation*, *existence*, *évidence*, *déduction*, *réflexion*, *prémisse*, *causalité*, *unanimité*, *régularité*, *attribution*, que la précision des termes politiques formés par l'expérience grecque ait recommandé l'usage de *démocratie*, *aristocratie*, *oligarchie*, et des adjectifs correspondants en *-ique*, que les mathématiques aient eu besoin de termes très nets et libres de toute valeur associative, comme *concave*, *convexe*, *géométrique*, *curve*, *proportionnel*. Il s'agit là de notions dont la précision avait été inconnue jusqu'alors ou qui n'avaient pas existé du tout. Mais on se demande très souvent s'il n'aurait pas été possible de se servir d'un mot français; on a l'impression que les savants ne se sont pas donné beaucoup de peine, qu'au contraire l'habitude du latinisme les a dirigés vers cette mine si facile à exploiter. Ils ne se sont pas imposé l'effort de chercher en français d'abord. Quand Oresme avait à traduire le mot *certitudo* il aurait pu se servir d'un mot fr., comme *certaineté* ou *sëurtance*. Mais il a dédaigné ces deux mots populaires aux contours un peu estompés; il a préféré habiller *certitudo* à la française; il en a fait *certitude.* On sait que plus tard l'usage de *certitude* s'est généralisé, qu'il a pénétré dans la langue de tout le monde. Dans Oresme il n'a occupé que la petite place qui lui convenait dans la terminologie philosophique; ce n'était pas une menace pour l'existence de *certaineté.* Mais grâce à sa précision sémantique il a pénétré peu à peu dans le vocabulaire général. Du reste le moyen dont Oresme se sert assez souvent pour introduire ses latinismes provient d'une habitude stylistique tout à fait générale du moyen âge, celle d'exprimer une idée par deux synonymes juxtaposés, habitude que ceux qui savaient écrire contractaient en apprenant les règles de la rhétorique enseignée dans les écoles, mais qui s'accordait certainement aussi avec un courant dû à la mentalité médiévale en général. Ainsi Oresme en écrivant *agent et faiseur*, *la puissance auditive ou puissance de oïr*, *confidence ou confiance*, *persister et demourer*, *la velocité et hastiveté du mouvement* introduit en français *agent*, *auditif*, *confidence*, *persister*, *vélocité*, etc.

L'extension de l'administration royale, la précision de la pensée juridique, le renouvellement du droit par les études de droit romain ont introduit bon nombre d'expressions latines dans la langue. Un mot comme *domicile* n'est devenu nécessaire qu'à cette époque. *Expédier un acte* est une locution nettement administrative (l'extension sémantique d'*expédier* date de plus tard). *Confisquer* et *restituer (confiscation* et *restitution)* étaient des notions qui manifestaient une nouvelle conception de la propriété, une conception qui n'aurait pas trouvé place dans le monde féodal. De même le terme de *nomination* n'avait pas encore eu de sens dans le droit féodal, mais dans un Etat administré par une armée de fonctionnaires ce mot prend une grande importance. S'il s'agit ici de notions nouvelles ou sensiblement modifiées, il est permis d'autre part de se demander s'il était absolument nécessaire d'introduire *incarcération.* Pour exprimer le sens du lt. *familia* les juristes avaient eu à leur disposition les jolis mots de *mesnage* et de *mesniee.* Ils ont préféré franciser le mot latin, d'où *famille;* c'est pourquoi *ménie* a disparu et *ménage* ne s'est conservé que dans un sens spécial. L'ancien français avait le mot *accuseur*, qui était parfaitement clair; pourquoi l'a-t-on remplacé par le latinisme *accusateur?*

Pourquoi a-t-on laissé mourir *diffameur* en lui préférant *diffamateur?* Ici la manie du latinisme a été la seule raison. Nous devons faire des remarques analogues pour le vocabulaire religieux. Accordons que le latin était la langue de l'Eglise. Mais les mots devenus populaires auraient pu continuer à servir. Ainsi p. ex. le vieux français avait le subst. de *raembeeur* 'rédempteur', dér. du verbe *raembre.* Pourquoi l'a-t-il remplacé par *rédempteur?* Ici, la raison est dans le fait suivant: le représentant du lat. *redemptio*, le fr. *rançon* avait pris le sens de 'prix exigé pour la délivrance d'un prisonnier de guerre'. Il fallait donc le remplacer dans le sens religieux par un autre mot. Ce fut naturellement *rédemption*, et celui-ci entraîna à sa suite *rédempteur.* Le domaine où nous nous étonnons le moins de voir pulluler les latinismes, c'est la médecine. Les notions anatomiques et médicales du moyen âge avaient été vagues. Il fallut donc créer presque de toutes pièces le vocabulaire de cette nouvelle science. *Digérer*, *digestion*, *diaphragme*, *furoncle*, *contusion*, *infection*, *inflammation* et des dizaines d'autres mots datent de cette époque. Celui-là même qui exerçait la médecine, ne voulait plus se contenter du vieux titre de *mire* (< lt. *medicus*). Il voulait augmenter son prestige en s'appelant maintenant, d'un nom latin, *médecin.* Ici encore il aurait été malgré tout possible de conserver bon nombre de termes populaires. Pourquoi p. ex. a-t-on dit *putréfaction*, alors que le peuple offrait le terme *pourrisson?* Le latinisme est donc né d'un besoin indispensable. Mais il a bien vite dépassé le but; il ne s'est pas borné au nécessaire. Il est devenu une véritable manie. Et ainsi il a fait disparaître de nombreux termes français.

Perte de nombreux mots

On est frappé de voir que tous ceux qui ont étudié dans son ensemble l'histoire du vocabulaire français à cette époque, s'occupent uniquement des mots nouvellement entrés dans la langue. Il semble qu'ils ne voient la vie et le mouvement que dans la naissance de néologismes, tandis qu'en vérité le registre des décès n'est pas moins important quand on veut caractériser une époque. Et avant tout il faudrait établir les rapports entre les mots qui s'en vont et ceux qui prennent leur place. Ici tout est encore à faire. Et pourtant l'histoire de la civilisation tout entière s'y reflète.

Des mots très nombreux disparaissent parce que l'objet lui-même a disparu. Ainsi p. ex. l'armement et l'équipement du guerrier ont subi toute une révolution. C'est pourquoi un mot comme *fautre* 'arrêt fixé au plastron de fer pour recevoir le bois de la lance lorsqu'on chargeait à cheval' se perd vers 1400. Et avec lui disparaît aussi le verbe *desafautrer* 'désarçonner'. Ou bien les changements qui se produisent dans le système monétaire font disparaître un mot comme *ferlin* 'quart d'un denier'. Il va sans dire qu'à côté des cas où ces disparitions sont dues au développement de la civilisation, beaucoup d'autres ont des raisons purement linguistiques. Ainsi p. ex. le subst. *fais* 'faisceau' est remplacé vers 1400 par son dér. *faisceau*. Pourquoi ? C'est l'époque où disparaissent les consonnes finales. Jusque-là les deux subst. *fais* et *fait* étaient distincts; mais à partir de cette date ils deviennent homonymes et on préféra donc *faisceau*, qui n'était pas équivoque. – Parmi les mots qui disparaissent beaucoup sont très pittoresques, comme le subst. *fielee* 'amertume' (de *fiel*) et tant d'autres expressions qui concernaient la vie affective.

Langue savante et langue populaire

Toutefois, quelles que soient les autres causes du renouvellement lexical, le principal aspect en est, sans contredit, le latinisme. Cette première renaissance, ou renaissance avortée, comme on l'a aussi appelée, qui commence vers 1400, continue logiquement le mouvement commencé un siècle plus tôt par la reprise des études. Les auteurs du 15e s. se plaisent à farcir leurs textes de mots latins. Beaucoup de ces mots n'ont vécu qu'un jour. Mais une très grande partie a fini par être incorporée à la langue commune. Dans les siècles suivants ces mots sont sortis peu à peu du cercle étroit où ils étaient confinés et sont devenus la propriété de tout le monde. Des mots comme *aspect*, *collègue*, *abnégation*, *client*, *corpulent*, *copieux*, *consoler* font partie aujourd'hui de la langue courante, mais il a fallu longtemps pour cela. Du reste on paraît s'être rendu vaguement compte de la distance que cette manie mettait entre la langue du peuple et celle des lettrés. Dans le Mistère du Vieil Testament p. ex. le langage change visiblement suivant les personnages. Ecoutons celui que tient Balaam à son âne qui ne veut pas avancer (vers 26884 ss.):

'Qu'esse cy?
Devons-nous demourer icy?
C'est trop tiré le cul arriére,
Si n'y a il point de barriére
Encontre toy, je n'y vois rien.
Hay, Hay, Hay, Hay, J'aperçoy bien
Que tu es une fauce beste.'

Et comparons à ce langage de charretier les paroles d'un ange (vers 165 ss.):

'Souverain roy de la gloire felice
Que chacun doit en honneur collauder,
Mercy vous rends de cueur sans nul obice,
Pour vostre nom en tout bien exaulcer.'

Dans la 2e partie du 15e s., les Rhétoriqueurs, surtout ceux de Bourgogne et de Flandre, remplissent leur langue de latinismes au point de la transformer en véritable jargon. Voici en exemple un passage tiré de Coquillart[1]:

'Je vous recommande noz loiz paternelles en vous *obtestant* et *requerant* que d'icelles ne soiez *transgresseurs*, mais en soiez vrais *custodes* et gardiens, soiez *memoratifs* de l'*entencion* et vouloir de vostre pere, gardez les *rites* et usages du pays.'

Le succès de cette école a été immense. Le public admirait les œuvres de ces 'écumeurs de latin'; eux-mêmes furent comblés d'honneurs par les puissants. On ne paraît pas avoir senti cette absence d'unité de la langue, cet abîme qui se creusait entre la langue savante et la langue populaire, et en même temps entre ceux qui pouvaient goûter une pareille littérature et le peuple. Un seul poète semble avoir souffert cruellement de cet état de choses, mais son exemple nous montre que l'époque n'était pas capable de comprendre l'inspiration spontanée d'un véritable poète. Elle ne goûtait pas son langage simple et dépourvu de latinismes et d'allusions savantes. Rien ne reflète mieux le caractère ambigu de l'époque que la ballade où Villon déclare qu'il ne trouve nulle part la certitude, et qu'il ne peut s'accommoder d'un monde fermé à la poésie. Ce genre de poésie, qui consistait à mettre dans un même vers deux idées contradictoires, était convenu et en vogue depuis longtemps, et le thème avait été mis au concours à la cour de Blois, mais dans les mains de Villon c'était devenu quelque chose de personnel, une vraie œuvre

[1] Cité d'après Brunot 1, 530.

de poète. Ces vers sont aussi remarquables par la sincérité du sentiment personnel que par le style. La langue est la langue courante; elle ne renferme aucun latinisme: chaque mot appartient à la langue de tout le monde.

> 'Je meurs de seuf aupres de la fontaine.
> Chault comme feu, et tremble dent à dent,
> En mon pais suis en terre loingtaine,
> Lez ung brasier frissonne tout ardent,
> Nu comme ung vers, vestu en president,
> Je ris en pleurs et attens sans espoir,
> Confort reprens en triste desespoir;
> Je m'esjouis et n'ay plaisir aucun,
> Puissant je suis sans force et sans pouvoir
> Bien recueilly, debouté de chascun,'

C'est le cri d'angoisse d'un homme qui est rebuté, incompris de ses contemporains, parce que tout son être est contraire à cette époque guindée, parce qu'il parle un langage trop simple, trop naturel. Il faudra une autre renaissance, la véritable Renaissance, pour que l'homme retrouve sa vraie nature et rejette ce qu'il ne peut assimiler.

V. LE SEIZIÈME SIÈCLE

1. ÉMANCIPATION DE LA LANGUE FRANÇAISE

INFLUENCE DE L'ITALIE

Le 15e s. devait finir sur un événement important. Ce fut la campagne d'Italie dirigée par Charles VIII. Ce roi, hanté d'idées romanesques, avait rêvé de grandes conquêtes. Il voulait s'emparer du royaume de Naples, sur lequel il prétendait avoir des droits, et de là il voulait même entreprendre une grande croisade pour conquérir Constantinople. Il mit à exécution ce projet en 1494. Il réussit en effet à occuper le royaume de Naples, mais il dut battre en retraite peu de temps après, parce que l'Italie entière s'était coalisée contre lui. Il put à grand'peine regagner la France avec les débris de son armée. Si le résultat politique de cette première campagne fut nul, son importance pour le développement de la civilisation française fut des plus grandes. Ce contact avec l'Italie révéla aux Français le vrai humanisme; en Italie ils connurent une forme de vie plus belle, plus humaine. Ils virent ce que peuvent faire les arts pour ennoblir la vie; ils reconnurent qu'il y avait autre chose au monde que la satisfaction brutale des instincts et la poésie savante et guindée de leurs rhétoriqueurs. Ce fut le contact avec l'Italie qui tira la France de son marasme. Vers la fin du 15e s. la France avait perdu l'enthousiasme; l'esprit bourgeois, tout positif, desséché, avait triomphé partout. L'idée de l'art avait disparu tout à fait. Ce fut cette nouvelle conception de l'art que l'armée française rapporta de l'Italie. Ce n'est pas que cette influence ait eu des conséquences immédiates. On ne change pas en un jour la mentalité de tout un peuple. Mais l'idée d'une vie plus libre commença à germer dans les esprits. Et puis l'entreprise fut renouvelée. En une trentaine d'années le flot de l'invasion française se déversa une demi-douzaine de fois sur la terre italienne. Vers 1525, la pénétration de la civilisation italienne en France, son assimilation au génie national sont choses faites. La France se met si bien à l'école de l'Italie, que l'on prend l'habitude des voyages en ce pays. Presque tous ceux qui ont joué un rôle capital dans le développement de la civilisation française entre 1520 et 1560 ont fait au moins un séjour dans la péninsule, et les universités italiennes regorgeaient d'étudiants français.

L'importance de ces faits pour la langue fut double: ce fut d'abord une renaissance des études latines et grecques, ensuite l'influence toujours croissante de l'italien.

RENAISSANCE ET LANGUE FRANÇAISE

On serait peut-être tenté de supposer que cette régénération du latin, son prestige croissant durent être funestes au français. Il n'en est rien. Cette renaissance des études latines lui profitera. Voici pourquoi: l'humanisme fait appel à l'individualité de l'homme. Au nom de cet individualisme le francais reprend ses droits. Cette tendance générale de l'époque devait être favorable à l'émancipation de la langue nationale. A cette raison d'ordre général il faut ajouter un second fait: la situation a quelque ressemblance avec celle que nous avons constatée lors de la renaissance carolingienne. Le latin du 15e s. s'était maintenu dans l'usage quotidien en se pliant à tous les besoins. Toutes les nouvelles idées, les notions, les objets mêmes que n'avait pas connus l'antiquité avaient besoin de dénominations. Le latin du 15e s. était donc rempli de mots modernes affublés d'une terminaison latine. En rétablissant le latin classique dans toute sa pureté on le rendait incapable de rester l'instrument de la pensée de l'époque. Pour ces deux raisons donc l'humanisme a contribué à raffermir la position du français.

Le français pénètre alors peu à peu dans tous les domaines de la vie. C'est comme une marée montante dont la nappe couvre tout le littoral en même temps et d'un mouvement uniforme. Il y a bien quelques îlots qui résistent longtemps, au-delà même du 16e s. Mais le mouvement général ne peut plus être arrêté.

Le français dans la juridiction

A titre d'exemple citons ce qui s'est passé dans la juridiction. Le roi François Ier, très favorable aux études classiques, mais aussi animé du désir d'augmenter la puissance de son pays en l'unifiant, fit paraître, le 15 août 1539, la célèbre ordonnance de Villers-Cotterets, qui devait réformer la justice. Or voici ce que stipulent les articles 110–111 de cette ordonnance:

'Et afin qu'il n'y ait cause de douter sur l'intelligence desdits arrests, nous voulons et ordonnons qu'ils soient faits et escrits si clairement, qu'il n'y ait ne puisse avoir aucune ambiguité ou incertitude, ne lieu à demander interpretation.

Et pour ce que de telles choses sont souvent advenues sur l'intelligence des mots latins contenus esdits arrests, nous voulons d'ores en avant que tous arrests, ensemble toutes autres procedures, ... soient prononcez, enregistrez et delivrez aux parties en langaige maternel françois et non autrement.'

Ces deux articles du reste n'excluaient pas seulement le latin, mais aussi les parlers régionaux[1]. Ils devaient donc servir surtout à l'unification du royaume. A partir de cette date les universités pouvaient continuer à user du latin, mais devant les tribunaux la langue française seule était admise.

Le français dans l'Eglise

Les difficultés que rencontra le français furent bien plus grandes dans l'Eglise. Ici toute réforme linguistique fut tout de suite entachée d'hérésie. Il s'ensuivit une lutte acharnée qui eut même ses martyrs. Le culte tout entier se faisait en latin, et la traduction de la Bible même était interdite. On sait que l'Eglise romaine s'appliqua dès le 12ᵉ s. à empêcher la vulgarisation des textes sacrés. L'Humanisme, par son appel aux forces individuelles, devait éveiller chez tout homme le désir d'exprimer ses sentiments religieux dans sa langue maternelle. Bien entendu, il ne s'agit pas là d'un mouvement français, mais international. Erasme le premier s'écrie dès 1515: «Pourquoi paraît-il inconvénient que quelqu'un prononce l'Evangile dans cette langue où il est né et qu'il comprend: le Français en français, etc.» L'appel fut entendu, en Allemagne comme en France. La première traduction se fit presque en même temps dans les deux pays. Seulement le mouvement français fut peu efficace pour le moment.

[1] Auguste Brun l'a très bien démontré dans le Français Moderne 19, 81–86.

La France n'avait pas de Luther. En 1523 Lefèvre d'Etaples publia une traduction du N. T., puis en 1528 la Bible entière. Autour de cette traduction il se forma un petit groupe de réformistes, dont le centre était Meaux. Mais le clergé se crut menacé dans ses prérogatives; il voulait défendre son monopole. La réaction ne se fit donc pas attendre. On commença à persécuter ceux qui se déclaraient partisans du français comme langue du culte. Ainsi le curé de Condé-sur-Sarthe (en Normandie) ayant dit que la Sainte Ecriture avait été longtemps cachée sous sa forme latine, et qu'il fallait que chacun eût les livres saints en français, fut brûlé en 1533. Le mouvement fut donc réprimé par la violence. L'Eglise catholique était assez forte pour enrayer ce premier mouvement. Elle était du reste aidée par la Sorbonne, très conservatrice. A plusieurs reprises, la Faculté déclara, à l'unanimité, qu'il fallait absolument interdire les traductions. La lutte dura jusqu'à la fin du siècle. La Contre-Réforme s'étant prononcée contre les traductions, la vulgarisation de la Bible resta interdite dans la France catholique. Ce fait eut certainement des conséquences importantes pour le développement des idées religieuses et morales de la nation, et même pour le développement de la langue. Tandis qu'en Allemagne, une fois la Bible mise à la portée de tout le monde, la langue s'enrichit de locutions et d'expressions figurées qui contiennent des allusions à l'histoire sainte, le français offre très peu de souvenirs des textes sacrés. Les images bibliques y sont beaucoup moins fréquentes qu'en allemand.

La sévérité avec laquelle on sévit contre toute tentative réformatrice jeta dans les bras du protestantisme les irréductibles. Ce n'est pas le lieu de faire l'histoire de la Réforme française et de raconter les luttes tragiques et héroïques des Huguenots. Nous n'avons à nous occuper que de la langue. Les Français qui se réfugièrent en Suisse y portèrent la Réforme et propagèrent l'usage du français dans l'Eglise. Farel fit une véritable liturgie en français. Olivetan, le cousin de Calvin, traduisit la Bible. Cette Bible calviniste fut imprimée en 1535 à Serrières, près de Neuchâtel, aux frais des Vaudois du Piémont. Olivetan se servait du français, et non du dialecte vaudois, d'abord parce que lui-même était Français de naissance, et puis surtout pour des raisons de propagande. Calvin a écrit la préface de cette traduction et il s'adresse là à tous les princes, à toutes les nations de la chrétienté, pour défendre le droit de faire parler Dieu en langue vulgaire.

Le chef de la Réforme française lui-même, Calvin, a écrit d'abord en latin son principal ouvrage de combat, l''Institutio Christianae religionis' (1536). Mais il en donna bientôt une traduction française, sous le titre d''Institution (de la religion) chrestienne' (1541). Si l'édition latine était destinée aux théologiens de tous les pays, l'édition française s'adressait au peuple. Ce livre marque une des grandes dates dans le développement de la prose française. Son influence fut immense; il força les théologiens catholiques à créer aussi une littérature de combat en français, pour lui disputer les âmes des fidèles. Ainsi naquit une littérature théologique catholique. Doré écrit en français son 'Anti-Calvin'; De Saintes sa 'Déclaration d'aucuns athéismes de Calvin et de Bèze' (1563). Qui sait si saint François de Sales aurait écrit en français son 'Introduction à la vie dévote' (1608), sans l'exemple de Calvin ? Pascal même et les discussions théologiques du 17e s. n'auraient pas été possibles sans Calvin.

Le français dans l'école

L'école était le grand obstacle à la libre expansion du français. Le français n'y était admis que pour les premières années; après quoi il était banni des collèges; même dans leurs jeux les enfants devaient parler latin. La formule *latine loqui, pie vivere* contenait tout le programme: l'accès aux sciences et la piété. Qu'on se rappelle la manière dont a été élevé Montaigne. Son père fit venir un précepteur allemand auquel il le confia à peine sorti des bras de sa nourrice. Ce précepteur ignorait le français et n'adressait la parole au petit Montaigne qu'en latin. Toute la maison, père, mère, domestiques devaient apprendre quelques mots de latin pour pouvoir 'jargonner' avec le petit Michel. Les paysans du village même eurent leur part du latin enseigné au château. Montaigne raconte qu'à l'âge de six ans il ne comprenait que le latin. Beaucoup de pères tenaient à élever ainsi leurs fils. Dans la 2e partie du siècle on commence à douter de l'excellence de ce système. Louis le Roy, professeur au Collège Royal (Collège de France), a prononcé en 1575 dans un discours les phrases que voici: 'N'est-ce point grand erreur que d'employer tant d'années aux langues anciennes, comme lon a accoustumé de faire, et consommer à apprendre les mots, qui devroit estre donné à la cognoissance des choses, ausquelles lon n'a plus ny le moyen ni le loisir de vaquer ? ... Quand cesserons-nous de prendre l'herbe pour le bled ? la fleur pour le fruit, l'escorce pour le bois ? ... Ce n'est donc assez pour se rendre parfaictement sçavant et vrayement utile à son pais et gouuernement, que de s'arrester seulement aux langues anciennes, et ès curiositez en dépendantes, ains conuient aussi travailler ès modernes, usitees auiord'huy entre les hommes, et cognoistre les affaires du temps present.'

Le français dans la médecine

La médecine elle aussi présentait plusieurs brèches par où l'usage de la langue vulgaire pouvait pénétrer. C'était d'abord la chirurgie. On sait qu'à cette époque la chirurgie était abandonnée aux barbiers. Ces gens étant sans culture, il fallut écrire des manuels en français à leur usage. Le premier de ces manuels, qui s'appelait 'Guidon' (du nom de l'auteur Guy de Chauliac), fut imprimé dès 1478; il eut de nombreuses éditions. Le 16e s. connut un chirurgien vraiment génial, Ambroise Paré (1517 à 1590), le fondateur de la chirurgie moderne. Il ne savait pas le latin; il écrivit donc tous ses livres en français. Du reste même des médecins commençaient à n'être plus tout à fait persuadés qu'il fût indispensable d'enseigner en latin. Voici ce que Canappe, le maître de Paré, dit à ce sujet:

'L'art de la medecine et chirurgie ne gist pas du tout aux langues, car cest tout ung de l'entendre en Grec ou Latin ou Arabic ou Francoys, ou en Breton Bretonnant, pourueu qu'on lentende bien. Iouxte la sentence de Cornelius Celsus, lequel dict que les maladies ne sont pas gueries par eloquence, mais par remedes.'

Paré lui-même a bravé les attaques des médecins qui lui ont intenté un procès parce qu'il avait manqué de respect à son art en écrivant en français.

Une autre raison pour laquelle on commença à écrire des livres de médecine en français, ce furent les nombreuses épidémies. La lèpre, les maladies vénériennes, la peste firent de terribles ravages au 16e s. Il était dès lors nécessaire de faire connaître à tout le monde les remèdes les plus usuels.

Les apothicaires enfin étaient à l'origine de simples épiciers. Ils savaient tout juste assez de latin pour essayer d'en imposer au public. Il parut même en 1553 une satire très vive, dont l'auteur, Séb. Colin, raconte de cruelles anecdotes sur l'ignorance des pauvres pharmaciens. Ce pamphlet, intitulé 'Declaration des abuz et tromperies que font les apothicaires', paraît annoncer la satire sanglante de Molière.

Le français dans la littérature

La littérature proprement dite était encore regardée comme un agréable passe-temps au commencement du 16e s. Beaucoup de personnes tenaient même une œuvre poétique écrite en latin pour supérieure à une poésie française. Il s'agissait de vaincre ce dernier préjugé défavorable à la langue française. Ce fut l'œuvre de la Pléiade, en particulier de Du Bellay. Dans sa célèbre 'Défense et Illustration de la langue française' (1549) il pose le principe que tout sujet doit être accessible à la langue nationale. Il est vrai que le mérite de cet ouvrage réside surtout dans l'air qu'il se donne. D'abord les idées qu'exprime Du Bellay ne sont pas du tout nouvelles. Peletier du Mans les avait exprimées avant lui (1543). Mais les poètes de la Pléiade eurent l'habileté de se poser en novateurs, voire même en révolutionnaires. L'œuvre témoigne d'une foi illimitée en l'avenir de la langue nationale. Le français, un jour, sera appelé à prendre entièrement la place occupée encore par le latin. Le sentiment prophétique de la grande destinée réservée au français communique à l'ouvrage un élan extraordinaire. C'est là ce qui a fait de la Défense une des grandes dates de l'histoire de la littérature et de la langue françaises. Cela est vrai malgré tout ce que les louanges à l'adresse de la langue française nous paraissent avoir aujourd'hui d'exagéré et de faux. Le livre est intéressant surtout comme manifestation du sentiment national et parce qu'il montre que l'auteur a bien compris les rapports qui existent entre la langue d'une nation et son rôle parmi les peuples civilisés.

2. LA LANGUE FRANÇAISE AU 16e SIÈCLE

LES ÉTUDES DE GRAMMAIRE FRANÇAISE

Au 16e s. le français s'est donc émancipé de la tutelle du latin. C'est là le premier grand fait de la Renaissance; le deuxième en est plus ou moins la conséquence. C'est l'apparition des études grammaticales. Jusqu'alors on n'avait étudié grammaticalement que le latin, en France tout au moins. Maintenant on examine aussi le français et on cherche à lui construire une grammaire. Ces efforts commencent vers 1530 et se continueront pendant tout le siècle. L'on sait l'importance que les discussions grammaticales ont prise au 17e s. et de quel succès elles ont été couronnées. Le long travail des grammairiens du 17e s. a donc ses racines au 16e s. Les auteurs du 16e s. allèguent plusieurs raisons pour justifier leur entreprise. L'une de ces raisons est que l'époque n'attribuait de valeur aux choses que dans la mesure où elles étaient devenues un objet d'étude. Une autre raison est qu'on s'alarmait des grands changements subis continuellement par le français. On désirait fixer la langue pour empêcher les auteurs de vieillir trop vite.

Le premier de ces grammairiens français, en date au moins, fut JACQUES DUBOIS. Mais le livre le plus sérieux est celui du lyonnais MEIGRET où l'on trouve déjà les principaux éléments de la grammaire française. MEIGRET est le premier qui distingue entre le bon et le mauvais usage. On prend donc conscience du fait qu'il y a plus d'un style, même dans la langue parlée, et que tous les styles ne sont pas également recommandables. L'idée qu'il faut parler comme la cour s'annonce même déjà chez lui; elle fera fortune au 17e s. MEIGRET s'est également attaché à l'orthographe. Il voulut écrire phonétiquement et inventa un système étonnant de clarté et de perspicacité. Il adopte p. ex. la cédille espagnole, il distingue les voyelles ouvertes par un crochet *(mortęl, doęt)*, etc. Malheureusement il a trouvé trop d'adversaires, de sorte que son système si judicieux ne l'a pas emporté. Parallèlement au développement de la grammaire on étudie le vocabulaire. On commence à publier de véritables dictionnaires. L'idée première était naturellement de se servir du dictionnaire pour apprendre le latin. C'est la célèbre famille humaniste des Estienne qui a fondé la lexicographie (1532 'Dict. latin-français', 1539 'Dict. français-latin').

LE VOCABULAIRE

Les italianismes

Au 16e s. l'évolution de la langue française porte surtout sur le vocabulaire. La Renaissance ouvre la maison française à toutes les influences du dehors. Naturellement c'est surtout l'élément italien qui a profité de cette disposition du français. Nous avons déjà dit quels ont été les rapports entre ces deux pays au commencement du 16e s. Ces rapports ne cessèrent de devenir plus intenses. Les rois et les grands voulurent s'entourer du luxe qu'ils avaient trouvé en Italie. Ils firent donc venir en grand nombre des artistes, architectes, sculpteurs, ouvriers et artisans de toute sorte. Il se forma de petites colonies italiennes jusque dans les villes de province. Le mariage de Henri II avec Catherine de Médicis, en 1533, amena toute une nuée d'Italiens; pendant longtemps la cour fut à moitié italienne. La littérature italienne jouissait également d'un grand prestige: on traduisit en français les œuvres les plus fameuses, Pétrarque, Boccace, le Cortegiano de Castiglione. Ce dernier livre eut une très grande influence sur les mœurs des classes supérieures. On traduisit même le Prince de Machiavel. De toutes les villes françaises celle qui joua comme intermédiaire le plus grand rôle fut Lyon. La Renaissance a, pour ainsi dire, fait étape à Lyon. Le commerce avec l'Italie était surtout entre les mains des marchands lyonnais. Mais la ville était aussi un centre littéraire.

Après 1560 une réaction se dessine contre l'italianisme. Elle avait plusieurs causes: d'abord la cour à demi italianisée des derniers Valois vit diminuer son prestige parce que les fils de Catherine étaient dégénérés, débauchés et faibles. La reine mère n'avait jamais été très aimée; on imputa la Nuit de la St-Barthélemy en partie à l'influence des compatriotes de Machiavel. En outre les beaux temps de la Renaissance italienne étaient passés; son déclin devait diminuer son prestige. La bourgeoisie française, qui s'était laissé surprendre par l'invasion italienne, commença à réagir contre les intrus, qui occupaient les places les mieux rétribuées. Cette réaction se fit également sentir dans la lutte que l'on commençait à livrer à l'italianisme dans la langue. Il faut ajouter à cela une raison d'ordre général: l'humanisme ayant réveillé l'individualisme national des Français, une réaction contre l'élément étranger dans la langue devait se produire. Tous protestent contre 'l'afféterie' italienne. Le véritable représentant de ce mouvement fut HENRI ESTIENNE. Voici les livres qu'il a écrits pour prouver la supériorité de la langue française: 1565 'Conformité du langage françois avec le grec', 1578 'Deux dialogues du nouveau langage françois italianizé et autrement déguizé', 1579 'Précellence du langage françois'. Dans ces livres il raille les courtisans qui italianisent le français et il prétend que celui-ci est supérieur à toutes les autres langues. Grâce à ses efforts l'italianisation fut enrayée dans la dernière partie du siècle.

Un grand nombre de mots italiens n'en sont pas moins restés, et le français ne s'en est plus défait. Ces mots reflètent assez fidèlement l'influence de la civilisation italienne[1]. Ils sont nombreux, surtout dans le domaine des arts, p. ex. *architrave*, *balcon*, *corniche*, *façade*, *arcade*. La littérature italienne a donné *sonnet*, *madrigal*, *cantilène*. Dans le domaine de la guerre plus de 60 mots ont été conserves jusqu'à nos jours: *escorte*, *cavalerie*, *colonel*, *caporal*, *redoute*, *infanterie*, *casemate*, *vedette*, *embuscade*, etc. Les ports du Midi ont transmis au français un certain nombre de termes maritimes, comme *arborer*, *accoster*, *frégate*, *gondole*, *boussole*, *remorquer*. Les Italiens avaient organisé le commerce d'une manière nouvelle; c'est à eux que l'on doit surtout l'institution des banques; aussi le français doit-il à l'italien des mots comme *banque*, *escompte*, mais aussi *banqueroute* et *faillite*. Le raffinement des modes italiennes s'est répandu à la cour des Valois. Ils ont apporté des mots comme *caleçon*, *capuchon*, *camisole*, *parasol*, *soutane*. La vie sociale aussi a subi fortement l'influence des Italiens. C'est pourquoi beaucoup de mots désignant des qualités ou des défauts humains ont été empruntés à l'ita-

[1] Voir WIND, B. H., Les mots italiens introduits en français au XVIe siècle; Deventer s. d.

lien: *brave*, *ingambe*, *leste*, *caprice*, *poltron*, *mesquin*, *brusque*, *jovial*, *bouffon*, *burlesque*. Les divertissements raffinés des Italiens ont été adoptés par les Français; de là *ballet*, *masque*, *mascarade*, *travestir*, *carnaval*, qui reflètent la vie de la cour française à demi italienne. L'on voit que le plus souvent il s'agit de mots désignant des objets nouveaux ou des qualités qui frappaient particulièrement chez les Italiens. Néanmoins un certain nombre de mots français ont été éliminés par leurs concurrents italiens. Ainsi le mot de *grenons* a été remplacé par *moustache*, probablement à cause de la façon italienne de la porter, *soudart* a pris un sens péjoratif, parce qu'on lui préférait le mot italien *soldat*.

Les latinismes

La manie du latinisme, qui a tant sévi parmi les rhétoriqueurs, a nécessairement disparu devant un sentiment plus approfondi de la langue nationale. Pourtant il aurait été impossible de se passer du latinisme. A partir du 15e s. le latin reste la langue à laquelle s'adresse le français quand il souffre de quelque embarras ou quand il lui faut exprimer une idée pour laquelle le terme populaire ne semble pas avoir assez de netteté (*recouvrer* – *récupérer*, *viscères*, *rusticité*, *structure*, etc.). Dans la théorie, le 16e s. combat le latinisme et il a en effet supprimé un grand nombre des emprunts du 15e s. Mais il a à son tour enrichi la langue d'autres mots empruntés au latin.

Les régionalismes

La doctrine de la liberté individuelle proclamée par la Renaissance a eu aussi un effet curieux sur le développement du vocabulaire. Depuis plusieurs siècles les poètes s'étaient appliqués à suivre l'usage de Paris. Les auteurs du 16e s., à commencer par Rabelais, se permettent d'introduire dans leurs ouvrages des mots du terroir. Les auteurs de la Pléiade surtout en ont fait toute une doctrine. Ronsard lui-même est revenu sur cette question par trois fois. Voici p. ex. ce qu'il en dit dans son 'Abrégé de l'art poétique françoys': «Tu sçauras dextrement choisir et approprier à ton œuvre les vocables plus significatifs des dialectes de nostre France, quand ceux de ta nation ne seront assez propres ne signifians, ne se faut soucier, s'ils sont gascons, poitevins, normans, manceaux, lionnois ou d'autre pays, pourveu qu'ils soyent bons, et que proprement ils expriment ce que tu veux dire.» Même Montaigne se permet d'user de tournures méridionales, quand le français n'exprime pas toutes les nuances de sa pensée. On connaît son mot: «Le gascon y arrive, si le françois n'y peut aller.»

Ainsi la Renaissance a orienté les auteurs, prosateurs et poètes, dans un sens tout opposé à celui qui prévaudra dès le commencement du 17e s. L'émancipation de la langue vulgaire conduit d'abord à une grande liberté, qui fera sentir le besoin d'une nouvelle discipline.

CHANGEMENTS PHONÉTIQUES FORTES TENDANCES CONSERVATRICES

Le 16e s. connaît en partie les mêmes tendances que le 15e s., mais souvent aussi l'évolution prend une tournure contraire.

Les consonnes

Un des exemples les plus frappants est le traitement des groupes de consonnes. L'ancien et le moyen français avaient une tendance très marquée à alléger ces groupes en faisant disparaître la première des deux consonnes *(fête)*. Le 16e s. s'attaque à la dernière de ces consonnes, qui avait encore résisté jusque-là, à l'*r*. Les exemples de la chute de l'*r* abondent; les rimes ne permettent pas de douter: *embrace : farce; bourse : courrouce; garde : escalade*, etc. Mais deux événements agissent en sens contraire: c'est d'abord la chute de beaucoup d'*e* atones *(achetons)*. Grâce à la disparition de ces voyelles il se forme de nouveaux groupes de consonnes. En outre le nombre des mots qui contiennent de pareils groupes augmente considérablement par les emprunts au latin. Grâce aux latinismes comme *obscur*, *docte*, etc. les Français se familiarisèrent de nouveau avec ces groupes. Ce fut donc en grande partie l'influence du latin qui enraya cette tendance du français aux syllabes ouvertes, hostile aux groupes de consonnes. Nous voyons que le latin contribua même à modifier sensiblement les tendances articulatoires du français. Et comme cette influence latine surprit la langue au moment où un des derniers groupes cédait à l'invitation, celui-ci fut redressé. En effet, à la fin du siècle, l'*r* paraît raffermi, consolidé. Aussi les mots cités ont-ils tous gardé leur *r*.

Cette influence du latin se manifeste également d'autre manière. Dès la fin du 15e s. l'habitude d'orner les mots de consonnes étymologiques, assez ancienne déjà, devint une véritable manie; l'on se mit à écrire *escripvre*, *sçavoir*, etc. Or quelques-unes de ces consonnes ont réussi à s'imposer aussi à la prononciation. Un assez grand nombre de mots se latinise plus ou moins: *adversaire*, *admonester*, *restreindre*, *rescousse*, *dextre*, *exemple*. La tendance contraire, qui consistait à plier les latinismes aux habitudes articulatoires du français, a également existé. On a hésité pendant quelque temps entre *adjectif* et *ajectif*, *obvier* et *ovier*, *resplendir* et *réplendir*. Mais le latin a su triompher des habitudes du français.

La chute des consonnes se fait sentir particulièrement à la finale. Mais ici il est évident que le 16e s. continue le 15e. Nous avons vu que la phrase du 14e et du 15e s. avait un autre rythme que celle du 12e s. Au 12e s. les mots avaient eu une grande indépendance. Mais maintenant le mot l'avait perdue en partie et la phrase constituait la principale unité. On commença à traiter les consonnes finales comme si elles se trouvaient à l'intérieur du mot, c'est-à-dire qu'elles tombent devant un mot commençant par une consonne, tandis qu'elles restent devant voyelle et à la pause, si faible soit-elle. Henri Estienne a transcrit une phrase pour montrer où il fallait prononcer les finales, où il fallait les laisser tomber. La voici: 'Vou me dite toujours que votre pays est plus grand de beaucoup et plus abondan que le notre, e que maintenan vou pourrie bien y vivre à meilleur marché que nou ne vivon depui trois mois en cette ville: mai tou ceux qui en viennet, parlet bien un autre langage: ne vou deplaise.' Cet exemple nous montre que l'unité c'est maintenant la phrase.

Les forces conservatrices

L'histoire de la diphtongue *oi* présente une grande fluctuation. Au commencement du siècle elle se prononçait *wè*. Mais le 16e s. connut encore deux autres prononciations. Ce furent *è* et *wa*. Ces deux prononciations étaient venues des patois ou du bas peuple. Diane de Poitiers, qui n'était pas une lettrée, écrivait toujours *asseurèt*, etc. D'autres auteurs venus de l'Ouest, comme Palissy, ont la même graphie. Il s'agit donc d'un dialectalisme occidental. Les Parisiens par contre commencèrent à prononcer *wa*. Palsgrave constatait déjà en 1530 qu'ils disaient: *boas*, *gloare*. Les grammairiens s'opposèrent vivement à ces deux innovations. Grâce à leurs protestations on regarda ces deux nouvelles prononciations comme indignes d'un homme cultivé. La conséquence fut que *wè* se maintint jusqu'à la fin du 17e s. comme bonne forme, tandis que *wa* et *è* vivaient plutôt dans le peuple. On sait que *wè* a fini par disparaître et *wa* et *è* se sont partagé l'héritage, sans que la répartition paraisse répondre à une règle. Nous voyons donc ici un des premiers effets de l'intervention des grammairiens dans l'évolution phonétique du français. Ils s'opposent au développement spontané qui vient des couches inférieures de la population et de la province; ils réussissent à l'entraver pour le moment, et cela finit par un compromis.

Dans le consonantisme il y eut également un mouvement avorté, parce que rejeté par les classes supérieures. Ce fut la réduction de *r* intervocalique en *z*. Ce changement est attesté dans certaines régions dès le 14e s. (en norm. même dès le 12e s.). Seulement il n'avait pas eu une grande extension. Or, au 16e s. la contagion gagne la capitale. Le même peuple commence à dire *Pazi*, *mon pèse*, *mon mazi*, etc. Mais la réaction ne se fit pas attendre longtemps. Les classes supérieures résistèrent, elles n'acceptèrent pas ce changement venu d'en bas. Cette réaction eut même pour conséquence que les gens du peuple ne savaient plus quand il fallait prononcer *r*. Par peur de s'exposer à des critiques on se mit à remplacer par *r* même les *z* qui étaient justifiés étymologiquement. On trouve donc des formes comme *rairon* et *courin*. Mais en général le rétablissement se fit correctement. On sait qu'un doublet est resté: *chaire – chaise*.

Ce qui caractérise donc les mouvements phonétiques de ce siècle, c'est qu'ils rencontrent tous une résistance tenace. Jusqu'au 15e s. ces changements ont été l'effet d'un développement plus ou moins inconscient. On n'a pas tâché de réagir contre ces tendances, de les redresser, ou, du moins cette réaction n'a pas été très forte. Maintenant, la situation change. Les classes cultivées, les couches supérieures de la population se laissent diriger par le purisme des grammairiens et des théoriciens. Au nom de la pureté de la langue ils font la guerre aux innovations. Ils les condamnent comme trop vulgaires. Nous voyons que la langue française sort maintenant de l'époque où son développement dépendait surtout de l'instinct. Elle entre dans une nouvelle période, une période dans laquelle la raison s'empare de la direction et cherche à enrayer l'action de l'inconscient. Nous avons vu que très souvent elle y a réussi. Les changements que nous avons essayé de décrire ont été redressés pour la plupart. Et à partir du 17e s. le développement phonétique devient infiniment plus lent qu'auparavant.

SYNTAXE

Ordre des mots

La syntaxe continue d'une part les tendances du 15e s. et d'autre part l'individualisme qui caractérise cette époque entraîne les auteurs à user de licences assez importantes. Nous avons vu qu'au 15e s. l'ordre des mots avait perdu son ancienne liberté. Or, le 16e s. essaya de défendre une partie de cette liberté. On a souvent cité les vers de Maurice Scève:

> Est de Pallas du chef ingenieus
> Celestement, voulant Dieu, departie.

Ronsard déconseille aux poètes de pareilles libertés de construction. Mais il n'en est pas moins vrai que dans certains cas la transposition du sujet reste fréquente ou même la règle. Quand p. ex. la phrase commence par un complément circonstanciel ou par une conjonction, le sujet est très souvent placé derrière le verbe: *En celle heure partit le bon homme. Alors descendit Gymnaste de son cheval.* Du Bellay même écrit, en parlant de François Ier: *et si a nostre langaige, au paravant scabreux et mal poly, rendu elegant.*

Toutefois cette construction fait de plus en plus place à l'ordre normal. Il est intéressant de voir où elle résiste le mieux. Chez Du Bellay p. ex. elle ne comprend que 16% de toutes les phrases, chez Monluc et chez Brantôme 42%. Et pourtant ceux-ci ont écrit longtemps après Du Bellay et ils ont écrit en prose. Pour ces deux raisons ils devraient être plus près de l'usage moderne. Ce maintien de l'ancienne construction s'explique chez eux géographiquement: ils sont tous deux du Midi.

Les pronoms

Nous avons vu qu'au 15e s. les pronoms étaient devenus indispensables pour distinguer les différentes personnes du verbe. Au 16e s. la suppression du pronom devient de nouveau plus fréquente, sous l'influence du latin probablement. Toutefois cette suppression n'atteint pas toutes les personnes avec la même force. On omet les pronoms de préférence avec les formes qui sont claires par leurs terminaisons: *voulez*, *diriez*, *a pris*, etc., rarement là où une confusion entre les personnes resterait possible. – Ce qui caractérise le 16e s. sous ce rapport, c'est qu'il finit par éliminer tout à fait le pron. avec l'impératif, tandis qu'il le rend obligatoire dans les phrases interrogatives. 1° *Fay tu!* > *Fay!* 2° *Qui estes?* > *Qui estes-vous?* On supprime donc le pron. là où il serait seulement vocatif, tandis qu'on le maintient là où il est sujet.

Les conjonctions

Nous avons vu que de nombreuses conjonctions françaises sont nées vers 1400. Le 16e s. ajoute encore à cette richesse. Il dispose donc d'une très grande quantité d'expressions presque ou entièrement synonymes. Ainsi, pour exprimer la cause, on avait le choix entre *aussi que*, *car*, *comme ainsi soit que*, *considéré que*, *de quoi*, *dont*, *puisque*, *ores que*, *parquoi*, *pour ce que*, *parce que*. Les nuances sémantiques entre toutes ces expressions sont très subtiles, souvent il s'agit même de véritables synonymes. Le 17e s. fera un choix limité de ces locutions et abandonnera toutes les autres, mais le 16e s. aime l'aspect bigarré que cette variété donne aux textes et à la langue parlée.

3. L'ART DE LA PROSE

Les deux grands mouvements d'idées du 16e s., la Renaissance et la Réforme, ont donné à la France deux des plus grands prosateurs qu'elle ait jamais eus: Rabelais et Calvin. La prose artistique n'existait presque pas avant Rabelais. Les chroniqueurs du 13e et du 14e s., les nouvellistes du 15e s. écrivaient à peu près comme ils auraient parlé, sans se mettre en frais au point de vue du style. Avec Rabelais cela change. Il convient donc de s'arrêter pour faire une étude sommaire du style de ces créateurs de la prose française.

RABELAIS

Universalité de Rabelais

On a souvent appelé Rabelais un grand réaliste ou un naturaliste. On a eu tort. La mesure, prise ainsi, est beaucoup trop petite pour ce tempérament puissant. Ce n'est pas un réalisme méticuleux «qui prend les mesures de toutes choses, et croirait tout perdu s'il avait allongé ou raccourci d'une ligne les dimensions des choses». Son naturalisme n'a rien de commun non plus avec le matérialisme de la doctrine naturaliste. Le vaste horizon de ce grand esprit embrasse toutes les doctrines, toutes les théories, mesure la vitalité, la valeur de chacune, et en retient ce qui est conforme à lui-même. Il est le vrai représentant de l'universalisme des humanistes. Toutes les formes de la vie lui semblent bonnes, excepté la contrainte qu'exercent une morale étroite, une science étrangère à la vie. Ce n'est pas qu'il soit relativiste. Il croit au réel, surtout à l'unité du moi. Jamais la nation française n'a produit d'individu qui ait embrassé plus complètement la nature tout entière, toutes les sciences de son temps, toutes les manifestations de la vie. Il n'en rejette aucune; la plus humble coudoie dans son œuvre ce qu'il y a de plus sublime. Il est capable de parler dans la même phrase des plus subtiles théories philosophiques et des excréments humains. C'est que pour lui il n'y a rien de vil dans la nature, excepté les falsifications.

Sa langue est bien l'expression fidèle de cet universalisme. Jamais un Français n'a possédé plus complètement le vocabulaire de sa langue. Le lexique de Rabelais est d'une richesse inouïe. Tout au plus pourrait-on lui comparer Victor Hugo. Mais il dépasse Hugo par la précision, par la netteté, par l'exactitude des termes qu'il emploie. Il puise à deux sources qui ne tarissent jamais: ses études et son expérience de la vie. Il a tout vu, tout lu, tout compris. C'est pourquoi il a été possible de tirer de ses œuvres une véritable encyclopédie de la Renaissance[1]. Il connaissait toutes les variétés de la langue française, ses nuances professionnelles, sociales, locales, historiques. Dans ses longues pérégrinations Rabelais a vu une grande partie du pays de France. Il a enrichi son vocabulaire des termes régionaux qui l'ont frappé et qu'il a retenus. Quand un moine d'Amiens oppose aux statues antiques la beauté des jeunes filles de son pays, il dit 'Ces statues anticques sont bien faites, je le veulx croire. Mais par Sainct Ferreol d'Abbeville, les jeunes bachelettes de nos pays sont mille fois plus advenantes.' Les patois de l'Ouest, comme le tourangeau, sont particulièrement bien représentés. Son long séjour à Montpellier et à Lyon a fait passer dans son vocabulaire nombre de mots languedociens, provençaux, franco-provençaux. Ainsi toutes les régions de France qu'il a visitées ont laissé quelque trace dans son livre. – Rabelais connaît à fond le latin et les auteurs classiques. Mais on aurait tort de croire qu'il devenait incapable, pour cela, de goûter les anciens auteurs français. Il s'était familiarisé particulièrement avec le Roman de la Rose. Et de cette lecture il a retenu plusieurs archaïsmes, tout comme plus tard La Fontaine. Rabelais se montre en outre familier avec tous les métiers de son temps. Les termes spéciaux de l'art militaire, de la navigation, des arts appliqués, de l'architecture fourmillent dans son livre. Il a une prodigieuse connaissance de la zoologie et de la botanique. Il a digéré Pline tout entier, mais il a aussi beaucoup observé lui-même. Il connaît les noms de tous les poissons qui vivent en France; il est vrai qu'il nomme de préférence ceux dont la chair est particulièrement délicate. On a appelé son œuvre un carnaval lexical; et il est vrai que les éléments les plus disparates s'y coudoient, se fondent dans l'expression d'une seule et même pensée.

Rabelais connaît mieux que n'importe qui les nuances et les richesses verbales que pouvait lui offrir son époque. Et la mémoire ne lui fait jamais défaut. Il sait toujours placer son mot au meilleur moment. Et aucun mot ne lui fait peur. Il les emploie

[1] SAINÉAN, L., La langue de Rabelais, t. I; Paris, Boccard, 1922.

tous. Les termes érotiques et les expressions obscènes sont innombrables chez lui. Mais il s'en sert avec un rire si franc que son texte n'a jamais rien de lubrique.

L'unité intérieure qui, pour lui, fait de la nature un grand organisme se manifeste aussi dans le mélange des éléments les plus disparates. Ainsi au milieu du récit grotesque de la lutte d'un moine avec quelques archers, il donne une analyse anatomique du coup mortel dont le moine frappe ses adversaires. Dans un cours d'anatomie on ne s'exprimerait guère avec plus de précision. Une telle exactitude scientifique au milieu de cette scène grotesque fait un curieux effet: 'Lors d'un coup lui tranchit la teste, luy coupant le test sus les os petrux, et enlevant les deux os bregmatis, et la commissure sagittale, avec grande partie de l'os coronal; ce que faisant, luy tranchit les deux meninges et ouvrit profondement les deux posterieurs ventricules du cerveau; et demoura le craine pendant sus les espaules à la peau du pericrane par derriere, en forme d'un bonnet doctoral noir par dessus, rouge par dedans.'

Originalité de Rabelais

Mais Rabelais n'est pas seulement grand par la manière dont il use des trésors que lui offre la langue; il l'est aussi par son originalité, par sa force créatrice. Peu d'auteurs ont formé autant de mots nouveaux, ont su manier leur langue avec une pareille maîtrise.

Il sait tirer un effet inattendu des mots en leur rendant leur sens étymologique. Ainsi pour le verbe *avaler*. Il fait dire à Panurge: 'Si je montasse aussi bien comme je avalle, je feusse désjà au dessus la sphere de la lune.' – Souvent il déforme les mots pour les rapprocher d'une autre série. Ainsi pour faire sentir son mépris pour les calvinistes il les appelle *démoniaque*, mais il rapproche ce mot de la série en *-acle (tabernacle, cénacle)* où il y a beaucoup de mots de la sphère religieuse. Il parle donc de *les maniacles pistolets*, *les demoniacles Calvins*, *imposteurs de Geneve*. Ainsi il assimile *démoniaque* aux mots qui désignent des choses saintes: le contraste entre le radical du mot qui désigne le diable, et le suff., qui a un sens opposé, révèle tout ce que, aux yeux de Rabelais, il y a d'imposture dans la doctrine de Genève.

Parfois Rabelais change du tout au tout le sens d'un élément par un simple déplacement de l'accent sémantique. Pour nous un mot comme *filiforme* se compose de deux parties: de *fil* et de *-forme.* L'idée qui domine c'est celle de *fil;* le mot exprime le rapprochement entre un *fil* et l'objet dont nous parlons. Or, quand Rabelais forge le mot *vériforme*, il renvoie l'accent sémantique à la deuxième partie du mot; le mot doit désigner ce qui a seulement la forme, l'apparence de la vérité. *Vériforme* mesure toute la distance qu'il y a entre la *vérité* proprement dite et ce qu'on voudrait faire passer pour tel. De positif qu'il était quand il ne portait pas l'accent, l'élément *-forme* devient restrictif.

Rabelais marque toute la matière de la langue de son empreinte. Pour la plupart des hommes les mots et les locutions sont figés. Rabelais sent toujours ce qu'il y a de vivant dans la langue. Il intensifie ce qu'il emprunte à d'autres langues. Le latin disait *pedibus ire in sententiam.* Rabelais tire de cette expression une sorte de superlatif en disant *vous n'approchez ne de pieds ne de mains à mon opinion.*

Rabelais se plaît surtout à enfiler de longues séries de mots qui reflètent la même idée par des moyens différents. Il crée alors de nouveaux mots avec lesquels il jongle. Jamais la langue n'avait connu pareille fête. Pour se moquer des professeurs de Sorbonne p. ex. il forme le mot de *sorbonagre* (*Sorbonne* + gr. *ónagros* 'âne'); l'idée première lui en est probablement venue à cause de l'identité de la syllabe finale du premier mot avec la syllabe initiale du deuxième. Mais ce mot ne lui suffit pas. Il lui donne un grand nombre de variantes se servant de toutes sortes de compositions et de suffixes: *maraulx de sophistes*, *sorbillans*, *sorbonagres*, *sorbonigenes*, *sorbonicoles*, *sorboniformes*, *sorbonicques*, *niborcisans*, *sorbonisans*, *saniborsans.* Ces nouvelles formations semblent peindre les multiples aspects que peut prendre la sottise de la philosophie scolastique qui se défend contre les temps nouveaux. Tous ces suffixes sont comme un écho des disputes tatillonnes et pédantesques de la Faculté.

Dans l'exemple que nous venons de voir, Rabelais a formé de nombreux mots à l'aide d'un seul et même radical, en variant les suffixes. Il lui arrive aussi de faire le contraire, c'est-à-dire de garder le suffixe en variant le radical. Ainsi en parlant de religieuses dont il s'agit de préserver la virginité, Rabelais emprunte au mot *virginité* le suff. et remplace le radical: il dit *garder leur sororité.* Rabelais ne pouvant se porter garant de leur virginité substitue au moyen du mot *soror* une notion à une autre, et énonce quelque chose qui n'exige aucune responsabilité de sa part. – Dans *virginité* nous avons affaire à un véritable suffixe *-ité*, que l'on peut joindre à d'autres substantifs. Mais il arrive à Rabelais de détacher arbitrairement une partie de mot comme s'il s'agissait d'un suffixe. C'est surtout le cas quand il peut faire ressortir ainsi un mot grossier. Pour railler la philosophie spéculative il divise cet adj. en *spé-culatif*, ce qui lui permet de remplacer la première syllabe par l'impératif du verbe *torcher: torcheculatif.*

Rabelais jette pêle-mêle au lecteur des mots qui lui sont familiers et d'autres qu'il crée lui-même. Ainsi quand il parle des hypocrites dont tout le passe-temps est d'*articuler*, *monorticuler*, *torticuler*, *culleter*, *couilleter*, *diabliculer*, *c'est-à-dire calumnier.* Le seul verbe qui existe, c'est *articuler*, mais Rabelais le varie en se laissant guider par des associations phonétiques, sémantiques, etc. On peut suivre son imagination exubérante à la trace (gr. *mónos*, *ort* > *tort*, *cul*, *couill(on)*, *diable* > *calomnie*, d'après l'assonance du gr. *diabolos* 'diable' avec *diabállo* 'je calomnie').

Ainsi la prose française débute par une œuvre où il y a entre le fond et la forme un accord parfait: fond et forme procèdent de la même vitalité parfois brutale et grossière, de la même universalité. Fond et forme respirent la même liberté, la même indépendance, la même joie débordante. Une prose qui commence par un tel chef-d'œuvre est appelée à un grand avenir.

CALVIN

En 1541, neuf ans après le premier livre de Rabelais parut une édition française de l'Institution chrétienne de Calvin. Ce puissant livre de doctrine a fondé en France le style de la discussion d'idées. Toute la structure de l'ouvrage est d'une logique serrée. Les grandes lignes générales de la pensée, Calvin ne les perd jamais de vue. La discussion est conduite avec un esprit de suite admirable. Or, le style de Calvin n'est pas inférieur à la direction générale du livre. Il s'agit de convaincre les chrétiens qui hésitent encore entre le catholicisme et la Réforme; il faut défendre les Réformés français contre les calomnies qu'on a publiées; il faut sauver la pureté de la confession et de la foi chrétiennes. La langue de Calvin s'adapte à tous ces besoins.

La qualité qui domine est sans doute la logique. Calvin énumère les arguments, il les enrégimente et les fait marcher comme une armée rangée en bataille. P. ex.[1]:

'... au propos de saint Paul ... je prens ces sentences ...: Premièrement (1) il despoulle l'homme de justice, c'est-à-dire (a) d'integrité et pureté, puis apres (2) d'intelligence, de laquelle s'ensuit apres le signe (b), c'est que tous hommes se sont destournez de Dieu ... S'ensuyvent (3) après les fruictz d'infidelité, que tous ont decliné ... tellement (c) qu'il n'y en a pas un qui face bien. D'avantage (4) il mect toutes les meschancetez, dont contaminent (d) toutes les parties de leur corps ... Finalement (5) il temoigne, que tous hommes sont sans crainte de Dieu, à la reigle (e) de laquelle nous debvions diriger toutes noz voyes. Si ce sont là les richesses hereditaires du genre humain, c'est en vain qu'on requiert quelque bien en notre nature.'

Cette longue période a un seul point de départ, saint Paul, et un seul point d'arrivée: la dernière phrase qui résume en peu de mots toute notre misère. Et entre ces deux points se déploient

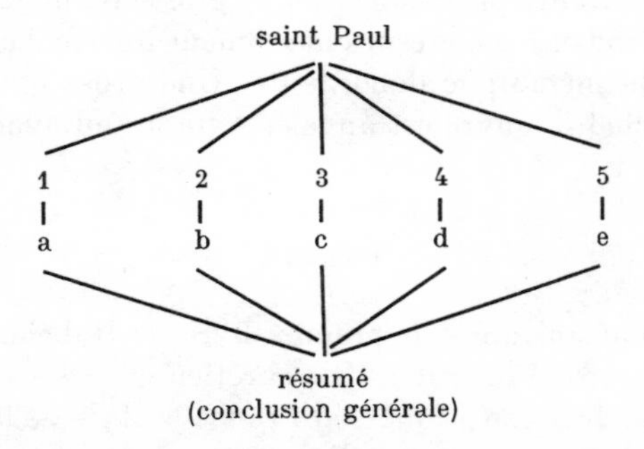

[1] Ce passage se trouve à la p. 69 de l'excellente éd. p. p. A. Lefranc, H. Chatelain et J. Pannier; Bibliothèque de l'Ecole des Hautes Etudes, 1911,

les différentes sentences, au nombre de cinq, et chacune accompagnée d'une conclusion ou d'une explication. Il en résulte un schème d'une puissance extraordinaire dans sa symétrie impeccable.

Le livre fourmille de passages composés sur le même modèle. Cela communique sans aucun doute à l'ensemble une certaine raideur. Bien que Calvin s'éloigne de la prose qu'on avait connue jusque-là, le succès de son livre n'en fut pas diminué, au contraire. Il fut comme une arme tranchant nettement ce qu'il y avait d'ambigu et d'inextricable dans la polémique confessionnelle de l'époque.

Toutefois ces qualités de logicien, presque d'avocat, n'auraient pas suffi à expliquer tout le succès de son ouvrage. Calvin sait également donner aux mots une signification très forte, il les charge d'une sémantique particulière. Il excelle surtout à se servir de mots désignant des choses concrètes en leur donnant un sens figuré. C'est ce qui donne à sa langue quelque chose de vigoureux, de pittoresque. Il a les couleurs fortes, et maint vocable français porte encore l'empreinte de sa pensée. Il n'hésite pas à employer des mots familiers, comme *rompre la teste à qn* 'ennuyer'. Il dit p. ex. d'un homme qui raisonne mal ou dont la foi suit une voie fausse, qu'il a *choppé* ou *trébuché* (p. 355). La foi qui ne fait pas agir les hommes est une *foi oisive*. Certains de ses adversaires sont souvent comparés aux chiens qui aboient: 'Ils circuissent courans ça et là comme chiens affamez: et ... par leur abay, ils arrachent par force des uns et des autres quelques morseaux pour fourrer en leur ventre' (remarquer aussi ce vulgarisme de *fourrer*); 'Ilz profitent tellement en abbayant sans cesse en leurs escholes' (p. 359). – Ailleurs, Calvin se sert du verbe *s'envelopper* au sens de 'tomber dans l'erreur, se tromper lourdement, au point de ne plus savoir que répondre'. Et cette image si juste et si pittoresque il la continue dans le mot *se développer* 'se tirer d'embarras (par un subterfuge ou autrement)'. – L'expression *réputer toute chose comme fiente* a pénétré dans la langue; nous la retrouverons plus tard dans la bouche d'Orgon (Molière): 'Et comme du fumier regarde tout le monde.' Certaines expressions assimilent avec une force extraordinaire le monde à notre vie spirituelle. Il arrive à Calvin de réunir en une seule expression tout ce que sa doctrine du péché et de la prédestination a de plus sombre et de plus tragique. Ainsi quand il dit: 'Dieu a encloz toutes creatures soubz peché', le péché apparaît comme une grande cloche comparable à la voûte céleste sous laquelle nous sommes tous enfermés et d'où nul ne peut échapper par sa propre force.

Beaucoup de ces expressions imagées sont empruntées à l'Ancien Testament. Mais la force qu'elles ont chez Calvin est d'autant plus grande qu'elles contrastent avec la structure logique et réfléchie des périodes. On retrouve dans ces expressions la passion froide et raisonnée qui dominait cet homme.

Ainsi l'on peut dire que, dans le détail, le style de l'Institution[1] est bien de *son époque*, et qu'il a même un peu du pittoresque qui s'étale à perte de vue dans toute l'œuvre de Rabelais, mais la structure générale du livre annonce déjà l'art linéaire du 17e siècle.

[1] Il y a de l'Institution trois autres éditions, qui s'échelonnent de 1545 à 1560. Elles sont aussi dues à Calvin. La forme du texte y a subi de nombreuses modifications qui sont dues en partie au désir de l'auteur de le rendre accessible à des personnes moins habituées aux réflexions philosophiques et religieuses. Voir à ce sujet Roger Walch, Untersuchungen über die lexikalischen und morphologischen Varianten in den vier französischen Ausgaben der 'Institution de la religion chrétienne'; Thèse Bâle 1958.

VI. LES ÉPOQUES DU FRANÇAIS MODERNE

1. 17e SIÈCLE

TRANSITION ENTRE LE 16e ET LE 17e SIÈCLE

On fait commencer le français moderne avec le 17e s. parce que ce siècle a créé la France moderne. C'est au 17e s. que la nation s'est reconnue elle-même et qu'elle a trouvé le moule où jeter la masse jusque-là un peu amorphe de ses forces. La civilisation, la politique, la littérature, la langue ont pris à cette date les contours nets qui prévalent jusqu'à nos jours.

Renaissance et Réforme

Ce développement se fait en sens inverse de ce qui s'était passé au 16e s. Le 16e s. est marqué par une très grande liberté, qui finit par dégénérer en désordre et en anarchie. Les deux grands événements de ce siècle sont venus de l'étranger, la Renaissance de l'Italie, la Réforme de l'Allemagne. En Italie la Renaissance avait été le produit naturel d'un développement organique qui avait duré deux siècles. Elle avait eu Pétrarque et le Quattrocento avant d'arriver à cette superbe éclosion de toute une génération de génies. La France avait fait la connaissance de cette humanité nouvelle d'une manière brusque. Elle devait l'absorber en l'espace de quelques dizaines d'années. C'est pourquoi le développement de la Renaissance française manque d'harmonie. Et la France fut atteinte par l'orage de la révolution religieuse venant de l'Allemagne avant d'avoir achevé la synthèse entre l'ancien et le nouveau temps, avant de s'être retrouvée elle-même dans ce monde renouvelé. Après quelques tâtonnements la Renaissance et la Réforme se reconnurent ennemies l'une de l'autre. Et cela engendra un tel état de fermentation que le pays vit éclater la guerre civile. Coupée de quelques trêves cette guerre dura trente-six ans. Elle ne laissa que des ruines. Estienne Pasquier écrit: «Qui aurait dormi quarante ans, penserait voir non la France, mais un cadavre de la France.» A la fin du 16e s.

le pays était appauvri, ravagé par la maladie et toutes sortes de misères; les finances étaient en désordre, la littérature, les arts dans un épouvantable état de déchéance.

Henri IV et Richelieu

Ce qui sauva la France, ce ne furent ni la bravoure ni le fanatisme des deux partis en lutte, ce fut l'admirable bon sens du roi Henri IV. Sa conversion au catholicisme fut la manifestation de la profonde vitalité de la nation. Ce sacrifice que s'imposait le grand roi, cette rupture avec tout son passé, c'était le renoncement de l'individu à ses droits personnels, c'était l'abdication de l'individu devant la nécessité de donner la paix à la France. A cette date la volonté individuelle se soumet; le 16e s., si individualiste, se termine en 1593. A cette date commencent à se concentrer les forces destinées à cristalliser la volonté collective du 17e s. Quant aux forces qui ne pouvaient plier, la nation procéda à leur isolement, à l'enkystement, tel un organisme qui se défend contre un corps étranger. Ce fut là le sens de l'édit de Nantes, de 1598.

Le nouveau siècle suit le chemin tracé par Henri IV. Avec Henri IV et Louis XIII, ou plutôt Richelieu, la France, quoique souvent récalcitrante, apprend à surmonter cet individualisme excessif qui lui avait apporté tant de maux. On apprend à cacher ce qui est particulier; on ne laisse plus voir que ce qu'on a en commun avec le voisin. Au 16e s., chacun avait suivi son goût personnel; la nouvelle époque élabore lentement un code pour la vie de société, un code qui prescrit à chacun de se régler sur un modèle commun, unique.

A la mort de Richelieu (fin 1642) et de Louis XIII (1643), l'autorité de l'Etat est tellement affermie que tous les orages qui vont éclater ne peuvent l'ébranler. La Fronde, qui dura quatre ans, fut une dernière insurrection au nom des droits de l'individu. Comme les Frondeurs n'écoutaient que les conseils de leur égoïsme, il leur fut impossible de coordonner leurs efforts. Cela finit par une défaite totale de l'individualisme; sur ses ruines s'éleva le trône du roi le plus absolu que la France ait jamais eu.

Le nouvel esprit

L'activité de Richelieu réalise dans la politique ce que d'autres manifestent par d'autres moyens dans la vie sociale, dans la littérature, dans la philosophie. La marquise de Rambouillet crée un terrain neutre où l'on n'ose plus rappeler ce qui sépare les hommes. La donnée immédiate de la conscience humaine, sur laquelle Descartes fonde sa nouvelle philosophie, c'est la raison, qui est la moins individuelle de nos facultés. Le lyrisme personnel des derniers poètes de la Pléiade fait place à l'expression d'idées générales. Ce n'est plus Ronsard exposant ses tendres sentiments à Cassandre, c'est Malherbe qui fait appel à des considérations générales pour consoler son ami.

Pour la nouvelle société, la raison est la partie la plus haute, la plus humaine de l'homme; c'est par elle qu'à ses yeux on est vraiment homme. De là le désir de laisser dans la pénombre les autres éléments de notre être et de concentrer notre attention sur ce que nous avons en commun avec les autres hommes. La raison prend conscience d'elle-même; elle devient autonome.

LA LANGUE FRANÇAISE A L'EPOQUE PRÉCLASSIQUE

Vues générales

Il va sans dire que l'évolution de la langue doit aussi se ressentir de ce nouvel esprit. En effet, avec le 17e s. l'attitude de la nation envers la langue change. Le 16e s. avait vu le réveil de l'individu. La liberté absolue de l'homme de la Renaissance avait également été demandée pour la langue. Chaque auteur la maniait à sa guise. Les textes littéraires s'étaient remplis de mots vendômois, tourangeaux, d'expressions techniques. Le 17e s. soumet la langue comme tout à une discipline de plus en plus rigoureuse.

Sous un certain rapport, il est vrai, le 17e s. continue l'œuvre du 16e s. Celui-ci avait créé une théorie de la langue; le premier il s'était senti responsable des destins de la langue nationale. Au 17e s. l'âme de la nation reconnaît de plus en plus dans la langue une de ses plus importantes manifestations. De la même façon la littérature du 17e s., tout en s'érigeant en adversaire de celle du 16e s., a hérité de celle-ci le principe de l'imitation; seulement elle y a joint la raison. Au 17e s. l'âme de la nation prend conscience d'elle-même. C'est pourquoi l'éducation de la nation se fait surtout par la langue.

Elle se fait en grande partie au moyen de la grammaire. La mentalité de la France moderne a gardé les principaux contours que cette époque lui a donnés. Le 17e s., qui a cru pouvoir tout plier aux exigences de la raison, a sans doute donné à la logique l'occasion de transformer dans le sens de la raison la langue française. Aujourd'hui encore il est évident qu'elle répond beaucoup plus que toutes les autres aux exigences de la logique pure. Cette influence de la raison ne reste pas limitée à la vie du langage; elle pénètre également dans la pensée française elle-même. Sa clarté est avant tout un résultat de ce long effort.

Les ouvriers de la langue classique – Malherbe, Guez de Balzac, l'Académie, Vaugelas

Pour la langue nationale il s'agissait en premier lieu de renoncer à tout ce qui était ambigu, de réduire le vocabulaire à ce qui était universellement intelligible. Il se trouva un chef pour cette entreprise délicate: Malherbe. Malherbe fut présenté à la cour en 1605 et fut pour ainsi dire chargé de la dégasconner. Ses jugements firent vite autorité.

Le programme de Malherbe est assez simple: il faut abandonner toutes les expressions qui ne peuvent être comprises de tout le monde. Il proscrit les archaïsmes comme les néologismes et les emprunts. Les dialectalismes avant tout il les raye du vocabulaire. Il écarte aussi les termes techniques: *ulcère*, *entamer* sont des termes de médecine, *idéal* est un mot d'école «et qui ne se doit point dire en choses d'amour»; cela suffit pour les bannir du bon usage. D'après lui il fallait aussi se garder des expressions trop populaires. On a souvent répété le mot de Malherbe d'après lequel ses maîtres pour le langage étaient les crocheteurs du port. Il ne faut pas prendre cette boutade trop au pied de la lettre. Ferdinand Brunot a raison de l'interpréter en ce sens que Malherbe n'admettait pas qu'on pût écrire un mot que les crocheteurs n'auraient pas compris. Ici encore sa doctrine est toute négative, restrictive. Aussi l'a-t-on appelé à bon droit 'docteur en négative'. Tout autre aurait craint de tarir les sources de la langue. Mais Malherbe, qui n'avait pas une très grande imagination, n'avait pas besoin d'un vocabulaire très abondant. F. BRUNOT dit de lui: «Il transportait ses métaphores d'un endroit à l'autre comme les six chaises de paille de sa chambre, et ce déplacement suffisait à ses besoins de variété.»

En grammaire Malherbe a combattu l'étonnante liberté du 16e s. Il interdit p. ex. l'omission du pronom. Quand il y a deux tours de sens analogue, il les sépare et les délimite avec une netteté absolue. Ainsi *autrefois* pouvait s'employer dans le sens du passé et dans le sens du futur. Malherbe décide qu'il n'est bon que pour le passé, tandis qu'au futur il faut dire *un jour (il fut autrefois, il sera un jour)*. Ses décisions ont eu surtout pour effet de débarrasser la langue de ses scories.

Malherbe, sans être un génie, a été l'homme dont la France avait besoin à ce moment-là. La nation désirait que quelqu'un lui donnât une norme pour sa langue; elle était toute préparée à recevoir une loi en fait de grammaire. Plus que la personne de Malherbe c'était le génie du peuple français qui se donnait à lui-même les nouvelles règles.

Bien entendu on aurait tort de distinguer dans l'œuvre de Malherbe la langue et la littérature. Pour lui ses observations sur la versification, le style et la langue se fondent en une unité parfaite. Depuis Malherbe et pour tout le 17e s. on accorde une égale importance à la forme et au fond.

Le travail pénétrant de Malherbe se rapporte presque exclusivement à la langue poétique. Au même moment, du fond de sa province, un homme renouvelle la prose française. C'est Guez de Balzac. Balzac, le premier, a su écrire une prose bien ordonnée, claire et abondante. Personne avant lui n'avait su exprimer des pensées un peu compliquées d'une manière simple et naturelle. C'est lui qui, par l'exemple de ses lettres, a montré comment on développe une pensée sans tomber dans la pédanterie, lui qui a enseigné la juste mesure et cette harmonie secrète d'une période bien coordonnée. Avec lui la langue française devient capable d'exprimer des pensées abstraites de façon qu'elles paraissent découler naturellement et sans effort l'une de l'autre. Le style si limpide de Descartes ne serait guère possible sans Balzac. Mais ce n'est pas là son seul mérite. Il a également trouvé le secret de l'harmonie de la phrase française. Il sait quand il faut un repos à l'oreille; chez lui les différents membres d'une phrase s'équilibrent; il donne à ses périodes un rythme et une harmonie qu'on n'avait pas connus jusque-là.

L'œuvre de Malherbe fut continuée par l'Académie et en particulier par Vaugelas. Ce n'est pas pour rien que l'Académie a eu pour fondateur Richelieu. Dès les premières délibérations elle postule la suprématie de la langue française sur ses voisines. Faret dit: «Notre langue, plus parfaite déjà que pas une des autres vivantes, pourroit bien enfin succéder à la latine, comme la latine à la grecque, si l'on prenoit plus de soin ... de l'élocution.» Les moyens qu'on proposa pour atteindre ce but furent le dictionnaire et la grammaire. On connaît la différence entre le dictionnaire de l'Académie et les dictionnaires ordinaires. Ceux-ci enregistrent tout le vocabulaire de la langue; celui de l'Académie veut donner une norme; il comprend le vocabulaire de l'honnête homme. Après bien des difficultés le dictionnaire parut en 1694; la 8e éd. a été publiée de 1931 à 1935. Ce dictionnaire est devenu pour les Français un ouvrage très important, et cela malgré ses nombreuses imperfections[1].

Vaugelas a l'unique prétention d'être un témoin. Il dit: «Il n'y a qu'un maistre des langues, qui en est le roy, c'est l'Usage», et d'après lui nul ne peut acquérir «l'authorité d'establir ce que les autres condamnent, ny d'opposer son opinion particuliere au torrent de l'opinion commune ... C'est un des principes de notre langue que lorsque la cour parle d'une façon et la ville d'une autre, il faut suivre la cour ... L'usage de la cour doit prévaloir sur celuy de l'autre sans y chercher de raison.»

Langue et logique

Tous ces ouvriers de la langue classique ont compris la nécessité

[1] La grammaire de l'Académie a mis 300 ans pour être publiée. Malheureusement on en avait confié la rédaction à des gens dépourvus de compétence. Elle ne fait point autorité. Voir à ce sujet BRUNOT, F., Observations sur la grammaire de l'Académie Française; Paris, E. Droz, 1932.

de l'heure; ils ont su faire sortir de la pénombre de l'instinct une partie des tendances qui sommeillaient dans la nation. Aux autres époques l'évolution s'était faite d'une manière inconsciente, obscure; maintenant on apercevait les tendances générales et on prétendait diriger l'évolution d'après des idées dont il faut chercher l'origine le plus souvent dans les tendances mêmes de l'époque. De là le grand prestige et l'autorité de ces hommes.

Le plus souvent pourtant leurs préceptes ne sont que des constatations. Or, ce qu'il y a de saisissant, c'est de voir que les changements qu'ils constatent et sur lesquels porte leur législation ont les mêmes caractères que les phénomènes dont ils n'ont pas eu conscience. Et toutes ces tendances ne sont qu'un reflet des transformations qu'a subies la nation. Quelques exemples:

La joie débordante de la Renaissance, le désir d'une jouissance sans fin, la belle assurance d'une élite qui se croit destinée à une jeunesse éternelle, tout cela a fait place à un autre idéal, celui du renoncement. On s'étonne de la spontanéité de l'époque précédente; on doute de la valeur des sentiments[1]. L'idéal de l'époque, c'est l'homme qui n'accorde pas à ses sentiments la moindre influence sur la direction de sa vie, sur ses actions. On admire l'homme qui ne suit que son devoir. Le philosophe qui exprime le mieux cette conception de la vie est Descartes. Dans son 'Traité des passions de l'âme' il présente les mouvements d'âme comme quelque chose d'irréel, d'irrationnel, d'imaginaire, comme un obscurcissement de la conscience pure. Ces idées sont celles de toute l'époque; Descartes n'a eu que le mérite de les exprimer avec clarté.

Or, exactement à la même époque, nous voyons se produire un changement dans le mode demandé par les verbes affectifs. Jusqu'au premier tiers du 17e s. le français avait employé de préférence l'indicatif après ces verbes, surtout là où le verbe affectif ne servait qu'à introduire une communication. Mais, vers cette époque, le subjonctif commence à évincer l'indicatif. Il semble un raffinement à la société précieuse, qui pouvait du reste trouver un modèle dans l'usage italien. Ainsi le contenu du sentiment est conçu comme une chose d'une valeur relative, incertaine. Des écrivains qui ont gardé leur spontanéité continuent à se

[1] Voir pour ce chapitre Vossler, p. 286 ss.

servir quelquefois de l'indicatif. Mme de Sévigné dira *Il est ravi que je suis hors d'affaire.* Mais elle est déjà une exception.

Cette victoire de la raison et de la volonté sur la partie instinctive et spontanée de l'homme se manifeste de plusieurs manières encore. On est prêt à sacrifier les nuances affectives pour arriver à l'uniformité et à une construction simple. Au 16e s. et au commencement du 17e s. on se servait du subjonctif après les verbes de la pensée et de la parole quand on voulait atténuer l'affirmation ou quand on voulait marquer qu'elle était fausse: *Il croit que je sois mort.* Mais peu à peu cette distinction qui comporte de nombreuses nuances disparaît et on en arrive à une règle tout à fait logique, mais purement extérieure. A la fin du siècle le subj. de la subordonnée dépend de la présence d'une négation ou d'une interrogation dans la phrase principale. Au siècle suivant, Voltaire blâmera même Corneille d'avoir fait dire au valet de son Menteur 'La plus belle des deux je crois que ce soit l'autre'. Ce subj., qui exprime la valeur relative du jugement et qui dans le vers de Corneille marque la déférence, le respect pour le sentiment du maître, disparaît. On ne distingue plus désormais ces nuances entre la croyance à une chose exacte et la foi ajoutée sans contrôle aux propos d'une autre personne. Elles furent remplacées par une réglementation purement rationnelle.

Le caractère logique du 17e s. se manifeste aussi et surtout dans le choix que fait la langue entre plusieurs formes que le 16e s. avait laissé subsister. Maintenant la langue rejette tout ce qui est superflu; elle ne tolère plus les contours sémantiques estompés. Chaque mot a sa fonction parfaitement limitée, mais là il est seul maître. La langue rend impossibles tous les empiétements, toutes les incertitudes. Ainsi les phrases hypothétiques avaient connu jusqu'au 17e s. une construction unique avec deux sens et deux constructions pour un même sens (voir p. 96). Le 17e s. choisit d'après le principe: une forme, un sens; il réserve la première au présent, la deuxième au passé. Malherbe écrit encore *si je n'eusse empêché leur confiscation, il y a longtemps qu'elle fût donnée*, au lieu de *qu'elle eût été donnée.* Ce qui est intéressant dans cet exemple c'est le mélange des deux formes. C'est l'incertitude de la dernière heure de vie accordée à une forme destinée à disparaître. Par la suite, les phrases hypothétiques perdent ce qu'elles avaient eu d'ambigu jusque-là. Un autre exemple de la rationalisation de la langue dans ce siècle nous est offert par la transformation que l'on peut observer dans la syntaxe de l'adjectif. L'ancien français avait mis de préférence l'adj. devant le subst., présentant ainsi la qualité comme inhérente à la personne ou à l'objet en question (84% de tous les cas au XIIIe s.). Cette proportion, qui se maintient encore assez bien au XVIe s. (75%), tombe tout à coup à 50% au XVIIe, pour descendre encore dans les siècles suivants. Ainsi le français a fini par donner une certaine indépendance à l'adjectif à valeur distinctive, en le mettant après le substantif.

Partout les possibilités de confusion disparaissent, on supprime les doublets sémantiques, les constructions libres. On tire les dernières conséquences des transformations que la langue avait subies depuis le moyen âge. Rotrou, un des derniers, écrit encore *j'ai sa belle main pressée;* ce tour pittoresque est en train de disparaître: dorénavant le régime aura sa place invariablement après le verbe. – Au 16e s. les démonstratifs et les déterminatifs ne sont pas encore distingués nettement. On dit aussi souvent *ceux sont* que *ceux-ci* ou *ceux-là sont; celle-là qui* que *celle qui.* Les grammairiens commencent à préférer la deuxième de ces formes, mais il est réservé au 17e s. de séparer les deux séries. On dira donc dorénavant *celui* devant le pron. rel., mais *celui-ci* quand la phrase ne renferme pas d'autre précision. F. Brunot dit avec raison qu'ici le simple instinct de la langue a mieux réglé la chose que n'eût pu le faire l'esprit le plus logique. En effet cet exemple montre bien que la raison était devenue presque un instinct dans l'âme du peuple français.

Le secret du succès d'un poète comme Corneille réside là, en partie. Les auditeurs de ses tragédies trouvaient belle la structure logique de ses phrases, les *donc* et les *mais* qu'il mettait jusque dans la bouche de Chimène; ils applaudissaient volontiers aux tirades des héros dont les conclusions prenaient si souvent la forme d'une maxime générale.

Ainsi la langue raffermit peu à peu les contours trop vagues de ses moyens d'expression. Elle s'adapte merveilleusement au contenu de la nouvelle civilisation, qui donne la première place à la raison et à la fermeté. Les sentiers sinueux d'un esprit parfois quelque peu embrouillé font place aux larges avenues taillées par une pensée conduite avec une logique impeccable. Le résultat est une simplification très sensible de la langue. Un pareil développement ne peut pas partir des classes inférieures du peuple. Celui-ci n'a pas l'habitude de l'effort intellectuel. A une époque comme celle du 17e s. les forces directrices de la nation se concentrent dans les cercles des 'honnêtes gens'. La vulgarité bruyante du 16e s. fait place à une vie de société plus distinguée, plus raffinée. Et la langue s'aristocratise avec la société.

Un retardataire

Il faut pourtant se garder de croire que cette transformation se soit faite en peu de temps. Il est certain que la bonne société va s'adoucissant, se raffinant, se polissant. Il semble que la langue évolue plus lentement que la société, c'est-à-dire qu'elle reste en arrière des transformations de la société. Le 16e s. projette son ombre bien avant sur la langue du 17e s. La variété de son vocabulaire ne fait pas si vite place à l'uniformité et à la précision du vocabulaire classique. En lisant des textes qui ont été écrits sans aucune intention littéraire on s'aperçoit de l'effort vers l'ordre rationnel et clair, on voit l'élément raisonnable déposséder peu à peu l'élément sensible dans la conception. Mais on sent encore trop l'effort de la volonté. L'aisance, la facilité ne viendront que plus tard, tout comme la théorie littéraire n'a ajouté qu'avec Boileau au bagage du classicisme le principe du goût.

Du point de vue de la langue la correspondance de Richelieu[1] est encore tout à fait du 16e s. par le grand nombre des synonymes (au lieu de 'par rapport à' il dit: *pour le regard de*, *au regard de*, *au respect de*, *à l'égard de*, *en considération de;* pour 'faire savoir': *faire savoir*, *faire entendre*, *faire connaître*, *coter*, *mander*, *donner avis*, *donner connaissance*, *faire adresse*, *donner part*, *faire part*), par les hésitations de sa syntaxe (p. ex. l'emploi de l'article: il écrit dans la même année *pour sûreté du traité* et *pour la sûreté du traité*, *j'ai pris résolution de faire* et *j'ai pris la résolution de; chaque* ou *chacun* employé comme adj.).

[1] Voir pour ce sujet Haschke, F., Die Sprache Richelieus nach seinem Briefwechsel; Leipzig, Selbstverlag des Romanischen Seminars (Paris, E. Droz), 1934.

Par sa politique, Richelieu est à la tête du mouvement qui porte la royauté dans le sens de l'absolutisme et la nation dans le sens de l'unité. Mais sa langue est encore loin de la précision, de la netteté classiques.

Le lexique

Il se fait donc au 17e s. un grand travail de simplification et d'épuration de la langue. Pour un Rabelais il n'y avait pas eu de mots bas ni déshonnêtes. Maintenant on proscrit les mots trop réalistes, ceux qui éveillent trop directement des images désagréables, ainsi *panse*, *charogne*, *cadavre*, *vomir*. Certains mots deviennent impossibles parce qu'ils se rencontrent souvent associés d'une manière compromettante. C'est ainsi que l'on n'ose plus prononcer le mot de *face*, parce qu'un mauvais plaisant avait eu un jour l'idée d'appeler telle partie du corps *la face du grand Turc*. Ou bien le mot de *poitrine* ne semble plus assez digne pour comparaître dans les textes, parce qu'on dit aussi *poitrine de veau;* on remplace donc le mot par *estomac*. On exclut surtout aussi les mots de métier. Le style de Rabelais, celui de la Pléiade doivent leur vigueur en grande partie à ce qu'ils peignent la nature avec les mots vrais et précis. Ronsard et les autres poètes de la Pléiade sentaient fort bien l'action vivifiante du langage des artisans. Ces gens avaient beaucoup vécu à la campagne. Le 17e s. se passe de ces termes précis; il leur préfère les termes généraux (là où Ronsard avait spécifié entre *pépier*, *mugler*, *craqueter*, *fringoter*, etc. on dit uniformément *crier*).

On bannit surtout de la langue les mots vieillis ou plutôt ceux qui donnent une impression de vieillesse. F. Brunot a pu dresser une liste de mots condamnés par les théoriciens comme archaïsmes; il en a compté plusieurs centaines. Il est vrai que beaucoup de ces mots continuent néanmoins à vivre: *angoisse*, *ardu*, *bénin*, *condoléance*, *immense* et tant d'autres ne se sont pas laissé bannir de la langue. Mais la langue perd tout de même mainte jolie expression, comme *cuider* (qui n'est pas synonyme de *penser;* il correspond à l'all. *meinen*), *guerdon*, *ost*.

Si les puristes n'admettent pas les mots vieux, c'est parce qu'ils ne veulent conserver que ceux dont l'usage est uniformément répandu. C'est la raison pour laquelle ils interdisent aussi les mots nouveaux. On ne se servira d'un néologisme que quand il sera bien connu de tout le monde. Il doit donc faire d'abord un long stage dans la langue de la conversation. Cela implique naturellement une défense stricte de fabriquer des mots. Cette défense, bien entendu, n'est valable que pour les auteurs littéraires et pour les grands genres. Sous ce rapport le 17e s. est aux antipodes de Rabelais. Le 17e s. renonce à la création de mots nouveaux, ce qui, à d'autres époques, est un des moyens essentiels de manifester son individualité. Produire un mot insolite était une hardiesse intolérable.

Quand un auteur se permet néanmoins un néologisme, il se détache beaucoup plus du fonds commun qu'à une autre époque. Pascal p. ex., à la fin de la période préclassique, sait qu'il faut suivre l'usage. S'il se sert d'un mot inusité, l'effet en sera bien plus grand. Ainsi il forge l'expression *demi-pécheur*. Il dit: 'Point de ces pécheurs à demi qui ont quelque amour pour la vertu; ils seront tous damnés, ces demi-pécheurs.' Mais il prépare le lecteur à cette nouveauté par l'expression régulière et permise: 'pécheurs à demi', qu'il prend encore la peine d'expliquer par la phrase relative. C'est seulement après ces précautions qu'il se permet de présenter le mot nouveau. Placé au bout de la phrase le mot produit tout son effet.

Le travail le plus fécond du 17e s. porte sans doute sur la détermination exacte du sens des mots. Une génération qui restreignait à l'extrême les formations individuelles, qui interdisait aux forces créatrices de l'homme de s'épancher librement, devait demander à la langue de donner toutes les nuances et les précisions qu'elle était capable de rendre. Le 16e s. ne s'était guère soucié de la précision des expressions. Ainsi Desportes dit *contraire* (adj.) quand il veut exprimer la notion de *différent*, il dit *simple* là où il faudrait *unique*, *continu* (au travail) pour *assidu*, etc. Malherbe l'en reprend, et après Malherbe on poursuit ce travail de délimitation. Si deux mots ont le même sens, on reconnaît à l'un des deux plus de force qu'à l'autre. Ainsi *souillé* n'est pas synonyme de *taché;* il est plus fort. Ou bien on précise la différence de degré qu'il y a entre *sommeiller* et *dormir*. Là où la nuance n'est plus sensible, on se décide pour l'une des deux expressions. Ainsi nous avons vu quelle était la richesse du 16e s.

en conjonctions causales. Le XVIIe s. réduit leur nombre à trois: *parce que*, *puisque*, *car*, et les fonctions de ces trois conj. se distinguent nettement. On avait même voulu aller plus loin et supprimer *car*, ce qui avait donné lieu à une querelle fameuse. Cette querelle montre avec quel sérieux on discutait alors ces petits problèmes, qu'à d'autres époques on eût abandonnés au hasard. Vaugelas raconte qu'un courtisan avait commencé une phrase par *la raison en est car*, et qu'il n'avait su comment continuer. Et cette petite phrase incomplète était devenue une raillerie proverbiale. On disait donc, pour se moquer d'un mauvais raisonneur: *la raison en est car*. C'est pourquoi Malherbe en voulait au mot *car*. Il le proscrivit en des termes décisifs. Voiture se mêla à la discussion dans une de ses spirituelles lettres à Mme de Rambouillet. Il prit la défense de *car* et l'emporta sur le grammairien. *Car* est resté, avant tout parce qu'il était indispensable: c'est la seule conj. causale de coordination que possède le français.

Voici un autre exemple. Au commencement du XVIIe s. on se servait encore indifféremment de *avant que*, *devant que*, *auparavant que* comme conj. temporelles (p. ex. Richelieu). Mais voici ce que rapporte Vaugelas: *auparavant que* n'est pas du bel usage, *devant que* est très usuel, mais *avant que* est plus de la Cour. Cela fait déjà prévoir la disparition de *auparavant que* d'abord, de *devant que* ensuite. C'est en effet ce qui est arrivé au cours du XVIIe siècle.

Le XVIIe s. a une tendance très prononcée à restreindre le nombre des mots et des formes employés pour désigner une notion. Ainsi au XVIe s. on dit tantôt *déconnaître*, tantôt *méconnaître;* on a le choix entre *dépriser* et *mépriser*. Le XVIIe s. élimine les verbes formés avec *dé-* et se décide pour ceux formés avec *mé-*. Au XVIe s. on *cueille* ou on *recueille* le blé, indifféremment; le XVIIe s. laisse tomber ce sens pour *cueillir* (le XVIIIe s., il est vrai, formera un nouveau verbe, *récolter*, continuant à élaguer ainsi la sémantique si complexe de *recueillir*). Le XVIe s. disait côte à côte *vieillir* et *envieillir*. Il possédait de nombreux mots composés dont le premier élément insistait sur la situation, sur l'aspect sous lequel se présentait une action, une personne; ainsi *encharger qn de qch*, *empoudrer*, *enfleurir* «orner de fleurs», *emparfumer*, *délaisser un propos*, *s'entre-battre*, *corrival*. Au XVIIe s. naît le sentiment que tous ces préfixes sont superflus et que la situation dans laquelle on parle suffit pour éclaircir le sens. On *charge* maintenant quelqu'un de faire quelque chose, et la situation fera comprendre qu'il ne s'agit pas d'une charge matérielle. De même pour les autres mots cités, jusqu'au *rival*. En ceci le français du XVIIe s. se détache aussi des autres langues romanes, qui conservent it. *invecchiare*, esp. *envejecer*, it. *incaricare*, esp. *encargar*, continuant ainsi à insister sur l'aspect que présentent ces actions.

Le XVIIe s. brise aussi résolument avec l'habitude d'accumuler des synonymes pour rendre plus expressive la phrase. Des phrases comme: *Aussi le fait elle avec plus de pois et plus de gravité que ne le font les inventions et compositions poétiques* ou *fut arse et bruslée* qui sont nombreuses dans la traduction qu'Amyot a donnée des Vies parallèles de Plutarque, seraient parfaitement impossibles dès les premiers classiques.

La préciosité et le burlesque

Toutefois le mouvement puriste n'est pas sans avoir trouvé ses adversaires. Il est pris entre deux tendances, deux modes, entre lesquelles il semble tenir le juste milieu. Ce sont la préciosité et le burlesque. La préciosité existe un peu de tout temps, c'est le langage recherché de ceux qui désirent étonner le public par le raffinement de leurs images. Seulement au lieu de *précieux* on disait *affetés* au 16e s. On dira *gens selects* au 20e s., quand l'anglicisme sera à la mode, quand on remplacera *élégant* par *smart*. Mais au fond la chose reste la même. C'est toujours une tendance du jour, normale en elle-même, mais que certains individus portent à l'excès pour se faire remarquer. Seulement les précieuses ont eu le malheur de rencontrer un Molière, qui les a livrées au rire des contemporains et de la postérité. Le burlesque est une réaction de l'esprit gaulois contre les grands genres et les sentiments nobles. La proscription prononcée par la critique officielle suffit donc pour lui rendre cher un mot. On sait combien Scarron a rempli ses vers de mots vieillis et bas. C'est surtout la juxtaposition de mots tirés de sphères différentes, d'un mot réaliste et d'un mot noble, qui produit cet effet comique (ex. *Enéas chamailla comme un forcené*). Mais la mode du burlesque n'a pas duré longtemps, car, comme a dit Guez de Balzac, 'le Carnaval ne doit pas durer toute l'année'.

Un représentant de la nouvelle langue: Pascal

A la fin de la période préclassique la France a vu surgir un auteur dont le génie accepte tous les résultats de ce long travail, sans se sentir gêné dans l'expression de son monde intérieur. C'est Pascal[1]. Dans les Lettres Provinciales nous avons la prose parlée d'un homme du monde, qui cause sur un mode plus ou moins grave. Ces lettres doivent donc être caractéristiques des moyens d'expression dont la langue disposait à cette date. Quand on pense au style dans lequel se serait passée une discussion du genre de celle des Provinciales 50 ans plus tôt, on ne peut s'empêcher d'admirer les résultats de ce travail linguistique collectif. Vers 1600 un pareil livre aurait été plein des termes les plus crus; il serait parfois descendu jusqu'à l'injure. Maintenant la langue des honnêtes gens a oublié le vocabulaire trivial. L'indignation de Pascal ne s'exprime pas dans des expressions fortes. Tout est mesuré, la passion contenue. La structure de la phrase paraît tout à fait logique, géométrique. «Les rapports d'idées sont mis en équations rigoureuses» (Lanson). Mais les forces qu'on ne dépense plus maintenant dans une explosion directe de l'instinct se manifestent d'autre manière: elles vivent dans les mouvements et dans les accents de la phrase, elles se sont transfigurées en musique. A bon droit G. Lanson a attiré notre attention sur les effets de la ponctuation de Pascal; il a montré que dans cette ponctuation l'inflexion de la voix épouse les intervalles logiques. Ainsi la raison ne fait qu'offrir une armature bien construite dans laquelle la passion – ici la passion religieuse – ne se trouve guère gênée. Plus encore que pour les Lettres Provinciales cela vaut pour les Pensées, qui ressemblent si souvent au cri d'angoisse d'un être torturé, mais dont l'expression ne sort pas du cadre de la langue de l'époque.

[1] Voir sur son style Lanson, G., L'art de la prose, p. 71–85.

LA LANGUE FRANÇAISE À L'ÉPOQUE CLASSIQUE

Le gouvernement de Mazarin, époque de transition

La débâcle de la Fronde avait été suivie d'une longue série d'années calmes, pendant lesquelles la France avait pu reprendre ses forces. Elle s'abandonnait sans aucune velléité de résistance au Cardinal tout-puissant. C'est la période pendant laquelle s'accomplit l'organisation du gouvernement absolu. Richelieu n'avait jamais connu le repos, parce que l'opposition ne s'était jamais éteinte tout à fait. Après l'épreuve de la Fronde Mazarin ne trouva plus d'adversaire devant lui. Le jeune roi lui laissait les rênes du gouvernement et attendait que la mort les ôtât au cardinal. Lorsque celui-ci disparut, il laissa à Louis XIV un royaume affermi, un gouvernement fort et bien organisé, des sujets dévoués. Ce printemps de 1661 est donc la date du véritable avènement du jeune monarque, qui devait conduire son pays à une hauteur, à une puissance qu'il n'avait jamais connues.

Presque au même moment finit la période préclassique, pour la littérature aussi bien que pour la langue. Les années qui vont de la Fronde à la mort de Mazarin sont une des époques les plus stériles de la littérature française. L'élan de la génération de Corneille est brisé, la foi en l'idéal qu'on avait forgé est morte. Entre 1650 et 1660 il ne reste plus guère que la caricature de cet idéal en la personne de Mlle de Scudéry, et celui qui l'accable de ses moqueries, Scarron. C'est une époque de transition aux couleurs incertaines. Vers 1660 la nouvelle conscience a fini de se former.

Moyens d'affinement de la langue

C'est vers cette époque que Molière rentre à Paris et que Racine fait jouer ses premières tragédies. Le travail assidu d'une génération entière, les discussions de salons et de ruelles avaient affiné le sentiment de la langue dans les couches supérieures de la nation. Une discussion de langue prenait, aux yeux des honnêtes gens, une importance énorme. Jamais le côté sociable de la langue n'avait été si fortement senti, jamais on ne s'était rendu compte comme à cette date qu'elle est un bien commun à tous, que c'est par elle que se touchent les âmes. Tout ce travail avait allégé la langue de beaucoup de constructions et d'expressions superflues ou amphibologiques; il l'avait aussi appauvrie plus qu'il n'était nécessaire. Mais elle avait atteint ainsi la simplicité, l'élégance, la facilité à se mouvoir que nous admirons encore.

Dans l'histoire de la langue, l'année 1660 est une date importante, parce qu'elle a vu paraître la Grammaire générale et raisonnée d'Arnauld et Lancelot, appelée communément Grammaire de Port-Royal. Remarquons ces deux termes: générale et raisonnée. Les auteurs de ce livre voulaient chercher, derrière les formes de la langue, la raison universelle. Ils ont fait pour la langue ce que Bossuet a fait plus tard pour l'histoire dans son Discours sur l'Histoire universelle. Ils croyaient trouver un accord parfait entre la langue et la raison, ou au moins pensaient-ils que celle-là devait se régler de plus en plus sur celle-ci. Dans la 1re moitié du siècle on avait consulté l'usage en cas de doute; maintenant on ne voulait plus reconnaître en l'usage le juge souverain. Il arrive en effet assez souvent que les grammairiens et les théoriciens ne s'inclinent plus devant l'usage, mais qu'ils osent décider contre lui. C'est ainsi que Bossuet dit, en s'adressant à l'Académie: 'Vous êtes un conseil réglé et perpétuel dont le crédit, établi sur l'approbation publique, peut réprimer les bizarreries de l'usage et tempérer les déréglements de cet empire très populaire.' Tout le monde se soumet à cette autorité, même les grands auteurs. Racine écrit au P. Bouhours, qui passe pour une des premières autorités en matière de langue: 'Je vous envoie les quatre premiers actes de ma tragédie et je vous envoierai le 5e, dès que je l'aurai transcrit. Je vous supplie, mon Révérend Père, de prendre la peine de les lire, et de marquer les fautes que je puis avoir faites contre la langue, dont vous êtes un de nos plus excellents maîtres.'

Nous avons vu la société se raffiner, s'aristocratiser dans la 1re moitié du 17e s. Cette tendance s'affermit de plus en plus après 1660. Une étiquette très minutieuse assigne à chaque courtisan sa place auprès du roi. De même, chaque corps, chaque individu prétend à des égards auxquels il croit avoir droit. Toute cérémonie est l'occasion de conflits de préséance. La société tend à tout soumettre à un ordre rigoureux et strict. La forme passe avant tout, et il y a mille formes différentes adaptées chacune au rang social qu'occupe l'individu. Chaque rang donnait droit à un titre, à une certaine appellation. Dans les cérémonies religieuses les membres de l'Université étaient appelés 'Scientifiques personnes', les autres 'nobles et dévotes personnes'. Les mémoires, les relations, les correspondances sont pleins de ces querelles de titres. Peu d'époques ont eu à ce degré la préoccupation d'un ordre social bien établi. La langue en porte les traces dans les formes de politesse dont on use dans la conversation et dans la correspondance. Les ministères, les chancelleries avaient des formulaires dont le texte avait été établi avec une minutie extrême. Le roi en avait un pour son usage personnel, même pour ses relations avec ses plus proches parents. La reine en avait un autre, de même les princes du sang, etc. Quand on écrit une lettre à un inférieur, on commence par *Monsieur*, mais on continue tout de suite sur la même ligne. L'honneur que l'on veut faire au correspondant se mesure par le nombre des mots que l'on écrit sur cette première ligne, mais en sens inverse. Moins on y écrit de mots, plus on manifeste de considération pour le correspondant. Quand on parle d'une action accomplie en compagnie d'un supérieur, il est malséant de dire *nous avons gagné;* il faut s'oublier et attribuer l'honneur entier à ce supérieur seul: on dira *vous avez gagné*, *M.* Le formalisme de la correspondance nous fait comprendre la vogue qu'eut à cette époque le billet. C'était une invention récente qui permettait d'éviter les grandes formules. On ne les signait pas ou seulement par un 'je suis tout à vous', et on réservait les lettres pour les grandes occasions.

Appauvrissement du vocabulaire de la langue littéraire

Après 1660 on n'avait qu'à continuer l'œuvre commencée par Vaugelas et d'autres. La langue littéraire se fait plus exclusive encore que par le passé. On devient de plus en plus sévère pour les mots un peu crus et évoquant directement des images jugées indécentes. Tout le monde se rappelle le beau projet des Femmes Savantes de fonder une académie dans le but de retrancher 'ces syllabes sales, Qui dans les plus beaux mots, produisent des scandales'. Gardons-nous de penser que Molière ait exagéré. Les textes nous ont conservé de nombreux témoignages de cette phobie. On fut bien embarrassé quand on voulut traduire l'Ancien Testament, qui, comme on sait, ne se gêne pas pour appeler tous les objets par leur nom. Le Père Bouhours va jusqu'à rayer la belle expression de *engendrer:* il ne dit pas 'Jacob engendra Joseph', mais 'Jacob fut père de Joseph'. Même horreur des mots réalistes. On reculait devant des mots comme *âne*, *vache*, *veau*, *cochon;* on trouvait qu'ils sentaient trop l'étable et le fumier, tandis qu'on trouvait très beaux les mots grecs correspondants dans Homère. Certains puristes prétendent même que 'les plus belles expressions deviennent basses, lorsqu'elles sont profanées par l'usage de la populace'. Il y avait des différences sensibles dans le vocabulaire, différences qui correspondaient aux degrés de la hiérarchie sociale: courtisans, haute bourgeoisie, petite bourgeoisie, peuple, populace. La grande masse des mots était naturellement commune à tous; mais chacune de ces classes se distinguait des autres par un certain nombre de termes particuliers. Le vocabulaire de l'époque classique n'était guère moins riche que celui du 16e s. ou du romantisme. Mais on n'en admettait qu'un choix très limité dans la conversation des classes supérieures, qui comptaient seules, et la littérature acceptait en principe la tyrannie de ces cercles. Le reste du vocabulaire n'affleurait que dans les écrits satiriques, souvent même orduriers, qui avaient cours dans la rue. Un auteur toutefois légitime l'emploi des termes vulgaires, là où ils sont de mise. C'est Molière. Ce qui caractérise sa langue, c'est que les personnages de ses comédies parlent comme parlaient dans la réalité les modèles originaux. Il écoute, il observe avec une acuité merveilleuse et il sait faire revivre sur la scène ce qu'il a vu et entendu dans la société. Un des principaux charmes de ses comédies consiste justement dans la diversité du style. Il fait parler Martine comme il a entendu parler les servantes, Diafoirus comme ses médecins à lui, etc. Au point de vue du vocabulaire Molière n'est pas du tout créateur. Il est surtout un témoin.

La proscription ne frappait pas seulement les mots trop populaires, mais aussi les façons de parler. Le peuple a déposé une grande partie de ses idées, de ses jugements, dans les proverbes. Un proverbe est un moule tout préparé pour y jeter l'essentiel des expériences que la vie nous fait faire. On s'attendrait peut-être à une grande vogue des proverbes dans un siècle qui aime avant tout les idées générales, qui veut cacher ce qu'il y a d'individuel. On aurait tort de le croire. C'est que les proverbes sont nés au sein du peuple même, et leur forme s'en ressent. Le courtisan du 17e s. peut bien se reconnaître lui-même dans les sentences prononcées par Don Rodrigue, mais en faisant siennes certaines vérités exprimées sous la forme roturière et vulgaire de la langue commune, il aurait cru déroger. On méprise donc les proverbes, on en interdit l'usage dans les textes littéraires. Furetière même reproche à l'Académie d'en avoir admis trop dans son dictionnaire.

La langue littéraire, la langue des salons exclut aussi les termes en usage dans les différentes professions. On se rappelle que Philaminte est blessée du 'style sauvage' du notaire, qu'elle lui demande de 'faire un contrat en beau langage'. Elle est ridicule parce qu'elle veut bannir la terminologie juridique. Mais elle n'est ridicule que par son exagération. Tant qu'elle n'avait travaillé qu'à faire disparaître ces expressions de la langue de la conversation, elle avait pu être sûre de l'appui et des applaudissements de tous. Il est expressément interdit de se servir des mots de la chicane. Cela sentait trop la sphère particulière d'une classe, d'une profession dont les autres avaient le droit d'ignorer les secrets, et pourtant il s'agit d'une des professions les plus considérées. Ce cas est typique: tous les termes techniques étaient exclus de la langue de la conversation, partant de la littérature.

On en arriva à parler deux langues assez différentes: un membre du parlement parlait en jurisconsulte dans les séances de son corps, mais dès qu'il franchissait le seuil d'un salon il laissait derrière lui tout ce qui rappelait ses fonctions. Il avait deux vocabulaires dont l'un était destiné à sa profession, l'autre à la vie de société.

C'est du reste le sort de toutes les langues de métier, quelque noble que puisse être celui-ci. Ainsi le mot de 'paysagiste' avait été condamné par l'Académie comme appartenant au 'jargon' des peintres. On a horreur des mots de la science; un savant est encore presque un étranger dans la bonne société. Les courtisans se reconnaissent le droit de l'ignorer, et d'ignorer ses découvertes. Ce n'est que vers la fin du siècle que la science commence à être connue un peu mieux, en partie grâce à Fontenelle. Cette attitude des salons en face des arts et des sciences se reflète encore dans le Dictionnaire de l'Académie, qui exclut les termes spéciaux propres à ces domaines de l'activité humaine. Mais elle paraît avoir senti l'étroitesse d'une pareille omission, car elle chargea un de ses membres, Thomas Corneille, de composer un Dictionnaire des Arts et des Sciences. C'est la meilleure illustration de l'état des choses: l'Académie fait paraître deux dictionnaires, l'un destiné à la langue des salons et de la littérature, l'autre aux arts et métiers.

Progrès accomplis

Ainsi le 17e s., en isolant le vocabulaire de l'honnête homme, a établi avec une précision rare le sens des mots, surtout du vocabulaire psychologique. Dans ce domaine restreint du monde moral il a su faire ressortir des mots toute la netteté sémantique qu'on pouvait désirer. Jamais on n'avait vu une pareille accommodation du mot à l'idée. C'est ce qui permet à La Bruyère d'énoncer sa fameuse théorie: 'Entre toutes les différentes expressions qui peuvent rendre une seule de nos pensées, il n'y en a qu'une qui soit la bonne. On ne la rencontre pas toujours en parlant ou en écrivant, il est vrai néanmoins qu'elle existe, que tout ce qui ne l'est point est faible et ne satisfait point un homme d'esprit qui veut se faire entendre.'

Les qualités de la clarté, de la précision et de l'élégance donnaient au français en Europe une position qu'aucune langue vivante depuis le moyen âge n'avait connue. On sait combien, au commencement du siècle déjà, les Allemands cultivés étaient épris de l'Astrée d'Honoré d'Urfé. Les admirateurs de d'Urfé fondèrent même l'Académie des parfaits Amants. Peu à peu le français s'infiltra partout, par l'armée, par le théâtre, par les cours, par la diplomatie. Et c'est à la fin du règne de Louis XIV, en 1714, à Rastatt, que pour la première fois les négociations de paix se firent exclusivement en français.

Unification de la prononciation

Le 17e s. n'a pas pris soin uniquement du vocabulaire. Il a recherché également la prononciation correcte et nette. Il a proclamé la nécessité d'une prononciation partout régularisée

Aujourd'hui la prononciation est unifiée en français, et il est dangereux de ne pas se conformer à la norme. On risque de passer aussitôt pour un homme de culture inférieure, tandis qu'en Italie et dans les pays de langue allemande, des nuances régionales sont tolérées. Ce résultat est encore l'œuvre du 17e s. Un fait important est que les cercles qui décidaient des questions de langue se composaient pour la plupart de gens du monde, c'est-à-dire de gens qui n'écrivaient guère. La prononciation devait donc jouer un rôle primordial. On élabora lentement un code, qui avait naturellement pour base la prononciation de Paris, mais dont les vulgarismes, les négligences du bas peuple étaient sévèrement bannis. Au fond c'est la doctrine qui est en vigueur encore aujourd'hui. On fixa la prononciation là où elle était encore incertaine, comme pour les voyelles *o*, *ou* en syllabe protonique (*proufit – profit*, *couronne*, *colonne*, *fromage*, etc.). A partir du 17e s. les changements phonétiques du français parlé se font bien plus rares que par le passé. La langue a atteint un degré de stabilité phonétique remarquable.

Voici pourtant quelques-uns des changements phonétiques que le 17e s. a acceptés et qui, en partie, avaient commencé déjà au 16e s. Le 17e s. dénasalise les voyelles nasales devant une consonne nasale: *homme (õm > om);* à la protonique ces nasales se maintiennent encore pendant quelque temps (*année*, cf. *grammaire* = *grãmèr* dans les Femmes Savantes). C'est vers cette époque aussi que *-ll-* commence à devenir *y* dans la petite bourgeoisie parisienne *(fille)*, mais il faudra presque deux siècles pour faire admettre cette prononciation.

La fin du siècle

La fin du siècle a vu deux auteurs qui, tout en se servant des moyens offerts par la langue classique, ouvrent de nouvelles voies et préparent le siècle philosophique. Ce sont La Bruyère et Fénelon. La Bruyère a la netteté de la langue classique. Sa phrase est courte et alerte; elle n'a rien de l'ampleur de celle de Bossuet. Par sa provenance, par ses goûts, par les fâcheuses expériences de sa vie, il a perdu la foi en l'excellence de la société dans laquelle il est forcé de vivre. Et par son style aussi il annonce une nouvelle époque: il n'a pas peur de se servir de termes forts pour peindre ses personnages *(il crache fort loin et il éternue fort haut; le jus et les sauces lui dégouttent du menton et de la barbe).* Il affectionne les termes précis, voire même les termes de métiers. Il introduit le rythme inégal. Pour toutes ces raisons La Bruyère est déjà du 18e s. La prose de Fénelon a quelque chose de beaucoup plus mou que celle des autres prosateurs du 17e s. G. Lanson a montré par une analyse minutieuse que son rythme est moins net et moins ample que celui de Bossuet. Fénelon semble regretter les couleurs perdues par la langue, la liberté d'autrefois. Il dit lui-même dans sa lettre à l'Académie:

'On a appauvri, desséché, et gêné notre langue. Elle n'ose jamais procéder que suivant la méthode la plus scrupuleuse et la plus uniforme de la grammaire. On voit toujours venir d'abord un nominatif, qui mène son adjectif comme par la main; son verbe ne manque pas de marcher derrière, suivi d'un adverbe qui ne souffre rien entre deux, et le régime appelle aussitôt un accusatif qui ne peut jamais se déplacer. C'est ce qui exclut toute suspension de l'esprit, toute attention, toute surprise, toute variété, et souvent toute magnifique cadence.'

2. LE 18e SIÈCLE

VUE GÉNÉRALE

Prestige diminuant de la cour et de l'Eglise

La critique que nous avons rencontrée sous la plume de Fénelon annonce déjà un siècle nouveau qui est si souvent à l'opposé du grand siècle. On sait comment le règne de Louis XIV s'est achevé dans la ruine et dans la misère. Les dernières guerres du grand roi avaient demandé d'immenses sacrifices au pays sans lui apporter de profits d'aucune sorte. Le roi ne paraissait plus avoir d'autre souci que d'imposer au pays de nouvelles contributions, d'exploiter jusqu'au bout ses pauvres sujets. La dévotion du couple royal pesait lourdement sur le pays. Il s'était détourné du théâtre, de la littérature, et la cour cessa ainsi peu à peu d'être le centre de la vie intellectuelle de la nation. La monarchie n'est pas la seule institution dont le prestige aille en diminuant. L'Eglise connaît le même sort. Les disputes acharnées des théologiens avaient fait voir leurs rancunes cachées; les cruelles poursuites que l'Eglise avait fait subir aux huguenots et aux jansénistes l'avaient desservie dans l'opinion publique. Jésuites et jansénistes se disputaient les âmes de leurs partisans à coups d'arguments et de déductions rationnelles. C'était comme une invitation à la raison laïque à s'occuper des dogmes.

En grandissant pendant le 17e s. la raison ne s'était pas encore appliquée à examiner en détail la légitimité de ces deux pouvoirs: la monarchie absolue et la religion chrétienne. Maintenant elle cessait de les respecter aveuglément; la critique commençait à s'en saisir. A la fin de sa vie Louis XIV était haï, mais toujours craint. Après sa mort la décadence de la royauté et de l'Eglise commence. Aucun des successeurs de Louis XIV n'a l'envergure qu'il faudrait pour redevenir le centre vivant de la nation. Une débauche souvent crapuleuse règne à la cour du Régent comme à celle de Louis XV, et Louis XVI sera trop faible et trop peu clairvoyant pour relever la monarchie.

La raison souveraine

Le 18e s. continue donc le 17e s., dont il hérite le culte de la raison; il admire aussi les chefs-d'œuvre littéraires que celui-ci lui a légués. Mais il se distingue du 17e s. en ce sens qu'il délivre la raison de toute contrainte et qu'il abat les deux idoles auxquelles le 17e s. n'avait pas touché. Dorénavant la vie de la nation n'aura plus de centre reconnu par tous. La cour ne prend plus part au mouvement de la vie littéraire et scientifique. Elle n'attire plus les poètes et les savants. Sous ce rapport, l'attitude de la monarchie du 18e s. ressemble à celle des rois capétiens du 12e s., qui, eux aussi, étaient restés tout à fait étrangers à la merveilleuse activité littéraire des Chrétien, des Marie de France, des Jean Bodel.

Le 18e s. écarte donc les barrières qui jusque-là avaient limité l'activité de la raison. Si le 17e s. s'est servi de la raison surtout pour étudier l'homme lui-même, le 18e s. fait de la raison la faculté maîtresse qui n'admet plus aucune contrainte, qui est absolument souveraine. Il en résulte une véritable révolution, dans la littérature aussi bien que dans la société, dans les mœurs.

On s'intéresse maintenant aux questions politiques, aux débats religieux, aux recherches historiques, à l'organisation de tous les travaux, à leur place dans l'ensemble de la vie humaine. On s'enivre des immenses progrès que font les sciences. Les questions économiques sont à l'ordre du jour. La folie des spéculations déchaînée sous la Régence par Law s'était apaisée un peu après les grandes déceptions, mais le commerce, l'industrie, les entreprises coloniales continuaient à hanter tous les cerveaux. Si l'on pouvait définir par un adjectif l'ensemble des objets auxquels s'était appliquée la raison et auxquels elle s'appliquait maintenant, on pourrait dire que de psychologique elle était devenue universelle. F. Brunot n'a pas tort de réclamer le beau nom de Renaissance pour le 18e s., au moins en ce qui concerne la France. Le 18e s. a ramené les Français à la nature et à la vie; il leur a rendu la confiance dans les forces humaines. Il a détrôné la cour, et il a substitué à ses vaines ambitions l'amour des recherches dans tous les domaines de la vie. Le vieux bon sens français triomphe des contraintes qu'on lui avait imposées. Cela ne veut pas dire qu'en acceptant cette contrainte au 17e s. l'esprit français ait fait fausse route. Ce régime lui avait fait perdre tout ce que le 16e s. lui avait laissé de grossièretés. La société conserva dorénavant une certaine tenue; même dans la débauche, elle ne tombera plus dans le débraillement. Le goût des élégances, du raffinement demeurait, mais on cherchait maintenant à lui assimiler les réalités du monde. De là cet épanouissement industriel, économique et scientifique du 18e siècle.

RAPPORTS ENTRE LA LANGUE DU 17e ET CELLE DU 18e SIÈCLE

Nous venons de voir par où le 18e s. continue le 17e s., par où il s'oppose à celui-ci. Or, l'histoire de la langue est tout à fait analogue à ce développement. Les grands écrivains du 17e s. jouissent d'un si grand prestige qu'on regarde leurs écrits comme des modèles de français. Vauvenargues s'écrie même dans son admiration: 'Ne vous semble-t-il pas que Racine, Pascal, Bossuet et quelques autres ont créé la langue française?' De là le grand regret qu'on manifestera si souvent au 18e s. de voir cette langue s'altérer, se modifier. Le français a atteint une perfection qu'il n'est plus possible de porter plus haut; tous les efforts tendent maintenant à le maintenir au point où il est parvenu. Voltaire surtout s'émeut. Il a peur d'une décadence irréparable, et il ne cesse de lutter contre ceux qui 'corrompent' la langue. Cela ne l'empêchera pas, nous le verrons, de lui ouvrir de nouvelles voies. C'est l'évolution de l'idéal proposé qui permet surtout de mesurer: pour Malherbe la langue pure, en vue de laquelle il travaillait, avait été une langue de l'avenir; pour Boileau c'était la langue de son époque; pour les puristes du 18e s. c'est le passé. Ainsi le purisme prend un autre sens: il a les yeux tournés en arrière, vers un passé qui s'éloigne de plus en plus. C'est ce qui explique un genre littéraire nouveau qui s'occupe de la langue: les commentaires d'auteurs classiques.

Sous ce rapport le 18e s. veut donc à tout prix continuer le 17e s. Il fait siens tous les préceptes qu'ont donnés Vaugelas, Bouhours, etc. Buffon p. ex. dans son Discours sur le Style reprend à son compte la maxime qu'il ne faut nommer les choses que par les termes les plus généraux et qu'il faut surtout écarter tous les termes de métier, les expressions spéciales.

On se doute bien qu'une telle maxime ne pouvait être qu'exceptionnellement appliquée par le grand naturaliste lui-même. On la conserve pour les grandes occasions, pour les discours de circonstance. Mais d'habitude on se libère de cette étiquette. Nous verrons même que c'est justement dans le sens de la précision professionnelle que se développe la langue au 18e s.

LA LANGUE S'ENRICHIT

Il va sans dire que la langue, qui est l'expression la plus directe de l'esprit humain, devait être profondément modifiée par l'essor scientifique et économique de la nation. Nous avons montré combien le 17e s. avait restreint le vocabulaire des honnêtes gens. Maintenant les termes professionnels, les terminologies spéciales sont remis en honneur, et bientôt tout le monde les connaît et s'en sert. Bientôt les salons retentissent des discussions des économistes et des physiocrates. On se dispute sur le rôle de l'agriculture, sur l'importance de l'industrie. Bientôt l'élevage du bétail n'eut plus de secret pour la partie active de la nation. Les innombrables métiers étalent leurs terminologies et les imposent en partie au grand public. Il n'y avait que le petit groupe des courtisans et des roués qui restait à l'écart de ce magnifique mouvement.

L'Encyclopédie

La manifestation la plus éclatante de ce nouvel esprit fut un dictionnaire, l'Encyclopédie. L'Encyclopédie commença à paraître en 1751. Le plus souvent on pense seulement aux attaques cachées dans ces 28 vol. in-folio, attaques contre l'Eglise et contre les abus de la monarchie absolue. Tout le monde cite le mot de Diderot: un bon dictionnaire doit avoir pour but de changer la façon commune de penser. Ce texte fait allusion à la révolution qu'ils préparent, lui et ses amis. Or, on pourrait citer un autre passage, qui parle de la révolution que la France a déjà accomplie, sans verser de sang, révolution dont les conséquences ne sont pas moins importantes que celles de la révolution de 1789. Voici ce qu'y expose Diderot: 'Les connaissances les moins communes sous le siècle passé le deviennent de jour en jour. Il n'y a point de femme à qui l'on ait donné quelque éducation qui n'emploie avec discernement toutes les expressions consacrées à la peinture, à la sculpture, à l'architecture et aux belles-lettres. Combien y a-t-il d'enfants qui ont du dessin, qui savent de la géométrie, qui sont musiciens, à qui la langue domestique n'est pas plus familière que celle des arts, et qui disent «un accord, une belle forme, un contour agréable, une parallèle, une hypoténuse, une quinte, un triton, un arpègement, un microscope, un télescope, un foyer», comme ils diraient «une lunette d'opéra, une épée, une canne, un carrosse, un plumet». Les esprits sont emportés d'un autre mouvement général vers l'histoire naturelle, l'anatomie, la chimie et la physique expérimentale. Les expressions propres à ces sciences sont déjà très communes; elles le deviendront nécessairement davantage. Qu'en adviendra-t-il? C'est que la langue, même populaire, changera de face; qu'elle s'étendra à mesure que nos oreilles s'accoutumeront aux mots par les applications heureuses qu'on en fera.'

En effet le 18e s. a enrichi le vocabulaire français d'une manière étonnante. De quelque côté que nous regardions, de quelque partie de l'activité humaine qu'il s'agisse, c'est le plus souvent le siècle philosophique qui en a consolidé la nomenclature et qui a créé de nombreux mots.

La vie mondaine

L'observation de l'homme physique se fait plus subtile, plus nuancée; il en résulte un enrichissement notable de la terminologie concernant l'extérieur de l'homme. On voit naître de nombreuses expressions dont le siècle précédent n'aurait pas osé faire usage. Une femme 'paie de figure' ou 'de mine', elle 'est en beauté', sa toilette 'a l'air chiffonné', expression qui s'applique plus tard aussi à la figure. Elle a la taille joncée ou nymphée. La médisance surtout y trouve son compte: on parle des 'appas récrépis, d'une gorge étayée, d'une beauté délabrée et décrépite'. La toilette fait créer chaque jour de nouveaux mots qui restent à la mode pendant quelque temps et dont la plupart disparaissent peu après. La mode renouvelle chaque année le costume; c'est l'époque où la France devient de plus en plus le fournisseur de parures et de vêtements recherchés. Le mobilier rococo crée de nombreuses formes nouvelles: *l'ottomane*, *le divan*, *le sofa* révèlent le goût de la mollesse et de la volupté orientales. On invente de nombreux véhicules plus élégants les uns que les autres. Comme le monde élégant parle aujourd'hui de coupé, de grand sport, etc., il fallait alors savoir distinguer les *cabriolets*, les *dormeuses*, les *phaétons*, les *sabots*, les *gondoles*, les *berlines*, les *carabas*, les *dolentes*, et tant d'autres véhicules différents. Il faudrait un chapitre pour donner une idée de l'extension prise par le vocabulaire désignant les objets nouveaux. Les forces créatrices de la langue sont maintenant toutes concentrées sur la partie extérieure de la vie[1].

Termes de commerce et d'agriculture

Prenons le commerce: *agio*, *agioter* sont nés dans ce siècle, *spécu-*

[1] Voir pour ce chapitre et la plupart de ceux qui suivent l'excellent volume de François, A., La langue postclassique (= Brunot, Histoire de la langue française, t. 6, 2e partie); Paris, A. Colin, 1932.

lateur commence vers 1740 à s'appliquer aux opérations commerciales. Le *papier-monnaie* est un des cadeaux de Law. Les richesses changent si souvent et si facilement de possesseur qu'on crée déjà le terme de *nouveau-riche*.

Le plus varié de ces vocabulaires c'est naturellement celui de l'agriculture, vocabulaire auquel presque tout le peuple français devait collaborer. «Chaque saison que, depuis des siècles, le paysan passait près de sa terre, vivant d'elle et pour elle, y avait ajouté quelque chose; un peuple entier mettait là sa tête et son cœur» (BRUNOT). Et maintenant l'heure était venue où le résultat de tout ce travail devait enfin affleurer: pour le 18e s., surtout pour les physiocrates, l'agriculture seule formait la classe productrice dans la nation. Cette création anonyme de la masse travailleuse inspire à F. BRUNOT cette belle phrase: «On est tenté d'enfiler les plus belles de ces fleurs sauvages (les mots pittoresques employés pour les travaux champêtres) pour les offrir en chapelet non pas à Cérès ou à Pomone, mais à la Déesse française inconnue qui a inspiré les foules dans leur œuvre de création.» Les expressions nouvelles n'ont pas moins de force plastique que celles qu'on avait créées autrefois. Ex.: pour 'œilleton' on commence à dire *filleule*, d'où le verbe *filleuler*. Pour 'élaguer un arbre' on disait *amuser la sève*, *rappeler* ou *arrêter l'arbre*. Chaque région venait proposer ses termes pittoresques à la langue nationale en quête de désignations nouvelles pour des objets dont elle n'avait pas tenu compte jusque-là.

Le 18e s. est aussi l'époque où la France organise et construit ses routes. La langue s'enrichit donc de nouveaux termes. Les voitures de toutes sortes se multiplient. Le mot *auberge* est remplacé par *hôtel*. On creuse de nombreux canaux, le transport par eau s'organise aussi, et toute une nouvelle terminologie apparaît. On sait du reste que tout ce réseau avait à l'origine Paris pour centre. Toutes les routes partaient de Paris et toutes y conduisaient. Elles devaient servir à faciliter les communications entre le siège du pouvoir central et les différentes régions. Ce système fut confirmé par les gouvernements révolutionnaires; il fut adopté au 19e s. pour les chemins de fer. Toute cette organisation des voies de communication devait contribuer sensiblement à modifier l'état linguistique de la France. Jusque-là beaucoup de contrées avaient été presque inaccessibles, et dans les autres régions le trafic avait rencontré tant d'obstacles qu'on se déplaçait très rarement. Les parlers régionaux, les patois n'avaient pas été menacés par la langue nationale. Mais au 18e s. le rapide développement des communications menaça de plus en plus de les faire disparaître. Le développement des routes et de la navigation fluviale est devenu un des moyens les plus efficaces de la centralisation linguistique du pays – en attendant le chemin de fer et l'automobile.

Du reste quelques rares auteurs admettent ces mots dans leurs œuvres littéraires. Certaines pages de Rousseau sont pleines de termes d'agriculture qui décrivent avec précision les travaux champêtres. Sur ses traces marche l'abbé Delille avec ses Géorgiques.

Les mots naturels et populaires

Le 18e s. supprime donc dans la langue les barrières qui séparaient les différentes sphères de la vie sociale. Le mépris du métier manuel disparaît. Ce siècle n'admet plus non plus les autres prescriptions et distinctions de l'époque classique. Il n'aura plus peur des mots naturels, il ne craindra pas d'évoquer des images directes. Rousseau proteste avec sa violence accoutumée contre le bannissement des mots dits obscènes. Pour lui une langue devient plus obscène à mesure qu'elle tâche d'éviter les tours soi-disant déshonnêtes. Il parle donc de toutes choses avec la franchise du peuple, en se libérant de la contrainte classique. D'autres le suivent, soit par imitation, soit par instinct, comme Diderot. Admettre les mots naturels c'est en même temps admettre les mots populaires.

Cette évolution de la langue nous étonne moins lorsque nous songeons qu'après le bourgeois Voltaire ce sont les prolétaires Rousseau et Diderot qui dominent et qui façonnent les esprits. Dans les romans dialogués de Diderot, dans le Neveu de Rameau les expressions triviales, populaires, foisonnent: *être comme un coq en pâte*, *une autre paire de manches*, *scier le boyau* 'jouer du violon', *la poire était mûre*, etc. On ferait un petit dictionnaire de vulgarismes en dépouillant les Confessions de Rousseau (*laver la tête*, *perdre la tramontane*, etc.)[1]. En parcourant les mémoires et

[1] Voir GOHIN, F., Les transformations de la langue française pendant la 2e moitié du XVIIIe siècle (1740–1789); Paris 1903.

les correspondances de l'époque on s'aperçoit facilement que la conversation se faisait sur le même ton. Le célèbre marquis d'Argenson a rempli son Journal d'expressions populaires: *le parlement plus mené par le nez qu'ait jamais été oison*, *ils grillent d'entrer dans les affaires publiques*, *ménager la chèvre et le chou*, *ces trois ministres s'entendent comme larrons en foire*. Ce style ne diffère pas de celui qu'emploie le Cardinal de Bernis quand il écrit à Mme de Pompadour: *barboter dans un bourbier*, *prendre la lune avec ses dents*, etc. L'homme qui a le plus contribué à mettre à la mode le langage populaire fut Vadé. Frappé par la saveur et le coloris du langage qu'il entendait aux Halles, sur les places, dans les guinguettes, il créa le genre poissard, ce genre qui ne se contente pas de mêler des expressions vulgaires à la langue de tout le monde, mais qui n'admet guère que des termes en usage chez le peuple. Sous l'influence de Vadé on prend plaisir à s'encanailler, et les dames de la haute société commencent à rivaliser de liberté en fait de langage avec les courtisanes sorties du bas peuple. De là il n'y a plus loin à l'argot. En effet le peuple parisien ne distingue pas nettement entre sa langue à lui et l'argot proprement dit. Et celui-ci pénètre dans les classes supérieures. Ainsi cette poussée linguistique des classes inférieures n'attend pas le 19e s., comme on l'a si souvent dit, ni même la Révolution. Les barrières sont ouvertes; elles ont même été supprimées par les classes supérieures elles-mêmes. Au point de vue de la langue le peuple fait irruption, surtout dans la 2e partie du siècle, mais il y a été invité par la classe dirigeante. Ainsi celle-ci sanctionne sa défaite longtemps avant qu'une lutte ne soit engagée. Cette attitude nous fait comprendre combien la haute société avait déjà renoncé à sa propre existence, combien elle s'était vidée intérieurement longtemps avant la Révolution; l'état de la langue nous montre qu'elle avait perdu son orientation et qu'elle devait par la suite accepter sa défaite dès le commencement de la Révolution.

Le vocabulaire psychologique – Les hyperboles

Tout ce que nous venons d'exposer dénonce l'étonnante facilité des mœurs à cette époque. La vie devient pour beaucoup une véritable chasse au plaisir. Il est vrai qu'on cherche à la justifier par la nouvelle philosophie, le sensualisme de Condillac p. ex. Les sensations de l'âme deviennent le point de départ de toute l'activité de l'homme. Il en résulte une modification sémantique de tout le vocabulaire psychologique, qui jette une vive lumière sur la mentalité de l'époque. Tout se revêt d'une teinte érotique. Ainsi *sensation* désigne à l'origine les impressions que l'âme reçoit du dehors. Les auteurs galants s'emparent de ce mot, qui devient d'abord la désignation des impressions physiques accompagnant l'amour; enfin Crébillon oppose *sensation* à *sentiment: sensation* désigne chez lui un amour passager qui ne fait qu'effleurer l'âme, *sentiment* une affection profonde et durable (autant qu'elle peut l'être chez les personnages de cet auteur). – Pour Rousseau la *sensibilité* est cette prédisposition de l'âme à se laisser envahir par une affection profonde. Mme de Warens a un 'caractère sensible', malgré la froideur de son tempérament. Des auteurs comme le marquis de Sade et Restif de la Bretonne se servent de *sensible* et de *sensibilité* pour voiler d'une manière doucereuse l'aptitude de leurs héroïnes à un amour purement physique. Ainsi tous les termes concernant la vie de l'âme se chargent d'une valeur purement charnelle, physique. De cette évolution il résulte une dépréciation sémantique du vocabulaire psychologique[1].

Dans cette création incessante de nouveaux termes il y a naturellement beaucoup d'affectation, de recherche. On tâche de se dépasser l'un l'autre, et l'exagération de la préciosité du 17e s. trouve une descendance dans les petits-maîtres et les petites-maîtresses du 18e s. On accumule les superlatifs, l'un chassant et dépassant l'autre – et il n'y a plus de Molière pour reprendre cet abus. Voyez les noms qu'on donne aux petites-maîtresses: *les merveilleuses*, *les charmantes*, *les adorables*, *les incroyables*. Quelques ex. vont montrer que l'hyperbole est la forme ordinaire du langage dans ces milieux: 'Vous avez une mine qui m'*anéantit*'; 'elle chantait, elle *enlevait*, elle *renversait*'; 'prétends-tu *t'enterrer* ici jusqu'au souper?'; 'vous avez tout entendu sans *expirer d'angoisse?*'; 'il fut accablé d'un *déluge* de politesses'.

[1] Voir Sckommodau, Der psychologische Wortschatz der zweiten Hälfte des 18. Jahrhunderts; Leipzig, Selbstverlag des Roman. Seminars (Paris, E. Droz), 1933.

L'influence étrangère

L'intérêt qu'on porte maintenant à tout ce qui s'offre aux sens et à l'esprit ne se manifeste pas seulement par l'irruption de nombreux termes de métier et de mots bas et populaires. Le 18e s. est aussi l'époque où l'on ouvre toutes grandes les fenêtres de la France. Tandis qu'au 17e s. le pays s'était replié sur lui-même, on s'intéresse maintenant à tous les pays étrangers. On sait combien les Français admiraient la constitution et la liberté anglaises et combien parmi les 'philosophes' français ont fait le pèlerinage de la grande île voisine. Diderot et l'abbé Prévost traduisent les romans anglais à la mode. Dans les hautes classes de la société c'est une véritable anglomanie. Et comme les tendances générales du langage vont plutôt au réalisme, on accueille volontiers les mots anglais désignant les objets et les idées venus d'Angleterre. De là toute une invasion d'anglicismes qui reflètent l'influence politique tout d'abord: *budget*, *club*, *congrès*, *franc-maçon*, *loge*, *jury*, *parlement* (au sens moderne), *session*, *voter* traversent la Manche. Certaines habitudes que l'on imite sont inséparables des mots qui les désignent: ainsi les courses de chevaux introduisent le mot *jockey*. La *boxe* date de la fin du siècle. Les tailleurs vont quelquefois chercher à Londres de nouvelles modes, p. ex. la *redingote*. On s'accoutuma aux mets et aux boissons préférés des Anglais: le *bifteck*, le *grog*, le *punch*, le *pudding*. Si le *croup* a un nom anglais, c'est que des médecins anglais furent les premiers à étudier cette maladie.

L'influence de l'allemand sur le vocabulaire français apparaît moins que celle de l'anglais. Elle n'en est pas moins sensible. Dans certaines sciences et dans certaines techniques l'Allemagne était à la tête de l'Europe à cette époque. C'est le cas surtout pour la minéralogie, la géologie, les mines. Les minéralogistes français empruntent de nombreux termes, comme *quartz*, *gneiss*, *feldspath*, *cobalt*. Depuis le 15e s. déjà l'exploitation des mines en France était confiée en grande partie à des Allemands. Au 18e s. ils ont apporté les mots de *bocard (< pochwerk)*, *bocambre (< pochhammer)*, *gangue (< erzgang)*, *rustine (< rückstein)*, etc. – Deux pays de langue allemande étaient en relations très suivies avec la France, l'Alsace et la Suisse. Pendant des siècles, cette dernière a souffert d'un énorme surpeuplement, parce que l'industrie n'existait pas encore. On y remédiait en envoyant chaque année des milliers de jeunes gens en France comme soldats. Ils ne servaient pas dans les mêmes régiments que les Français, et pourtant un certain nombre de leurs expressions militaires ont passé en français, ainsi, p. ex., *le bivac* (< *biwache*), *la cible* (< *schibe*), *le képi* (< *käppi*). Les soldats suisses étaient très sujets à la nostalgie; on cherchait à leur faire oublier leur peine en engageant des plaisants, qu'on appelait *bruder lustig*. De là le fr. *loustic*, qui est déjà dans Voltaire. L'Alsace restait encore un peu en dehors de la vie nationale française. Tout ce qu'on lui demandait, c'étaient ses curiosités gastronomiques: on commença à apprécier la *choucroute* (< *surchrut*, all. *sauerkraut*) et le *kirsch*.

L'Italie aussi a fourni un certain contingent de mots, moins pourtant que dans les deux siècles précédents. C'est surtout par la musique qu'elle s'impose encore, de là *ariette*, *arpège*, *cantate*, *cantatrice*, *contralto*, *contrapontiste*, *piano*. Mais elle excelle aussi dans les autres arts (*aquarelle*, *pittoresque*); et elle est déjà un pays de tourisme (*cicerone*, *campanile*).

Aux mots empruntés de langues voisines il faut ajouter un grand contingent de termes venus d'outre-mer, surtout des colonies. Ils accompagnent les objets nouveaux dont le Nouveau Monde fait cadeau à l'Europe. Quelques-uns de ces objets, devenus très populaires, finissent par recevoir une appellation française. Ainsi pour les tubercules nouvellement importés que l'on commençait à apprécier comme aliment, on hésita assez longtemps entre *truffe*, *troufle*, *cartoufle*, *patate*, etc. C'est *pomme de terre*, probablement imité de l'alsacien *erdapfel*, qui finit par l'emporter.

STABILITÉ PHONÉTIQUE, MORPHOLOGIQUE ET SYNTACTIQUE

Tandis que le vocabulaire évolue rapidement, les sons, les formes et la syntaxe restent presque stables. La langue écrite fixée par le 17e s. est maintenant regardée comme base et la langue parlée passe pour sa reproduction plus ou moins fidèle. Ainsi le prestige de l'époque classique a renversé l'ordre naturel des choses. Il va sans dire que les causes naturelles des modifications de la langue n'ont pas disparu, mais leur action est enrayée par le frein que lui oppose la langue écrite.

Les quelques changements qui ont pourtant abouti, ont pour la plupart commencé dès le 17e s. et ne font maintenant que se consolider; on finit par les accepter officiellement. Ainsi le mouvement qui conduit de *oi* à *wa* avait commencé dès le 16e s. Le peuple de Paris disait alors déjà *rwa* au lieu de *rwè*. Les auteurs du 17e s. prononçaient encore *wè*, mais *wa*, venu du peuple, finit par s'imposer vers le milieu du siècle. Il se produit également un certain changement dans les voyelles nasales: suivies d'une consonne nasale elles se dénasalisent, par une sorte de dissimilation. Au commencement du siècle on prononçait encore, en syllabe protonique, *année ãné*, *grammaire grãmèr*. Cette résonance nasale s'est perdue dans le courant du 18e s. Mais d'autres tendances ont été arrêtées dans leur libre développement par la réaction du purisme des classes cultivées. Ainsi *k* et *g* devant *e* et *i* montrent une forte tendance à faire avancer leur lieu d'articulation: *cinquième* devient *cintième*. Mais jamais la langue littéraire n'a marché dans ce sens. Un seul mot s'est laissé entraîner *(tabatière*, au lieu de *-quière*, de *tabac)*. De nombreux patois français ont été atteints par cette modification. Mais la langue française a résisté à la contagion. Si elle consent à des changements, ce sont plutôt des rétablissements de consonnes finales effectués avec l'intention de distinguer des mots qui se ressemblent. Ainsi *sens*, prononcé autrefois *sã*, redevient peu à peu *sãs; il (i)* reprend son *l* final pour éviter la confusion avec *y*.

Dans la syntaxe il se produit un certain nombre de changements, mais qui ne concernent que des questions de détail. Ici l'on élimine une dernière règle qui contredisait encore l'ensemble du système: on cesse tout à fait de se servir du subj. après *croire*. Le pron. rel. *lequel* étend un peu son domaine au détriment de *qui;* on l'emploie de nouveau pour représenter personnes et choses. La modification la plus grosse de conséquences a été certainement un commencement d'affaiblissement de l'impf. du subj. On commence à lui préférer le prés. du subj. après le passé. A la fin du siècle on dit *je voulais qu'il vienne*, mais on continue à écrire *je voulais qu'il vînt.* Il faudra encore plus d'un siècle pour éliminer définitivement cette forme de l'usage courant.

QUESTIONS DE STYLE

De toutes parts c'est donc une véritable invasion de termes nouveaux: les professions, le langage populaire, les langues étrangères, tout y contribue. Comparée à la langue du 17e s., celle du 18e s. a quelque chose de bigarré. Or, les idées du 17e s. sur la pureté de la langue n'avaient pas été oubliées. La langue classique était toujours regardée comme un modèle dans sa sobriété et sa mesure. Comment faisait-on pour mettre d'accord ces idées avec la réalité ?

Les différents styles

On sentit la difficulté presque dès le commencement du siècle. Et dès lors on entrevit aussi la solution. Maniée par des gens sans génie, la langue du 17e s. devenait un véritable poncif. Le style soi-disant noble est de rigueur dans tous les genres traditionnels: la tragédie, la poésie lyrique, l'éloquence, etc. Les genres nouveaux même, comme le drame et le roman, y aspirent, quelquefois contre la nature des auteurs. Et l'on se rappelle les phrases retentissantes des révolutionnaires, qui s'enivrent au son de termes pompeux et généraux. La sémantique trop vague qui cache la signification précise et dangereuse des mots deviendra une des armes les plus redoutables des hommes de la Terreur.

Mais ce siècle, tel que nous l'avons vu au travail, avait besoin d'un autre style encore. On en arrive à distinguer deux styles, pour la langue parlée comme pour la langue écrite. Dès 1713 Fénelon écrit: 'L'un est le genre élevé, comme celui des harangues et autres ouvrages ou discours de cérémonie; on y évite les termes dont chaque ouvrier se sert dans le détail de son art, et on a recours aux expressions qu'on croit les plus nobles. L'autre est le genre simple, vulgaire et familier, où les termes des ouvriers sont en usage.' Voltaire reconnaît les deux sortes de style: le simple et le relevé. Les théoriciens constatent beaucoup plus de nuances à mesure que le siècle avance. Féraud, qui est le plus subtil de tous, distingue dans son Dictionnaire critique (1787):

'... les différents styles et leurs nuances, plus variées peut-être dans la langue française que dans aucune autre langue. Car outre le style *poétique* ou *oratoire*, et le style *élevé* ou *familier*, dont on n'a pas toujours distingué les différentes espèces, il y a le style du *barreau*, ou du *palais*, où l'on parle une langue toute particulière, le style *médiocre* ou de dissertation; le style *simple* ou de conversation, qu'on ne doit pas confondre avec le style *familier*, qui a un degré de plus d'aisance et de liberté; le style *polémique*, qui a ses licences, moindres pourtant que celles du style *critique*, qui, à son tour, en a moins que le style *satirique;* le style *badin*, *plaisant* ou *comique*, dont les nuances sont différentes, et vont en enchérissant l'une sur l'autre; le style *marotique*, qui se donne encore plus de libertés, moindre pourtant que le style *burlesque*.'

L'auteur d'un traité de style, Mauvillon, dresse un catalogue de synonymes où il assigne à chaque mot la place qui lui revient. Voici à titre d'exemple ce qu'il dit des synonymes de figure: '*face* est du stile sublime, *visage* du stile médiocre, *garbe*, *frime*, *frimouse* du stile burlesque, *physionomie* en est aussi dans le sens de visage, de même que *minois*, qui ne se dit jamais en mauvaise part.'

Voltaire

Le 18e s. a produit un génie qui savait manier tous ces styles à tour de rôle: c'est Voltaire. Il est comme un raccourci de toute son époque. Son esprit vaste et incisif accueille toutes les tendances, toutes les nouveautés, et leur communique une couleur toute personnelle. Mais il sait aussi, quand il veut, faire taire sa propre personne, et imiter à la perfection la phrase de ceux qu'il a choisis comme victimes de sa satire. On connaît son écrit 'Sentiment des Citoyens' dirigé contre Rousseau et où celui-ci crut reconnaître le zèle et le ton rude et austère d'un de ses adversaires genevois, le pasteur Vernet. – Voltaire sait donner aussi bien l'illusion du style érudit; on raconte même qu'une de ses victimes, Formey, avec qui il avait eu quelques démêlés à Berlin, s'y trompa lui-même et prit pour sienne une lettre que Voltaire avait écrite pour le persifler.

Par son style à lui, Voltaire a influencé profondément l'esprit français. Il sait exprimer une pensée avec un minimum d'effort sensible. Ses moyens sont l'antithèse et l'inégalité du rythme.

Les deux procédés sont déjà dans La Bruyère. Mais Voltaire les transporte dans tous les domaines, dans toutes les discussions; il les fait donc sortir du cadre psychologique auquel ils se trouvent plus ou moins limités chez l'auteur des Caractères. Voltaire se sert le moins possible des conjonctions qui marquent l'opposition et les autres rapports entre deux pensées: 'Ce qu'on reproche le plus en France aux Anglais, c'est le supplice de Charles Premier, qui fut traité par ses vainqueurs comme il les eût traités s'il eût été heureux.' Point de 'et pourtant' ou de 'quoique', qui souligneraient lourdement l'antithèse. Cette simple antithèse est un moyen plus raffiné, plus subtil, plus spirituel, de marquer le contraste. Depuis Voltaire, ce procédé est devenu une des habitudes de l'esprit français; toute la nation s'est formée à son école; cela a été d'autant plus facile que Voltaire donne à ses écrits polémiques et satiriques quelque chose de léger, de familier, de badin même parfois, et qui cadre bien avec le ton de la conversation. Si la pensée française s'exprime avec moins de lourdeur, avec plus d'aisance que d'autres, elle le doit surtout à Voltaire. On dirait qu'il sait penser sans en avoir l'air; et c'est devenu un des traits les plus saillants du style de la conversation, des discussions littéraires, politiques, etc. Ainsi le jour viendra où l'on rendra la pareille à Voltaire; on se servira des armes qu'il a affilées pour faire la critique de ses œuvres et de sa personne. Le mot de La Beaumelle qui dit que Voltaire a été le premier homme du monde pour écrire ce que les autres ont pensé est comme un écho du style voltairien.

Voltaire sait aussi condamner, combattre ses adversaires par le rapprochement inattendu de deux termes qui semblent s'exclure l'un l'autre: forme plus aiguë de l'antithèse. Ses œuvres fourmillent d'exemples; on n'a que l'embarras du choix:

> Un jeune jacobin, nommé Jacques Clément
> Dans le bourg de St-Cloud une lettre présente
> A Henry de Valois, et *vertueusement*
> *Un couteau* fort pointu dans l'estomac *lui plante.*

Ce rapprochement condamne d'un coup non seulement le meurtrier, mais aussi et surtout ceux qui en font un saint et un martyre. Et cette ironie est soulignée par l'inversion inaccoutumée du régime, qui semble rappeler le style de l'époque de cet assassinat et qui permet de garder le mot décisif pour la fin.

> Qu'eussé-je été sans lui ? rien que le fils d'un roi,
> Rien qu'un prince vulgaire. (Oedipe)

Quelquefois ces rapprochements sont d'autant plus saisissants qu'ils rendent son sens étymologique à un mot employé métaphoriquement. Ainsi quand il dit de Rousseau qu'il est *couvert de lauriers et de chardons.* Le laurier, symbole de la gloire, redevient ici une plante au contact du chardon et en même temps le *chardon* prend un sens métaphorique par le contact avec les *lauriers.*

D'autres fois il sait donner à un mot une nouvelle nuance sémantique par l'ensemble de la phrase, p. ex. 'quelques ecclésiastiques sont assez heureux pour avoir 5000 livres de rente, et le peuple est assez *bon* pour le souffrir'. *Bon* prend ici le sens de *bête;* la métonymie devient d'autant plus efficace que les deux mots commencent par la même consonne. On entend la voix du grand railleur qui s'attarde sur ce *b* initial.

Le rythme inégal de la phrase voltairienne n'est pas sans rapport avec sa syntaxe simplifiée, réduite si souvent à l'antithèse. Il n'a pas ces longues périodes majestueuses, mais de petites phrases courtes et alertes, qui, de quelques traits, dessinent l'homme ou l'événement. Le mouvement en est irrégulier et inégal; il a quelque chose de fébrile. Il ressemble un peu à un feu follet qui ne se repose pas un instant. Mais le sens des mots qui forment la phrase est toujours si net qu'il n'y reste rien de confus ou d'ambigu. Cette phrase est l'image même de l'humeur voltairienne, si pétillante et si remuante. Ex. (Zadig):

'Laissez-moi faire (4)[1], / dit Zadig (3); / vous gagnerez à cette épreuve plus que vous ne pensez (14). Le jour même il fit publier (7) / au nom du roi (4) / que tous ceux qui prétendaient à l'emploi de haut receveur des deniers de Sa Gracieuse Majesté Nabussan (28), / fils de Nussanab (5), / eussent à se rendre (4), / en habits de soie légère (7), / le premier de la lune du Crocodile (11) / dans l'antichambre du roi (7). Ils s'y rendirent au nombre de 64 (12). / On avait fait venir des violons dans un salon voisin (15). /

[1] Les chiffres donnés entre parenthèses indiquent le nombre de syllabes de chaque groupe rythmique.

Tout était préparé pour le bal (9); mais la porte de ce salon était fermée (12), et il fallait (4), pour y entrer (4), passer par une petite galerie assez obscure (11). / Un huissier vint chercher et introduire chaque candidat (14), l'un après l'autre (4), / par ce passage (4), / dans lequel on le laissait seul quelques minutes (12). / Le roi (2), / qui avait le mot (5), / avait étalé tous ses trésors dans cette galerie (14). / Lorsque tous les prétendants furent arrivés dans le salon (15), / Sa Majesté ordonna qu'on les fît danser (12). / Jamais on ne dansa plus pesamment (10) / et avec moins de grâce (6); / ils avaient tous la tête baissée (8), / les reins courbés (4), / les mains collées à leurs côtés (8). / Quels fripons! (3), / disait tout bas Zadig (6). / Un seul d'entre eux formait des pas avec agilité (14), / la tête haute (3), / le regard assuré (6), / les bras étendus (5), le corps droit (3), / le jarret ferme (4).'

On voit que toute mesure rythmique manque. Il n'y a pas un seul endroit où la musique de la langue invite le lecteur au rêve. Les pensées et les images sont précises et nettes.

Du reste il y a encore un autre style Voltaire, celui de Voltaire enragé. Tandis que dans ses œuvres littéraires proprement dites il n'admet qu'un vocabulaire choisi, il se laisse aller quelquefois, sous le coup de la haine, jusqu'à se servir des termes les plus vils. Les nombreuses lettres p. ex. où il parle de Rousseau sont pleines d'expressions méprisantes: 'Il eût été un Paul, s'il n'avait pas mieux aimé être un Judas. – Il n'est pas Diogène, mais le chien de Diogène, qui mord la main de celui qui lui offre du pain. – Ce singe de Diogène. – On dit qu'un jour le chien de Diogène rencontra la chienne d'Erostrate et lui fit des petits, dont Jean-Jacques est descendu.'

Qu'on relise en revanche les lettres où J. J. Rousseau parle de Voltaire, et on mesurera l'abîme qui peut séparer la manière dont s'exprime un grand cœur de celle dont s'exprime un grand esprit.

Rousseau

Le style de Voltaire est le terme auquel devait aboutir le long développement commencé par Malherbe et par Vaugelas. Ce qui lui manque, c'est l'élan lyrique, l'expression de tout un monde de sentiments intimes et délicats. Et pourtant la langue française possédait les moyens qu'il faut pour manifester ce monde intérieur. La preuve nous en est donnée par Jean-Jacques Rousseau. Rousseau sait en faire un instrument capable de traduire un monde inépuisable de sentiments débordants et de rêves. Il parle comme il sent et comme il pense, sans réticences. De son propre aveu le style de ses Confessions est très inégal, tantôt grave et tantôt gai, tantôt rapide et tantôt diffus, et par là le style est le reflet de son âme et fait partie lui-même de ses confessions. Il faut remonter jusqu'à Montaigne pour entendre un auteur parler avec cette franchise, cette familiarité cordiale. Ici comme dans l'Emile et dans la Nouvelle Héloïse les expressions familières et populaires abondent. Pour le Contrat Social il s'est interdit cette apparence de négligence; il s'y soumet aux exigences du purisme, parce que c'est un ouvrage de théorie. Mais il s'y applique à définir avec une grande exactitude les nombreux termes politiques.

La force des sensations et des passions a transformé les moyens d'expression de la langue chez Jean-Jacques. C'est lui qui a trouvé le secret de mêler des sensations d'origines diverses, celles de la vue et du toucher p. ex. Il dit 'le frémissement argenté dont l'eau brillait sous un clair de lune'. Frémissement est un substantif de mouvement; il sert ici à déterminer la lumière, et il est lui-même déterminé par un adjectif de couleur. Cette transposition d'un ordre de perception à un autre donne à la langue une nouvelle force d'expression. Ces sensations se mêlent et se fondent dans l'âme quoiqu'elles soient de provenance diverse. Et Rousseau se permet d'exposer tout nu l'état de son âme.

Une expression comme celle que nous venons de citer montre que chez lui l'unité intérieure de l'homme l'emporte sur l'esprit d'analyse de son époque. On peut citer des preuves plus concluantes encore. Il ne mêle pas seulement les différentes espèces de sensations, mais aussi le monde moral et le monde physique. Pour lui l'impression morale est inséparable de l'impression visuelle: 'Les doux rayons de la lune'; 'Des forêts de noirs sapins nous ombrageaient tristement à droite'. L'adjectif visuel 'noir' et l'adverbe moral 'tristement' se font pendant; ils s'unissent dans une seule et même sensation physico-morale. On sait combien les romantiques, par la suite, ont usé de ce moyen. C'est avec Rousseau que le français essaie pour la première fois d'exprimer cette mystérieuse unité de l'individu. Avec lui le français mêle les impressions, les expériences de la vie à l'expression des idées abstraites. Rousseau ose dire: 'Ce même esprit vous paraît lâche, moite et comme environné d'un épais brouillard'; ou bien 'La direction (des allées d'un parc) ne sera pas toujours en ligne droite; elle aura je ne sais quoi de vague, comme la démarche d'un homme oisif qui erre en se promenant'.

Les effets que nous avons vus sont le produit du nouvel usage que Rousseau fait du vocabulaire. Voltaire juxtapose des termes opposés pour faire ressortir les contrastes, pour montrer l'incompatibilité des choses; c'est pour lui un moyen de critique. Rousseau aussi réunit des termes qu'on n'avait guère rapprochés avant lui. Mais cette nouvelle combinaison fait sentir des accords intimes, des harmonies secrètes dont l'existence même était restée inconnue jusqu'à lui. Voltaire oppose pour nier; Rousseau rapproche pour affirmer l'unité indivisible de notre monde intérieur.

La prose de Rousseau diffère profondément de celle de son grand adversaire par le rythme. La phrase de Voltaire avec son nombre inégal, toujours rompu, à courte haleine, et qui ne s'enfle que pour railler, fait l'effet d'un cliquetis d'épées. Rousseau a su réveiller la musique qui sommeillait dans la phrase française.

Pour donner une idée de la cadence de cette phrase nous pouvons analyser un texte de Rousseau tiré de la célèbre description des Alpes Valaisannes au début de la Nouvelle Héloïse. 'Je voulais rêver (5), // et j'en étais toujours détourné / par quelque spectacle inattendu (18, 9 9). // Tantôt d'immenses rochers pendaient en ruines / au-dessus de ma tête (16, 10 6). // Tantôt de hautes et bruyantes cascades m'inondaient / de leur épais brouillard (19, 13 6). // Tantôt un torrent éternel ouvrait à mes côtés un abîme / dont les yeux n'osaient sonder la profondeur (28, 17 11). // Quelquefois je me perdais / dans l'obscurité d'un bois touffu (16, 7 9). // Quelquefois, en sortant d'un gouffre, / une agréable prairie réjouissait tout à coup mes regards (25, 9 16). // Un mélange étonnant de la nature sauvage et de la nature cultivée (20) / montrait partout la main des hommes, où l'on eût cru qu'ils n'avaient jamais pénétré (20). // A côté d'une caverne / on trouvait des maisons (12); // on voyait des pampres secs / où l'on n'eût cherché que des ronces (15), // des vignes / dans des terres éboulées (10), // d'excellents fruits / sur des rochers (8), // et des champs / dans des précipices (9).'

La première phrase est le point de départ; c'est comme un tremplin d'où la période s'élance. Mais aussitôt le rythme prend presque toute son ampleur. Il s'allonge, très souvent avec une césure au milieu[1]. La place de cette césure joue un rôle important. Au départ elle est au milieu (9 9). Par la suite Rousseau énumère les différents objets qui le captivent, qui, tour à tour, détournent son attention. La césure, alors, n'est plus au milieu, comme si l'on voulait marquer ce contraste. Mais le rythme devient de plus en plus ample (16, 19, 28). Dans ces trois phrases, commençant par *tantôt*, la première partie est plus longue que la deuxième. Elles dépeignent la nature inanimée. Dans les deux phrases suivantes Rousseau quitte la nature inanimée pour la nature animée, pour les merveilles de la végétation d'abord. Ce passage est annoncé de trois manières: l'unité intérieure des trois phrases précédentes était marquée par la répétition de 'tantôt', les deux phrases suivantes sont liées entre elles par 'quelquefois'. Mais ce moyen tout extérieur est souligné fortement par le renversement du rythme. Césure après le milieu dans les trois premières phrases, avant le milieu dans les deux phrases suivantes. Et puisqu'il y a quelque chose de nouveau la première phrase se raccourcit, pour reprendre de l'ampleur dans la deuxième. Enfin ce rythme prend une véritable grandeur dans la phrase suivante par suite de la longueur de chaque partie (20 syll.) et par leur égalité. L'inégalité précédente fait place à une vaste et souveraine harmonie. Nous avons l'impression d'être arrivés sur un haut plateau d'où l'on domine tout le pays. C'est que cette phrase nous mène vraiment au sommet de la création: elle nous dépeint l'intervention de la plus haute créature, de l'homme. Arrivé sur ce sommet on reprend haleine, on regarde de gauche et de droite, on se réjouit des multiples objets qui s'offrent aux yeux, on se repose. Et aussitôt le rythme de baisser. Il devient plus court et inégal, mais d'une inégalité qui anime et qui égaie, une ligne ondulée qui s'adapte à la vue des nombreux objets nouveaux.

[1] On néglige ici les coupes secondaires.

Rousseau, par la force de son génie musical, a donc révélé l'harmonie de la prose française. Il a su réaliser cette unité mystérieuse entre la musique de la langue et les idées exprimées, parce que toute sa personne s'est laissé emporter dans le tourbillon de son génie. C'est là surtout qu'est le secret de son influence. Or, c'est lui aussi qui délivre l'individu de la contrainte classique. Dans les Confessions il réclame même la liberté de changer de style chaque fois qu'il change d'humeur. D'un moment à l'autre l'individu n'est plus le même, et sa langue varie avec lui:

'Je prends donc mon parti sur le style comme sur les choses. Je ne m'attacherai point à le rendre uniforme, j'aurai toujours celui qui me viendra, j'en changerai selon mon humeur, sans scrupule; je dirai chaque chose comme je la sens, comme je la vois, sans recherche, sans gêne, sans m'embarrasser de la bigarrure. ... Mon style inégal et naturel, tantôt rapide et tantôt diffus, tantôt sage et tantôt fou, tantôt grave et tantôt gai fera lui-même partie de mon histoire.'

Dans un autre passage Rousseau fait comprendre avec netteté que les deux grandes tendances auxquelles il obéit quand il écrit, sont le désir de porter aussi loin que possible l'expressivité de son œuvre et celui d'éviter l'ambiguïté. Ce sont en effet là les deux grandes forces directrices qui président aussi à la vie du langage. Rousseau écrit dans sa 'Lettre sur une nouvelle réfutation': «Ma première règle, à moi qui ne me soucie nullement de ce qu'on pensera de mon style, est de me faire entendre. Toutes les fois qu'à l'aide de dix solécismes je pourrai m'exprimer plus fortement ou plus clairement je ne balancerai jamais.»

Avec Rousseau l'individu ne rejette donc pas seulement les chaînes imposées par la langue classique, mais aussi celles que lui a forgées son propre passé. Les maîtres de la langue s'en souviendront à l'époque du romantisme.

3. LA RÉVOLUTION ET LE 19e SIÈCLE

LA RÉVOLUTION[1]

Les événements se produisent donc en France avec une logique inéluctable. La Révolution couronne le 18e s., comme celui-ci avait été la suite du 17e s. Or, on peut en dire autant au point de vue de la langue. Au 18e s., les grands auteurs du 17e s. jouissent d'un immense prestige. Ils sont regardés comme des modèles qu'on ne saurait guère égaler. L'idéal linguistique des Français se forme d'après le siècle classique, il devient rétrospectif. Ici encore la Révolution continue le 18e s. Elle ne renie pas l'idéal du 18e s., au contraire, elle travaille à sa réalisation avec un zèle et un enthousiasme qu'on n'avait jamais vus.

La continuité de l'évolution est très marquée dans l'histoire interne comme dans l'histoire extérieure de la langue.

La lutte contre les patois et les idiomes non romans

L'Ancien Régime avait beaucoup fait pour la centralisation du pays. Richelieu et Mazarin avaient abattu la résistance de la noblesse; ils avaient eu raison des tendances autonomistes de bien des régions. Mais ils n'avaient atteint que la noblesse et les grandes villes. La grande majorité du peuple français vivait d'une vie tout à fait locale. Le contact direct avec le pouvoir central était rare. L'organisation du pays était restée à demi féodale. Chaque province, chaque région, souvent chaque localité avait ses coutumes particulières, différentes de celles de la ville ou de la région voisine. Les poids et mesures changeaient de nom et de valeur d'un district à l'autre.

Or, la Révolution, par principe, était hostile à ce particularisme. Les mots de Liberté, Fraternité, Egalité ne pouvaient être interprétés que dans le sens d'une unification complète, d'une abolition de toutes les barrières à l'intérieur du pays. Mêmes lois, même administration, mêmes mesures. Toute prérogative des classes étant abolie, chaque habitant du royaume

[1] Brunot, t. 9, La Révolution et l'Empire, Paris 1927–1937. – Frey, Max. Les Transformations du Vocabulaire français à l'Epoque de la Révolution, Paris 1925.

devenait en premier lieu citoyen français. Autrefois il n'y avait pas eu d'inconvénient à ce qu'il ne parlât que son idiome local. Il ne risquait guère d'avoir jamais affaire à des personnes étrangères à sa région. Au marché, devant les tribunaux, il pouvait fort bien s'exprimer dans son patois. Mais maintenant les nouvelles lois, les nombreux décrets révolutionnaires étaient promulgués pour le pays entier, en français. Personne ne les traduisait en patois. La voix naturelle de la région était remplacée par la voix de la grande patrie. Les émissaires révolutionnaires qui parcouraient le pays entier pour gagner les cœurs haranguaient les masses en français. Souvent ils se heurtaient à l'inaptitude des gens à comprendre la langue nationale. On vit donc dans les idiomes locaux un obstacle à la propagande révolutionnaire; ils semblaient faire partie de la résistance passive qu'on lui opposait en beaucoup d'endroits. C'est pourquoi on se mit à combattre les patois et les idiomes non romans.

Mais dans la plus grande partie de la France l'évangile révolutionnaire fut reçu avec enthousiasme. Chacun se sentait appelé à prendre part à la grande vie nationale. Et on considérait comme un devoir envers la nation de parler, ou tout au moins de comprendre la langue nationale. 'Parler français' apparaissait à beaucoup comme une façon d'être 'patriote'. C'était un gage qu'on donnait à la France régénérée dans l'égalité et la fraternité. Il y avait des contrées qui voulaient sacrifier leur patois sur l'autel de l'unité et de la grandeur de la patrie. Du fond de leurs campagnes, des paysans imploraient le secours du pouvoir central pour qu'on les délivrât de leur patois en organisant l'enseignement de la langue nationale.

A ces raisons politiques il faut ajouter des raisons sociales: en principe, la Révolution veut être un nivellement par en-haut, non par en-bas. Son intention profonde est l'ascension du tiers état, beaucoup plus que l'abaissement de la noblesse. Cette ascension est comme une confirmation de l'évolution accomplie pendant le dernier siècle, puisque, depuis longtemps, le travail était regardé comme une chose noble, tandis que l'oisiveté déshonorait, aux yeux de l'immense majorité au moins (Jeannot et Colin). L'unification du langage, le renoncement au patois devait donc sembler une des formes de l'égalité. Depuis longtemps, entre hommes du monde, on se déclassait en parlant mal le français. Rien de plus naturel donc, dans le peuple, que de se considérer comme déclassé quand on ne le parlait pas du tout.

La question de la langue avait donc un côté politique très sérieux. Elle fut posée ouvertement par Talleyrand à l'Assemblée Constituante. Dès 1790, Talleyrand proposa de la résoudre par un développement intense de l'instruction populaire. C'était en effet le moyen le plus sûr: l'école primaire répandue abondamment dans les campagnes fera plus que tout le reste pour l'unification linguistique du pays. En outre, la levée en masse mêla les hommes des régions les plus diverses dans une mesure qu'on n'avait jamais connue. La vie en commun, dans l'armée, fit connaître la langue nationale à des centaines de milliers de soldats qui en répandirent ensuite la connaissance en province. De nos jours encore ce sont là les deux principaux moyens de propagande de la langue française à l'intérieur du pays: l'école et le service militaire obligatoire.

En résumé, la Révolution fit faire de très grands progrès à l'unification linguistique du pays. Depuis cette époque, les patois sont combattus sciemment. Tous les gouvernements français ont une politique linguistique qui tend à la suppression des patois.

La langue française au temps de la Révolution

L'ascension sociale marquée par la Révolution se manifeste aussi dans la manière dont s'expriment les révolutionnaires. On a décidément le sentiment de monter d'un degré dans l'échelle sociale en tâchant de parler et d'écrire comme avaient parlé et écrit les modèles admirés du 17e et surtout du 18e s. La jeunesse des grands orateurs de la Révolution avait été profondément impressionnée par les auteurs du 17e s. et de l'ère philosophique. Ils avaient subi l'effet magique de la langue classique. Ils étaient imprégnés des sonorités de la phrase de Corneille et de Bossuet, et ils s'en servaient à leur tour pour galvaniser les masses. Robespierre, p. ex., qui composait laborieusement ses discours, avait toujours sur sa table de travail un exemplaire de la Nouvelle Héloïse, dans lequel il puisait à pleines mains ses périphrases et ses métaphores. Il est vrai qu'elles juraient souvent d'une manière étrange avec les propositions sanglantes et les idées subversives qu'elles enveloppaient. Un seul des grands chefs de la Révolution se contentait d'exprimer son opinion d'une façon nette, précise, non voilée. Ce fut Danton; aussi l'appelait-on le fils de Diderot. Ainsi donc la Révolution et, après elle, l'Empire, loin de combattre la langue d'une civilisation jugée périmée, se hâtèrent de l'adopter.

S'il est vrai que la langue française n'a pas été attaquée par la Révolution, cela ne veut pas dire qu'elle ait traversé la bourrasque sans subir de modifications. Elles sont particulièrement sensibles et nombreuses dans le vocabulaire. Cette époque a fait une prodigieuse consommation d'idées; le vocabulaire ne pouvait pas ne pas s'en ressentir.

L'analyse grammaticale de ces néologismes jette une lumière intéressante sur l'état d'âme dont ils sont nés. L'esprit de parti et l'idée d'opposition prédominent. Les formations en *-isme* (*robespierrisme*, *dantonisme*, *propagandisme*, etc.) pullulent, de même les mots en *-iste* qui y correspondent (*robespierriste*, etc.). Les préfixes les plus en vogue sont ceux qui marquent l'opposition, le refus, le contraste: *antidémocratique*, *-révolutionnaire*, *-patriotique*, *-républicain; inabrogeable; dénationaliser; contre-révolution; non-patriote*, *non-votant; ex-prêtre*, etc. On aime les termes forts, exagérés: *emprêtrailler*, *intrigailler*, *calotin*, *aristo* (abrév. de mépris), *ultra-patriote*, *-royaliste*, *-révolutionnaire* (les *ultras*); *archiministériel*. Quelquefois on pourvoit un terme terrible d'un suffixe d'aspect innocent. Ainsi *échangeable* et *discutable* qu'on forme à ce moment n'ont rien de terrifiant. Mais on ajoute ce suffixe neutre et incolore au substantif *guillotine:* quand un homme était désigné comme *guillotinable*, sa vie ne valait plus grand-chose malgré l'aspect innocent de la fin de mot.

Ce qui frappe le plus dans cette analyse, c'est de constater l'origine classique d'une partie de ces éléments. Le latin et le grec sont devenus les grandes sources. Ainsi sur *lèse-majesté* on forme *lèse-nation*, *lèse-révolution;* sur *aristocratie clubocratie*, *calotinocratie*. Ce sont surtout les dérivés en *-icide* qui pullulent: les ennemis de la révolution sont des *républicides*, des *nationicides*, des *peuplicides*, des *liberticides*. On tire surtout de grands effets de ce dernier. Cette création de nouveaux mots avec des éléments grecs et latins est d'accord avec la vénération qu'on avait pour la république romaine. Les journaux et les discours politiques citaient à tout moment l'exemple des grands républicains de l'antiquité.

Ici encore nous voyons que la Révolution ne dément pas les tendances françaises habituelles. Depuis le 14e et le 15e s., on s'adresse d'habitude au latin pour satisfaire au besoin de nouveaux termes; la Révolution était donc dans la tradition française, seulement elle l'a portée à l'extrême (*République batave*, *helvétique*, *cisalpine*, etc.) ... L'Empire à son tour a accentué encore ce retour à l'antiquité, dans les titres comme dans le style de l'ameublement, dans le droit (droit romain important pour le code Napoléon). Cette manie se voit jusque dans le choix des prénoms. A partir de cette époque les *Jean* et les *Jacques* font de plus en plus place aux *Achille*, *Brutus*, *Marius*, etc.

Il va sans dire que la plus grande partie de ces mots n'ont pas vécu longtemps. Ils ont disparu avec la rhétorique révolutionnaire. Les nouveaux termes créés par ces événements extraordinaires n'ont survécu qu'en petite partie. Ainsi la révolte de la Vendée avait fait naître le verbe *vendéiser*, 'faire la contre-révolution', qui disparut quelque temps après. Mais *terroriser* 'soumettre au régime de la Terreur' a survécu, parce que la signification a été élargie et s'est détachée de la notion spéciale de la Terreur, époque révolutionnaire française.

Mais la Révolution a changé la face de la France en créant un grand nombre d'institutions nouvelles, en transformant, p. ex., la vie politique et l'administration. La réorganisation du pays créa le besoin d'une autre nomenclature: les *départements* et les *arrondissements*, les *préfets* et les *sous-préfets*, la *municipalité*, etc. sont nés de ce travail de la Révolution. On lui doit aussi des termes qui contiennent un jugement, comme *bureaucrate*, *-ie*. La vie parlementaire a été créée de toutes pièces: *législature*, *session*, *motion*, *amendement*, *la gauche*, *la droite* et maints autres termes datent de là. La Révolution a vu la levée en masse de tous les hommes valides: le *recrutement*, la *conscription*, le *conscrit* sont des termes qui se rattachent à ce service militaire général et obligatoire. Et l'on voit un reflet des guerres incessantes de l'Empire dans un mot comme *disloquer*, *dislocation* (depuis 1811). Napoléon a conduit ses armées d'un bout à l'autre de l'Europe sans autre moyen de transport que les jambes de ses vieux troupiers. Quoi d'étonnant que *marche forcée* apparaisse pour la première fois en 1802 ?

Il va sans dire que la Révolution a, d'autre part, fait disparaître un nombre considérable de mots; des terminologies entières ont cessé d'avoir cours, du jour au lendemain. L'ancienne administration, encore mi-féodale, disparut et avec elle d'innombrables expressions: l'*élu* avait été un magistrat chargé de répartir la taille entre les paroisses d'une circonscription financière; il est éliminé avec l'institution. Les *parlements* furent remplacés par des *tribunaux*. L'ancien régime avait levé une foule d'impôts grands et petits, souvent vexatoires, et différant d'une région à l'autre: le *finage*, le *droit de fortage*, la *taille* même, la *dîme*, la *chevauchée*, etc. Tout cela s'évanouit, noms et choses. Seulement les naïfs qui avaient cru que ces impôts ne seraient pas remplacés par d'autres, furent vite détrompés.

Il en fut de même pour l'armée, la stratégie, la tactique, l'équipement. La *flasque* et le *fourniment*, qui étaient de petits étuis à poudre, disparaissent. Autrefois les soldats invalides avaient été répartis entre des institutions qui ne payaient pas d'impôts: on nommait *enfant donné* un soldat dont l'entretien était imposé à une abbaye. Maintenant le pays se charge directement de ce service.

L'organisation du commerce a été aussi atteinte. Le *journommé*, p. ex., était un bateau de diligence dont le maître s'était engagé à arriver à date fixe au port de sa destination; il disparaît avec la Révolution. – Dans ce domaine le plus important des changements a été l'unification des poids et mesures. Par une loi de 1793 on créa tout le système métrique avec sa terminologie: *mètre*, *kilomètre*, *litre*, *gramme*, etc.

Les tentatives de niveler aussi la langue ne manquèrent pas. La plus notable a été sans doute le remplacement de *vous* par *tu*, décrété par la Convention, mais révoqué dès 1795.

LA LANGUE LITTÉRAIRE AU 19e SIÈCLE[1]

Le 18e s., avec son épanouissement formidable de toutes les activités, avait fait déferler sur la langue une immense vague de mots nouveaux. Aucun siècle n'avait encore enrichi la langue française comme celui-là. Le 19e, il est vrai, sera plus fécond encore. Comment la langue littéraire, dont l'idéal, forgé par le 17e s., n'avait pas changé, allait-elle mettre d'accord ses idées de sobriété, de mesure, de tradition, de bienséance avec la réalité ?

Exclusivisme de la langue littéraire

Le moyen, trouvé dès le commencement du 18e s., fut la distinction de plusieurs styles (voir p. 202). Grâce à cela, la littérature put rester fidèle à ses traditions; elle renonça à l'usage de toutes ces expressions. Seulement, par là-même, elle s'exposait à un dessèchement progressif. Les nouvelles images poétiques jaillissent de l'emploi figuré de mots concrets; la langue poétique ne reste jeune qu'en puisant sans cesse aux sources d'une imagination nourrie par la vue des objets du monde réel. On se rappelle le vers de Victor Hugo sur l'état du vocabulaire français avant le romantisme:

> La langue était l'Etat d'avant quatre-vingt-neuf;
> Les mots, bien ou mal nés, vivaient parqués en castes.
> (Contemplations, VII.)

Cette expression rend très exactement compte de l'état de la langue vers 1820. Il n'était pas permis de dire *cloche*, il fallait dire *airain*. Les hommes n'avaient pas de *nez*, mais des *narines;* et il était interdit de se servir d'un *mouchoir*, à moins qu'on ne trouvât une périphrase pour le désigner. *Peigne* paraissait trop précis, trop journalier aussi; il fallait dire *ivoire* ou *écaille*. Les couvents n'étaient pas peuplés de *nonnes* ou de *religieuses*, mais de *vestales*. On ne permettait pas d'*assassiner* quelqu'un, mais bien de lui *percer le sein*. De nombreuses conjonctions même semblaient trop plates, comme *afin que*, *parce que*, *c'est pourquoi*,

[1] En attendant l'achèvement de la grande Histoire de la langue française de FERD. BRUNOT (par les soins de CHARLES BRUNEAU) voir surtout FERD. BRUNOT, La langue française de 1815 à nos jours, dans Histoire de la langue et de la littérature françaises, publiée sous la direction de L. Petit de Juleville, tome VIII, p. 704–884.

car, *pour ainsi dire*, *or*. On évitait les termes de *mari* et *femme*, il fallait dire *époux* et *épouse;* mais par suite d'un arrêt dont la raison nous échappe, le verbe *épouser* était banni. *Pleuvoir*, *vieillir*, *lait*, *outil*, *poussière* et tant d'autres verbes ou substantifs restaient exclus de la haute littérature.

On sait qu'à l'époque de l'Empire la littérature était abandonnée à quelques écrivains sans génie, que dis-je, sans talent même, à quelques momies vivantes. La fièvre continuelle dans laquelle vivait alors la France, dominait tellement tous les esprits que les questions littéraires n'intéressaient personne. Ainsi la routine la plus désolante régnait dans cette littérature quasi officielle.

Chateaubriand

Un seul auteur, alors, sut faire de la langue un autre usage. Il vécut beaucoup à l'étranger. C'était Chateaubriand. Je n'ai pas à raconter ici comment il a renouvelé la conscience française par la force et l'impétuosité de son élan religieux, comment, par la magie et la vigueur de sa parole, il a fait revivre le moyen âge et rendu la foi aux masses. Ce fut toute une révolution, après la longue période d'athéisme tournée vers la vie active.

Or, Chateaubriand a aussi rompu avec la tradition littéraire classique devenue absolument stérile. Il est vrai qu'il ne s'en libère pas d'un jour à l'autre. Il continue à se servir souvent de mots nobles au lieu du mot précis et juste. Il dit encore *rameau* pour *branche*, *poudre* au lieu de *poussière*, etc. Mais il risque des expressions très peu classiques. René se couvre les yeux de son *mouchoir*, ce qui produisit une horreur générale. Il dit *le ventre de ta mère* au lieu de *le sein*, en quoi il se rapproche de la Bible. En même temps, Chateaubriand mêle les mots poétiques, scientifiques et populaires. Il sait les fondre dans des phrases extrêmement harmonieuses et leur musique faisait oublier la hardiesse de l'expression: 'Les convolvulus, les mousses, les capillaires d'eau, suspendent devant son nid des draperies de verdure ..., le cresson et la lentille lui fournissent une nourriture délicate; l'eau murmure doucement à son oreille; de beaux insectes fluviatiles occupent ses regards; et les naïades du ruisseau, pour mieux cacher cette jeune mère, plantent autour d'elle leurs quenouilles, chargées d'une laine empourprée.'

Ce morceau contient un grand nombre de mots qui, autrefois, n'auraient pas pu entrer dans un texte poétique; grâce à l'art de Chateaubriand, ils passent ici et s'incorporent à la langue littéraire. Chateaubriand a su trouver des métaphores et des épithètes, colorées ou plastiques, d'une force particulière et qui annoncent l'approche du romantisme et de la prose moderne en général: *la tendre lumière; le jour bleuâtre et velouté de la lune; des bouleaux formaient des îles d'ombres flottantes, sur une mer immobile de lumière.*

Il n'est pas étonnant que Chateaubriand, qui voulait faire revivre l'âme du passé, ait imité volontiers la langue du passé; et cela dès ses premières œuvres: *elle prit un sentier qui la devait conduire chez son père; il se vient coucher.* Il emploie *tandis que* dans son sens étymologique (= tant que), etc. – Comme pour les choses du passé, Chateaubriand a aussi un sens très marqué des particularités des pays étrangers. C'est surtout dans les Natchez, dans Atala que paraît cette couleur locale, obtenue à l'aide de quelques mots indiens, comme *mocassins*, *tomahawk*, etc. Nous voyons donc qu'aussi au point de vue de la langue, Chateaubriand est un précurseur des romantiques: tournures archaïques, expressions locales, métaphores hardies et plastiques ou pittoresques, d'un caractère visuel très développé, tout est déjà chez lui, quoiqu'à un degré moindre que dans la génération suivante.

Le Romantisme

Le romantisme fut avant tout une formidable réaction contre le règne absolu de la raison: *il faut déraisonner*, dit Musset. Ce fut une affirmation violente du 'moi': le moi n'est plus haïssable, comme du temps de Pascal. Le sentiment, une imagination débordante remplacent la raison. L'on sait que cette libération du moi se manifesta jusque dans le costume: Théophile Gautier répand l'horreur parmi les bourgeois en mettant les couleurs les plus éclatantes dans son habillement: pantalon gris avec, au côté, une bande de velours noir, un gilet flamboyant, et les cheveux en sauvage.

Cette nouvelle attitude des poètes dut se manifester, plus que partout ailleurs, dans la langue. Toutefois les premiers romantiques étaient loin d'en tirer une doctrine. Lamartine, en particulier, n'avait pas du tout l'intention de faire une révolution. Il n'était pas assez attaché à la poésie, à *sa* poésie, pour sentir la nécessité de recréer la langue. Il n'était pas exclusivement poète; il n'a pas vécu uniquement dans le monde de l'art; c'est pourquoi son génie ne l'a pas forcé à descendre jusqu'aux dernières conséquences de son activité littéraire. Il écrit lui-même: 'Ce n'était pas un art, c'était un soulagement de mon propre cœur qui se berçait de ses propres sanglots.' Aussi ne voit-il lui-même que des négligences dans les libertés qu'il prend avec la langue. Il était si loin d'en faire une doctrine, un programme, qu'il écrit dans la Préface des Harmonies (1830): 'Je demande grâce pour les imperfections de style dont les délicats seront souvent blessés. Ce que l'on sent fortement s'écrit vite.'

Victor Hugo

Du reste, Victor Hugo lui-même n'a point trouvé sa vocation dès son entrée dans la littérature. Dans la préface des Odes et Ballades (1824) il disait encore de Boileau qu'il partageait avec Racine le mérite unique d'avoir fixé (!) la langue française. En 1826, Hugo affirmait sa foi en l'idéal classique vis-à-vis de la langue. La 2e préface contient cette phrase bien significative: 'On ne doit détrôner Aristote que pour faire régner Vaugelas.' Donc: un art romantique, mais une langue classique.

Ce n'est qu'en 1827, en écrivant la Préface de Cromwell (datée de 1828), que Victor Hugo change brusquement d'idée. Il y affirme le droit qu'a l'auteur de suivre son sentiment personnel. Il proclame hautement que le changement, le mouvement sont une nécessité vitale pour la langue: «... la langue française n'est point fixée et ne se fixera point. Une langue ne se fixe pas. L'esprit humain est toujours en marche, ou si l'on veut, en mouvement, et la langue avec lui. Les choses sont ainsi. Quand le corps change, comment l'habit ne changerait-il pas ? [Flaubert aurait exprimé autrement cette pensée!] Le français du 19e s. ne peut pas plus être le français du 18e s., que celui-ci n'est le français du 17e s. ... La langue de Montaigne n'est plus celle de Rabelais, la langue de Montesquieu n'est plus celle de Pascal. Chacune de ces quatre langues, prise en soi, est admirable, parce qu'elle est originale. Toute époque a ses idées propres, il faut qu'elle ait aussi les mots propres à ces idées. Les langues sont comme la mer, elles oscillent sans cesse. A certains temps elles quittent un rivage du monde de la pensée et en envahissent un autre. Tout ce que leur flot déserte ainsi, sèche et s'efface du sol. C'est de cette façon que des idées s'éteignent, que des mots s'en vont. Il en est des idiomes humains comme de tout. Chaque siècle y apporte et en emporte quelque chose. Qu'y faire ? Cela est fatal. C'est donc en vain que l'on voudrait pétrifier la mobile physionomie de notre idiome sous une forme donnée. C'est en vain que nos Josués littéraires crient à la langue française de s'arrêter; les langues ni le soleil ne s'arrêtent plus. Le jour où elles se fixent, c'est qu'elles meurent. Voilà pourquoi le français de certaine école contemporaine est une langue morte.» Ailleurs Victor Hugo appelle la langue du 18e s. ‘parfaitement claire, sèche, dure, neutre, incolore et insipide’.

Victor Hugo ne se contenta pas de la théorie; il donna aussi l'exemple – et combien puissant! Maintenant on ose enfin appeler les choses par leur véritable nom. L'*airain* cesse de remplacer à la fois la *cloche* et le *canon;* on ose dire *voiture* (au lieu de *char*), le *cheval* n'est plus un *coursier*, ni le *sable* de l'*arène*, ni le *bateau* une *nef!* Tant de mots que le goût classique avait répudiés et qui avaient été remplacés par des termes généraux, des mots dits ‘nobles’ ou des périphrases, font maintenant leur entrée. Les mots les plus crus coudoient les termes élevés dans les poésies romantiques, tel le *vieillard stupide* de Hernani. Il fallut peu de temps pour que le public s'accoutumât à ces nouvelles hardiesses. A peine attaquée la façade classique tomba. La périphrase est morte comme puissance tyrannique, ce qui rendit sans doute à la véritable périphrase poétique toute la vigueur, la beauté qu'elle avait perdues dans les clichés classiques. Le mot propre, pittoresque, plastique remplace le mot vague, abstrait, général d'autrefois. On ne dit plus *doigts délicats*, mais *doigts fuselés.* Et d'autre part tant de mots écartés de la poésie redevenaient maintenant susceptibles d'un emploi poétique. P. ex. les mots *scie* et *marteau*, expressions techniques, avaient été bannis de la poésie. Les romantiques leur furent une place, et ils s'en servirent bientôt dans des comparaisons et des métaphores extrêmement heureuses. Dans les Feuilles d'Automne, V. Hugo dira:

> Posée au bord du ciel comme une longue scie,
> La ville aux mille toits découpe l'horizon.

Ainsi on fait appel au savoureux vocabulaire de la langue journalière. C'est comme le géant Antée qui reprend contact avec la terre nourricière.

Si les romantiques, Victor Hugo surtout, ont admis un grand nombre de mots de la langue de tous les jours, ils ont enrichi la langue beaucoup plus encore par la hardiesse et la richesse de leurs métaphores, de leurs images. Les défenseurs du classicisme avaient déclaré que le registre des locutions imagées était clos: «Nous ne devons plus inventer de nouvelles figures, sous peine de dénaturer notre langue et de blesser son génie.» Or, la puissance de l'imagination de Victor Hugo, et la sensibilité délicate des romantiques en général ont doté la langue française d'un nombre énorme de nouvelles alliances de mots. Des rapprochements de termes comme *yeux de velours*, qui sont extrêmement vrais et pittoresques, n'existaient pas avant eux.

Les romantiques ont su tirer des effets prodigieux du vocabulaire que la langue entière mettait à leur disposition. Mais il faut dire qu'ils ont fait preuve d'une grande sobriété dans la création de nouveaux mots. Leur théorie est beaucoup plus hardie que leur pratique.

Archaïsme et Régionalisme

Une façon d'enrichir le français, c'était de ressusciter des mots vieillis. Les romantiques avaient fait tant de lectures dans les textes du 15e et du 16e s., que beaucoup d'expressions archaïques leur étaient devenues familières. Toutefois il faut dire qu'ils n'en abusèrent point. Victor Hugo en a mis un certain nombre dans Notre-Dame de Paris, mais c'est pour garder la couleur locale, non pas pour les faire entrer dans le vocabulaire moderne. On a dressé la liste des mots archaïques que les romantiques ont tenté de faire revivre. Celui qui en a le plus, de beaucoup, serait Chateaubriand, moins celui d'Atala que le vieil auteur des Mémoires d'outre-tombe. On pourrait donc avoir l'impression que Chateaubriand a été enhardi surtout par l'exemple de ceux qu'il aimait à regarder comme ses disciples, les romantiques. Mais ceux-ci avaient aussi à leur disposition les parlers régionaux. Un mot comme *brandes* 'espèce de bruyère', Vigny n'avait point besoin d'aller le chercher dans les vieux auteurs. On sait que Vigny est né à Loches. Or, *brande* se dit justement dans le patois de la région. Il faut en dire autant de Chateaubriand, qui emploie aussi ce mot. Lamartine dit *ire* pour 'colère'. Mais il est né à Mâcon, et dans toute cette région *ire* vit encore de nos jours. Ce n'est pas un archaïsme chez lui, c'est un provincialisme. Tout au plus a-t-il pu se croire autorisé à garder ce mot de son pays en le retrouvant aussi p. ex. dans Clément Marot. Ainsi la plupart des archaïsmes signalés ont plutôt un caractère dialectal. Les romantiques ont eu l'amour de leur pays natal, du terroir. Il a fait revivre en eux les voix de leur jeunesse, quand ils écrivaient. Maintenant nous comprenons peut-être mieux pourquoi ces mots peu usités dans la langue littéraire sont beaucoup plus fréquents dans les Mémoires d'outre-tombe que dans Atala: il s'est passé pour Chateaubriand ce qui se passe presque pour tous les vieillards; dans ses dernières années, il a senti renaître en lui la voix du passé, il s'est rapproché de sa jeunesse, dont les souvenirs lui sont revenus associés aux mots qui avaient résonné alors à ses oreilles: *quant et lui* 'avec lui', *à la vanvole* 'à la légère' et tant d'autres termes qui étonnent dans les Mémoires, sont des termes de la Haute-Bretagne ou de la Basse-Normandie. Il serait facile de démontrer la même chose pour les autres romantiques.

Ainsi chacun fait un retour sur son propre passé. C'est un des effets de l'individualisme proclamé hautement par les romantiques. De toutes les façons cet individualisme pénètre maintenant la langue; il permet à chacun de se faire son idiome propre. Les divergences entre les différents emplois que les auteurs font du français, vont s'accentuant. C'est cette différenciation croissante qui caractérise avant tout la langue littéraire. Elle se développera avec le réalisme.

Balzac

Au point de vue de la langue, les doctrines des romantiques ne pouvaient produire tout leur effet que le jour où ils passèrent le flambeau aux réalistes. La doctrine qui voulait qu'on employât toujours le mot propre, qu'on évoquât le milieu par le moyen du terme précis pouvait avoir des conséquences très différentes.

Le jour où la Comédie Humaine ouvrit la littérature à tant de gens de la petite bourgeoisie et du bas peuple, on eut besoin de tout l'orchestre de la langue. Honoré de Balzac s'était fait un vocabulaire énorme, tel que rarement un auteur en a possédé. Il en avait bien conscience, car il disait volontiers: «Nous sommes trois, à Paris, qui savons notre langue, Hugo, Gautier et moi.» Il connaît tous les recoins de la vie française, les métiers, les laboratoires, les ateliers, le monde des finances, la physique, la métaphysique. Il est chez lui en province et à Paris, dans les faubourgs et au quartier St-Germain. Le bagne a aussi peu de secrets pour lui que le monde des artistes. Et il se sert à propos de tous les termes qui ont cours dans ces divers milieux. Son œuvre est comme le carrefour où se rencontrent les vocabulaires spéciaux. Dans son immense et fiévreuse production, dans son travail sans répit la mémoire ne lui fit jamais défaut. Toutefois il faut dire qu'il n'abusait pas du patois. Même dans Eugénie Grandet les mots régionaux ne sont pas nombreux: il y a *emboiser* 'tromper', *endéver* 'enrager', et surtout les mots dont le français n'a pas l'équivalent: *fripe* 'ce qu'on mange avec le pain, p. ex. le beurre, les confitures, etc.', *aveindre* 'saisir un objet en se haussant, en étendant le bras'. *Aveindre* est un de ces mots qui ont cours dans presque toute la France, mais que Paris a refusés. En s'en servant Balzac comble une véritable lacune. Balzac n'a point l'ostentation du mot régional; George Sand, Maupassant et d'autres iront infiniment plus loin. Mais il n'a pas peur de le mettre dans sa phrase quand ce mot y apporte une teinte juste qui manque au français de Paris.

Flaubert

Au point de vue de la langue, le réalisme n'est pas moins l'héritier du romantisme qu'au point de vue littéraire. Mais Flaubert est pourtant très loin de Balzac. Il est vrai que le maître de Rouen fait parler l'apothicaire Homais en un mélange de termes scientifiques et vulgaires qui montre à merveille l'insuffisance du personnage et le mal que fait sa demi-instruction. Le curé Bournisien s'exprime en formules élevées qui jurent avec la platitude de l'homme. Mais tandis que chez Balzac les phrases jaillissent d'un jet spontané, tandis que le rythme hâtif de sa production ne lui permet aucun contrôle, Flaubert soumet chaque expression, chaque phrase, chaque période au contrôle le plus scrupuleux. Le réalisme avait renversé tous les préjugés sociaux, moraux, puristes qui avaient interdit l'usage de tant de mots. Mais aussitôt Flaubert, tout en se servant de cette nouvelle liberté, en soumet l'usage à de nouvelles restrictions. Il ne veut pas que cette liberté devienne du relâchement, parce que ce relâchement ne ferait qu'éloigner la langue de son origine qui est toute dans l'essence spirituelle de l'humanité. Flaubert souffre de l'écart que l'évolution de la civilisation et de la langue a mis entre l'état d'âme et son expression, entre la chose et le mot. «Personne, jamais, ne peut donner l'exacte mesure de ses besoins, ni de ses conceptions, ni de ses douleurs; et la parole humaine est comme un chaudron fêlé où nous battons des mélodies à faire danser des ours quand on voudrait attendrir les étoiles» (Madame Bovary). Toute sa vie a été consacrée à la lutte pour la disparition de cet écart. Flaubert réclame une nouvelle discipline qu'il est le premier à s'imposer à lui-même. Il veut réaliser un style que personne n'a jamais possédé.

L'immense vocabulaire dont on dispose maintenant permettra de trouver une expression pour toute nuance de pensée; et en même temps la phrase doit révéler toutes les valeurs esthétiques, rythmiques, pittoresques, auditives de la langue. Choix de mots et structure et rythme de la phrase ne doivent faire qu'un pour rendre exactement l'idée à exprimer et toutes les sensations et les sentiments dont elle est entourée. On a souvent cité les phrases dans lesquelles Flaubert définit ce qu'il entend par style: «Je conçois un style qui serait beau ... qui serait rythmé comme le vers, précis comme le langage des sciences, et avec des ondulations, des ronflements de violoncelle, des aigrettes de feu. Un style qui nous entrerait dans l'idée comme un coup de stylet et où notre pensée enfin voyagerait sur des surfaces lisses comme lorsqu'on file sur un canot avec un bon vent arrière. La prose est née d'hier, voilà ce qu'il faut se dire.» Pour d'autres, le mot n'était qu'un symbole destiné à évoquer l'objet et qui suffisait quand il pouvait rendre ce service. Pour Flaubert, il existait quelque chose comme une unité mystérieuse entre l'objet et le mot. Il sentait dans celui-ci la partie intime de l'objet même. Il écrit: «Le style est à lui tout seul une manière absolue de voir les choses» (Corr. 2, 86). Les réalistes de la philosophie scolastique avaient combattu l'opinion des nominalistes qui avaient prétendu que 'Universalia sunt nomina'. Pour eux, c'étaient des 'realia'. A sa guise et sans le savoir Flaubert renouvelait cette ancienne querelle, en la portant sur le domaine de la langue. Il a conscience d'une unité intérieure entre mot et chose ou notion, entre phrase et pensée. – Cet accord intime entre mot et chose trouve son équivalent dans les rapports entre la phrase et sa valeur comme énonciation. Le choix et la suite des mots laissent paraître l'état d'âme des personnages.

Flaubert a dit lui-même dans une de ses lettres: «Ces gaillards-là s'en tiennent à la vieille comparaison: La forme est un manteau. Mais non! la forme est la chair même de la pensée, comme la pensée est l'âme de la vie» (Corr. 2, 216). C'est à la réalisation de l'unité intérieure entre le mot et l'objet que Flaubert a consacré toute sa vie. Avant lui, les meilleurs auteurs s'étaient servis inconsciemment de certaines parties de la langue. Ils avaient travaillé d'instinct plutôt qu'avec une pleine connaissance des valeurs réelles de l'expression. Flaubert a su illuminer par les rayons de la conscience humaine ce qui était resté dans la pénombre. Son rôle vis-à-vis de la langue ressemble à celui qu'a joué Descartes pour la découverte du Moi.

Flaubert a su varier la structure de la phrase, l'emploi des mots, leurs nuances sémantiques. Ils illuminent subitement l'intérieur de ses personnages. Ainsi le style de M. Homais a deux faces: il écrit autrement qu'il ne parle; et c'est ce qui caractérise le mieux cet apothicaire qui se pique d'avoir des lettres.

Si les œuvres de Flaubert ne sont pas sans tournures provinciales, il a, en revanche, évité en général l'emploi de mots régionaux. Les normandismes qu'il emploie dans Madame Bovary sont peu nombreux: *pièce de blé* «champ», *crassineux* «bruineux», *clochettes* «liseron», *érifler* «érafler», *hétraie* «bois de hêtres», *bouillerie* «distillerie», *fossé* «élévation de terre autour d'une ferme». Probablement il ne s'est pas même rendu compte de ce que ces mots n'appartiennent pas à la langue française. Rarement il lui arrive d'employer un normandisme pour caractériser ses personnages, comme quand il se sert de l'expression *se repasser du bon temps* «mener joyeuse vie», qui jette, dans le contexte, une vive lumière sur la banalité du pharmacien. Un des mots régionaux qu'on trouve chez lui est *selon* au sens de 'le long de': *selon le cours de la rivière.* Or, il est intéressant de constater que ce n'est point un emploi normand du mot. De toutes les provinces la Champagne est seule à le connaître. Flaubert l'a donc entendu dans la bouche de ses parents champenois, peut-être même de son père. Et peut-être, cet usage n'étant pas normand, a-t-il cru qu'il s'agissait là d'une expression française.

Maupassant

Bien qu'il eût été élève de Flaubert, Maupassant s'est comporté bien autrement que son maître, dans ses œuvres. Il fait parler chaque personnage exactement comme il a dû parler en réalité. On croit les entendre, ces paysans normands ou ces petites midinettes, et ce qu'ils disent pourrait servir de document dans des études dialectologiques ou argotiques.

'Et v'là Brument qui m' pousse la tête quasiment pour me néyer, que l'iau me faufilait dans l'nez, que j'véyais déjà l'Paradis ... Et pis pi qu'il aura eu eune peurance. ... Mé, je m'ensauve, et j' vas courant chez m'sieu l'curé qui m'prête une jupe d'sa servante, vu que j'étais en naturel ...'

Le pas que la littérature fait de Flaubert à Maupassant dans l'emploi de la langue est immense. Flaubert cherche à pénétrer dans l'âme des personnes, dans la nature des objets, dans le fond des événements; en les montrant il se sert d'un français qu'il ne fait que modifier légèrement. Puisqu'il s'agit de comprendre l'intérieur de ces êtres, quelques variations discrètes de la langue suffisent pour nous faire comprendre les nuances de leur nature. Maupassant adopte une autre méthode: il s'arrête à la surface; il donne une impression immédiate de la manière dont ces personnes se présentent à nos sens, à notre oreille surtout. Libre au lecteur de faire lui-même ensuite le chemin de l'extérieur à l'intérieur. C'est une image que Maupassant donne de ses personnes. Flaubert imprime à ses phrases une tournure particulière, mais qui reste bien sienne, et cette tournure manifeste l'être profond de son objet. De là ce souci extraordinaire du style, tandis que les nouvelles et les romans de Maupassant trahissent sa qualité maîtresse, qui est son prodigieux don d'observation.

Il faut tenir compte aussi des différences des deux générations. La manière des frères Goncourt p. ex. est celle que les impressionistes ont introduite dans la peinture. Elle ne se soucie guère de donner le sens profond des tableaux, mais uniquement de l'effet des taches de couleur et des nuances. Les moyens dont se servent les Goncourt sont très différents de ceux de Flaubert. Ils renoncent à la recherche de la sonorité de la phrase; ils n'ont pas peur des répétitions de mots, des pronoms relatifs dont Flaubert avait tellement craint la lourdeur. Ils cherchent l'expression la plus adéquate à la sensation qu'ils veulent rendre. C'est ce qui fait comprendre, p. ex., l'aversion qu'ils ont vouée au verbe.

ÉVOLUTION DE LA LANGUE FRANÇAISE AU 19e ET AU 20e SIÈCLE

Les romantiques ont eu le sentiment très vif de l'éternel flux dans lequel se trouve la langue. Ils savaient que l'expression littéraire ne fait qu'émerger de la langue générale, dont le courant l'emporte comme toutes les autres langues spéciales. Pour bien la comprendre il convient donc d'examiner ce que fut l'évolution de la langue française au 19e et au 20e s.

Quand on compare cette époque à d'autres, on est frappé d'un contraste saisissant. Au 6e et au 7e s., p. ex., la langue française a subi des changements extrêmement profonds dans les sons, tandis que le système des formes verbales est resté presque le même du 5e au 12e s. Toute la structure d'une langue n'est pas également atteinte; tandis qu'une partie est bouleversée par une véritable révolution, une autre peut rester presque intacte. Or, à l'époque dont nous parlons, il s'est produit quelque chose d'analogue. Seulement, cette fois, la langue ne touche presque pas aux sons, mais elle transforme le vocabulaire et elle développe d'une façon extraordinaire les possibilités stylistiques. Etudier les transformations de la langue française au 19e et au 20e s., c'est donc surtout en étudier le vocabulaire et le style.

Transformations phonétiques

Nous allons parcourir d'abord rapidement les quelques changements phonétiques et morphologiques qui se sont produits. Dès le 16e s., le peuple parisien avait commencé à prononcer *wa* au lieu de *wę* (= *oi*). Au 17e s., la bonne société avait maintenu *wę;* au 18e, cette prononciation avait faibli peu à peu, mais la cour et tous ceux qui en dépendaient restaient fidèles à la prononciation antérieure. Survient la Révolution, qui disperse la cour. Personne, à Paris, ne s'avise plus de dire *rwę*. Or, quand Louis XVIII revint en France, en 1814, il s'écria: *C'est mwę le rwę.* On dut lui faire remarquer que le dernier *rwę* avait été Louis XVI et que lui ne pouvait plus être que *rwa*. Le peuple parisien avait destitué le *rwę*. La prononciation *wa* n'était donc pas nouvelle, mais avant la Révolution on la considérait comme populaire et grossière; maintenant elle était seule reconnue comme correcte. La province, en revanche, resta en grande partie fidèle à *wę*. Il ne s'agit donc pas ici d'une innovation, mais simplement de l'aboutissement normal d'un changement déjà ancien, aboutissement qui a été accéléré par la Révolution. On pourrait en dire à peu près autant de l'évolution de l'ancien *l* mouillé. Dès le milieu du 17e s., le peuple parisien prononçait *fiyə* au lieu de *fiĺə (= fille);* mais il fallut aussi presque deux siècles à cette prononciation pour se faire accepter par les classes supérieures de la population. Littré conseille encore de prononcer *fiłə*. C'est vers le début du 19e s. aussi que disparaît la dernière trace de l'ancien *-e* féminin. Jusque-là les gens cultivés avaient encore distingué *aimée* de *aimé* par un allongement sensible de l'*é*. Maintenant cet allongement disparaît aussi. – C'est bien peu que ces ratifications de deux ou trois anciennes prononciations populaires. Et d'autre part, il y a maintenant un facteur presque nouveau, grâce à l'enseignement obligatoire: c'est l'école. L'école va exercer une action rétrograde ou au moins conservatrice sur la prononciation. Un exemple significatif: au 17e s., on ne prononçait pas l'*l* final de *il* devant une consonne: *i(l) vient*, mais *il a.* La prononciation *il vient* était réservée au style soutenu et à la lecture des vers; dans la conversation, elle aurait paru pédantesque et ridicule. Aujourd'hui encore c'est l'état normal dans tout le domaine de la langue française. On n'a qu'à comparer les deux cartes *il a* et *il buvait* de l'Atlas Linguistique de la France: partout, sans exception presque, on dit *il a*, mais *i buvait*. Si la prononciation correcte est aujourd'hui *il buvait*, si les gens cultivés se gardent bien de dire *i* devant consonne, c'est dû à l'influence de l'école.

Transformations morphologiques

Dans la morphologie et dans la syntaxe l'événement le plus grave est sans doute la disparition définitive de l'imparfait du subjonctif. Elle avait commencé depuis longtemps. Cela date du jour lointain où la formule *si je parlais* s'est mise à évincer l'ancienne formule *si je parlasse.* L'imparfait du subjonctif est devenu de plus en plus rare; ses formes pouvaient paraître de plus en plus singulières, ridicules même. On a délaissé d'abord des formes très longues comme *que vous assassinassiez;* les autres ont suivi. Aujourd'hui il n'y a plus que les verbes auxiliaires *avoir* et *être* dont l'imparfait du subjonctif ait encore quelque vie. *Nous chantassions* serait impossible dans la langue parlée; il devient même rare dans la langue écrite. On aime mieux pécher contre la concordance des temps en disant *il aimait mieux que nous chantions.* Ici aussi l'école tente de jouer un rôle conservateur: elle continue à faire conjuguer aux enfants ce temps périmé, sans trop de succès, du reste.

Le lexique

Les modifications phonétiques et morphologiques du français sont bien peu de chose auprès de la transformation du lexique. Celui-ci, en effet, s'est enrichi d'une manière prodigieuse au 19e s. Les causes sont multiples, et il importe de les étudier un peu plus en détail.

Tout d'abord, le 19e s. a vu une éclosion des études scientifiques si formidable que personne n'en eût jamais soupçonné la possibilité. Elle a transformé l'esprit général, en ce sens que l'on a pris l'habitude de s'appuyer sur des faits pour énoncer une opinion. L'ancienne rhétorique est de plus en plus remplacée par la discussion des faits positifs. Aussi sa terminologie (*dialogiser* 'faire un dialogue', *feinte* 'figure de rhétorique [on feint de passer sous silence une chose qu'on ne laisse pas de dire]') disparaît-elle. A sa place nous voyons naître au 19e s. des mots comme *documenter*, *-aire*, *-ation*, etc.

Il est inutile d'exposer ici l'essor de la physique, de la chimie, de la zoologie, de la médecine, etc., renouvelées entièrement par des découvertes sans nombre. Chacun de ces immenses domaines avait besoin de vocabulaires spéciaux. Ils furent créés de préférence avec des éléments grecs et latins, qui se prêtèrent patiemment à tout ce qu'on leur demanda. Même là où il eût été possible de s'adresser à la langue populaire, on préféra le terme latin compréhensible seulement pour tous ceux qui savaient le latin (*colostrum* au lieu de *bet*, *béton*). Les sciences naturelles ne furent pas seules. Dans le domaine des recherches historiques et philologiques on trouva des régions qu'on n'avait jamais encore eu l'idée d'explorer: il fallut inventer jusqu'aux noms de l'ethnographie, du folklore, de la linguistique, de la préhistoire. Nous ne pouvons pas donner ici la liste des nouvelles terminologies. Mais nous constatons que, par suite de la spécialisation extrême des études, chaque science s'est mise à parler une langue particulière incompréhensible aux non-initiés.

Or, beaucoup de ces découvertes ont été utilisées pour des applications techniques. Inutile de citer de nombreux exemples (*électricité*, *vapeur*, etc.). Chacune de ces applications a créé à son tour un vocabulaire spécial: la télégraphie, l'électricité, les bateaux à vapeur, les chemins de fer, la photographie, le cinéma, la radio. Chacun de ces vocabulaires se compose de deux parties, comme chaque industrie a deux faces: l'une tournée vers le public, les consommateurs, l'autre réservée aux spécialistes, aux producteurs. Ainsi chacun sait ce qu'est l'*ampoule*, le *commutateur*, le *courant*, etc., mais nous ignorons les noms des innombrables objets qui forment l'outillage d'une usine. La limite entre ces deux parties de la terminologie est flottante; elle dépend aussi du degré de culture scientifique de chaque individu. La différence a une grande portée pour l'emploi métaphorique et figuré des mots: seuls les mots de la première catégorie seront admis peu à peu à former de nouvelles métaphores. C'est ce qui est arrivé, p. ex., aux mots *aiguille* et *aiguiller* (un train). Aujourd'hui, on aiguille la discussion dans un certain sens, c'est-à-dire qu'on lui donne telle ou telle direction en posant certaine question; ou bien, l'on s'aiguille dans une voie nouvelle, quand on change de profession. Le disque du chemin de fer est connu de tout le monde. *Siffler au disque* se dit d'une locomotive qui trouve la voie fermée et dont le mécanicien fait agir le sifflet pour demander qu'on lui ouvre la voie. C'est ce dernier détail joint à l'insistance impatiente du mécanicien qui fait aussi employer *siffler au disque* au sens de 'faire une cour pressante à une femme'.

Une partie de ces sciences a su se faire une place dans les écoles et c'est par la culture scolaire que certains termes géologiques, p. ex., ont pénétré dans les milieux cultivés (le mot *géologie* lui-même). D'autres termes sont entrés dans la langue de tout le monde par la porte ouverte du cabinet du médecin: *antipyrine*, *aspirine*, *antiseptique*, *chloroforme*, *entérite*, *méningite*, *péritonite*, *diagnostiquer*, *microbe*, *névralgie*, etc.

On a souvent appelé le 19ᵉ s. le siècle du machinisme ou de l'industrie. Le commerce n'aurait pas moins droit à lui donner son nom. Lui aussi, il est délivré des mille entraves de l'ancien régime. Les nouvelles conceptions de la libre concurrence ouvrent ce champ d'activité à chacun. Autrefois, on travaillait et on trafiquait sur commande. Maintenant on emmagasine et on crée dans le public le besoin des marchandises qu'on veut placer. Rien ne caractérise mieux ce nouveau système que le fait que nous lui devons le verbe *écouler* des marchandises (1835). L'écoulement suppose un *stock*, mot qui a franchi la Manche vers la même époque. Ce commerce a besoin d'une *réclame* (autre mot du 19ᵉ s.) formidable. Elle tâche d'attirer le public par des noms alléchants et toujours renouvelés. De là, une création de nouveaux mots qui dépasse toutes les bornes. La plupart de ces mots ne vivent que l'espace d'un matin. Parcourez la page d'annonces d'un journal français, ou le catalogue d'un magasin de nouveautés et comparez-les à ceux d'il y a deux ans, vous trouverez une nomenclature toute renouvelée. La prodigieuse consommation de mots nouveaux que fait le commerce, n'est égalée que par le désir immodéré du public de voir du nouveau et d'être up-to-date.

Le 19ᵉ s. a aussi développé, sinon créé, le journalisme. La diffusion des journaux, qui pénètrent jusque dans la plus humble ferme, exerce une action énorme en faveur du français, mais en rabaissant en même temps la langue au niveau des masses. Le journaliste est pour le peuple celui qui écrit bien; on trouve chez lui le modèle de la belle phrase. Le journaliste est continuellement à l'affût des nouveautés ainsi que des nouvelles expressions qui lui servent à remplacer les locutions et les métaphores usées. Aussi n'est-il point de propagateur plus actif du néologisme. Les journaux portent les nouveaux mots plus loin en un jour que ne le ferait un livre en dix ans.

L'influence étrangère. L'anglais

Le 19e s. a vu les moyens de transport se multiplier prodigieusement. Jamais les peuples n'ont été en rapports si faciles ni si suivis que depuis cent ans; jamais on n'a tant voyagé. Aussi une partie des nouveaux mots français sont-ils empruntés à d'autres langues. Celle qui a exercé l'action la plus considérable sur le français est sans conteste l'anglais. Au 17e et au 18e s., cette influence avait déjà été sensible; maintenant elle devient une véritable invasion. Certains sports comme la boxe et l'hippisme ont des terminologies presque entièrement anglaises. Dans d'autres, la proportion est moindre, mais tous restent marqués de l'empreinte anglaise, le *football*, le *golf*, le *tennis*, le *yachting*, le *hockey*. Et tant de mots sont déjà si généralement connus qu'on peut les employer au figuré sans avoir peur de rester incompris. On peut se sentir *handicapé* sans être un *sportsman*, et l'on peut aussi détenir le *record* de la sottise. L'Angleterre a inventé le chemin de fer: *wagon*, *tunnel*, *express*, *ballast*, *tender*, *ticket* (= billet) en font encore foi. Elle n'a guère moins influencé le domaine technique: je citerai entre des douzaines de mots le *film*. Les méthodes politiques des Anglais ont été quelquefois imitées: c'est ainsi que le verbe *boycotter* a été incorporé à la langue française. *L'impérialisme* moderne n'a pu naître qu'en Angleterre. – Mais les Anglais ont exercé aussi une influence profonde sur l'alimentation et l'habitation, comme sur les usages mondains. Les exigences des nombreux voyageurs et villégiateurs d'Outre-Manche ont forcé les hôtels français à s'adapter à leur goût: du *palace* jusqu'au *family-house*, tous les établissements qui voulaient attirer les Anglais devaient leur offrir le *confort* nécessaire. Cela a commencé par les *water-closets* que les Français voyageant en Angleterre admiraient encore vers 1850 comme un luxe inouï réservé aux maisons opulentes. Aujourd'hui le moindre petit hôtel de la Riviera française doit posséder son *hall*, où l'on puisse *flirter;* le *smoking-room* a remplacé le *fumoir*, etc. L'on sait que les Anglais veulent se retrouver partout chez eux: le *sandwich*, le *bifteck*, le *rumsteak*, le *plumcake* les accompagnent partout et ont pénétré ainsi en France. Ils y ont introduit aussi les innombrables et souvent innommables liqueurs dont ils aiment à s'abreuver, le *whisky*, le *brandy*, le *cherry-brandy*, le *cocktail*, le *gin*, le *flip*, tout cela suivi sagement du *lemon-squash* et du *soda-water*.

Les mots coloniaux

Au 19e s., la France s'est étendue au-delà des mers et des océans. Elle est devenue un véritable empire, dont la France européenne est restée le centre, la métropole. L'occupation et ensuite la colonisation ont été particulièrement intenses dans l'Afrique du Nord. Les soldats qui ont fait un séjour en Algérie sont très nombreux. En rentrant en Europe, ils ont apporté un certain nombre de mots auxquels ils s'étaient accoutumés pendant les rudes années de service en Afrique. Ils les ont incorporés au parler populaire, d'où quelques-uns sont même vite montés dans les classes cultivées. Ainsi, *c'est kif-kif* 'cela revient au même', *maboul* 'fou', *gourbi* 'cabane primitive', *toubib* 'médecin major' se disent aujourd'hui d'un bout à l'autre de la France. Un mot comme *razzia*, qui désignait d'abord les incursions de tribus rapaces sur le territoire des voisins, a passé dans la langue de la police.

Les mots populaires et affectifs

Depuis que Victor Hugo a abattu les digues qui retenaient les mots populaires et vulgaires, ceux-ci ont envahi la langue littéraire d'une façon inouïe. Ce sont surtout les expressions hyperboliques qui entrent à la queue leu leu dans la langue de tout le monde. Un prix *fou* (1820), un *fameux* coquin, un chiffre *fantastique* n'étonnent plus personne. Ces mots ont pour eux la force que leur communique leur valeur expressive. Mais le nivellement, le mélange des classes contribue énormément à accélérer le mouvement. La littérature, sous ce rapport, ne fait que suivre les tendances générales. L'attitude des auteurs en face des expressions affectives, populaires, vulgaires, dépend des idées qu'ils se font de la littérature, des théories qu'ils professent. Ainsi Flaubert ne se sert presque pas de ces mots bas; sa langue reste classique. Mais avec les Goncourt, avec Maupassant, etc. la langue littéraire s'émaille de termes venus d'en bas. On sait la grande prédilection que George Sand avait pour le langage des paysans du Berry, où elle passa une grande partie de sa vie.

Il arrive aussi que la vogue du terme populaire mette à la mode toute une catégorie de mots. Ainsi la dérivation verbale en *-ance* avait été délaissée presque complètement par le XVIIe s. Mais, au XIXe s., Chateaubriand et Balzac la remettent en honneur; ils croient sentir dans ces dérivés d'une sonorité pleine une valeur affective qui leur est chère. C'est ainsi que des mots comme *accoutumance*, *compatissance*, *remembrance*, *repentance*, *souvenance* font leur entrée ou leur rentrée dans la langue littéraire. Les romantiques, les symbolistes, Gide lui-même, suivent cette nouvelle voie. En grande partie ces mots en *-ance* avaient appartenu déjà à l'ancienne langue. Ecartés par le courant classique ils avaient continué à vivre dans les parlers provinciaux; c'est ce qui leur communiquait un charme et un attrait tout particuliers. Un mot comme *nuisance* appartenait au vocabulaire de la Normandie, du Maine et du Berry, et c'est de là que Chateaubriand et George Sand l'ont tiré. D'autres comme *souvenance* étaient presque universellement répandus, alors que la langue littéraire, avec sa rigidité, s'en était privée. Quelquefois le mot réintroduit dans la langue écrite avait dans les parlers rustiques une nuance sémantique toute particulière et qui le recommandait aux auteurs. Ainsi, *ennuyance* est au Havre le 'malaise que cause l'ennui', en Lorraine le 'mal du pays'. Mais les grands auteurs surent aussi tirer de cette veine des innovations toutes personnelles, comme le mot *attirance* créé par Baudelaire.

Questions de style

Presque autant que dans le vocabulaire on peut observer cette reprise de contact avec la langue populaire dans l'emploi qu'on fait des moyens syntactiques, dans le style. Ici encore l'art de Flaubert a ouvert la voie à une nouvelle conception. Il a donné à la langue la fluidité qui manquait aussi bien à la langue académique des derniers classiques qu'à la rhétorique grandiloquente des romantiques. Il a adapté à la langue écrite une longue tradition de langue parlée. Sa prose est faite avec les éléments de celle-ci et pourtant elle reste bien au-dessus de la vulgarité de la langue de tous les jours. Chaque phrase se ressent du passage par le 'gueuloir', mais elle conserve les contours et le rythme classiques. Après lui, on a rejeté cette armature. On l'a imité dans ce qu'il avait de plus facile, c'est-à-dire dans cette tendance à s'approcher de la langue parlée. Ses successeurs ont abandonné ses aspirations esthétiques, simplement parce qu'ils n'en saisissaient pas la portée, parce qu'ils n'étaient pas animés du même génie artistique que lui. Et quand ils l'imitent, ils tombent quelquefois dans de lourdes erreurs. Ainsi, p. ex., on dit facilement une fraîcheur délicieuse s'exhalait, un apaisement divin descendait, c'est-à-dire qu'on joint à un substantif abstrait un adjectif qualificatif qui lui donne une certaine valeur concrète, et cela suffit pour qu'on puisse faire précéder le substantif d'un article indéfini. Or, il arrive à Flaubert d'écrire: 'La Seine, jaunâtre, touchait presque au tablier des ponts; *une fraîcheur* s'en exhalait[1].' C'est que *fraîcheur* signifie aussi 'un vent faible qui commence à souffler'. La concrétisation du substantif abstrait s'est donc faite dans la langue parlée, et Flaubert l'introduit dans la langue écrite. Mais il va plus loin. Il écrit, p. ex.: 'La lune se levait, un apaisement descendait dans son cœur.' Ici, c'est sans doute Flaubert lui-même qui a donné une valeur concrète, une valeur individuelle à ce substantif abstrait. La concrétisation est donnée par 'dans son cœur'. Ce 'dans son cœur' remplit presque les fonctions qu'aurait un adjectif; le rythme de la phrase arrondit l'ensemble de manière que l'absence de l'adjectif ne lui donne point le caractère d'une anacoluthe. Mais voici Zola: il écrit: 'Il avait toujours sa jolie figure inquiétante de gueuse, mais un certain arrangement des cheveux, la coupe de la barbe, lui donnaient une gravité.' Jamais Flaubert n'aurait écrit une phrase aussi lourde. Cette chute malheureuse aurait blessé son oreille, elle lui aurait rendu doublement sensible l'absence

[1] Cet exemple, comme plusieurs de ceux qui suivent, a été cité et discuté par Albert Thibaudet, p. 272, mais présenté un peu autrement.

de l'adjectif de concrétisation. On voit où l'on en arrive quand on imite Flaubert sans être animé d'un génie pareil au sien.

Nous allons étudier quelques cas où Flaubert a donné le signal d'un revirement syntacto-stylistique de la prose française. La phrase classique du 17e s. avait fait un usage très abondant des pronoms relatifs et de la conjonction *que*. Ces mots leur servaient à marquer les points de jonction, les articulations qui donnaient aux périodes une forte structure intellectuelle, la clarté de rapports organiques. Comp. Pascal: 'Si un gentilhomme qui est appelé en duel est connu pour n'être pas dévot, et que les péchés qu'on lui voit commettre à toute heure sans scrupule fassent aisément juger que, s'il refuse le duel, ce n'est pas par la crainte de Dieu, mais par timidité, et qu'ainsi on dise de lui que c'est une poule et non pas un homme, gallina et non vir, il peut ...'

Ces phrases puissamment charpentées n'étaient déjà plus en accord avec l'esprit inquiet, combatif, ironique du 18e s. Les discussions d'idées ne se font plus avec cette gravité si significative; elles ont un je ne sais quoi de fiévreux, d'élastique, de léger. De là, ce style pétillant et remuant de Voltaire (voir p. 203). Voltaire pourvoit ses phrases de très peu de pronoms relatifs. Il préfère la phrase courte, qui se porte elle-même, qui ne demande rien ni à ce qui précède ni à ce qui suit. C'est la phrase de la conversation de salon, spirituelle et sans prétention. Les périodes de Rousseau, en revanche, prennent de nouveau plus d'ampleur, mais son génie lyrique lui fait pourtant éviter souvent les *qui* et les *que*. Il s'en sert très sobrement.

Arrive Flaubert avec sa tendance à tempérer la langue classique par la langue parlée. Celle-ci fuit certainement ces conjonctions et ces pronoms relatifs, puisqu'elle n'aime pas les périodes de longue haleine. C'est pourquoi Flaubert abhorre les pronoms relatifs et les *que*. Thibaudet dit de lui: «Les pronoms relatifs ont été le cauchemar de Flaubert, et il pourchasse leur répétition comme une servante hollandaise les araignées.» Puisqu'il ne retourne pas à la phrase voltairienne, il doit leur trouver un ou des succédanés. Un de ces succédanés qui se présentent tout d'abord, c'est le participe présent. Ainsi il écrit, p. ex., dans Salammbô: 'Sans cesse il y avait quelques batailles dans les rues à cause des Juifs refusant de payer l'impôt ou des séditieux qui voulaient chasser les Romains.' Remarquez que l'une des phrases relatives est remplacée par le participe présent. Quand on se demande pourquoi seulement une, pourquoi la première et non la seconde, on constate une différence sémantique assez sensible entre les deux verbes (refuser, vouloir). *Refuser* a une valeur négative; il est au participe; *vouloir* est positif, plus actif, il est à l'imparfait. Cette nuance s'accorde bien avec la valeur stylistique du participe, qui, naturellement, a moins de force, de fermeté que le verbum finitum. Ainsi Flaubert fait de nécessité vertu: le participe présent n'a pas seulement cette raison d'être toute négative que serait le désir d'éviter les pronoms relatifs; le grand romancier s'en sert en même temps pour nuancer les différentes parties de la phrase, pour donner à tel ou tel membre une certaine faiblesse, une certaine mollesse, pour affaiblir sa réalité.

La conjonction *que*, surtout dans la narration, est particulièrement fréquente pour introduire le discours indirect. Ici encore Flaubert trouve dans la langue parlée le moyen de l'éviter. Pour rapporter, dans le récit, les paroles d'un autre, il y a deux moyens: le discours direct, qui répète simplement ce que le personnage a dit, et le discours indirect. 'Il a dit: Je suis content.' 'Il a dit qu'il était content.' Or, la première de ces formes appartient surtout à la narration écrite, la deuxième peut devenir assez lourde quand l'énonciation relatée est longue. La langue a trouvé un moyen assez simple d'éviter ces deux difficultés. Voici un passage de Zola mis au discours direct: 'Dès qu'elle parut sous la porte, on l'appela dans la loge: Eh bien, est-ce que le père Coupeau dure toujours? Elle répondit: Mon Dieu, oui, il dure toujours.' Discours indirect: '... dans la loge et on lui demanda si le père C. durait toujours. En poussant une exclamation de douleur, elle répondit que oui, qu'il durait toujours.' Or, la première de ces formes est peu conforme aux usages de la langue parlée qui n'aime pas les récits se passant sur deux plans différents. Le discours indirect a une structure assez compliquée (verbes introducteurs, impossibilité d'y insérer les exclamations, suite des conjonctions). C'est pourquoi on trouve une forme moyenne: '... loge. Eh bien! est-ce que le père C. durait toujours? – Mon Dieu! oui, il durait toujours.' Cette construction évite tous les désavantages du discours indirect. Elle conserve toute la mobilité, la souplesse du discours direct; elle garde du discours indirect juste assez pour marquer la différence des deux plans, ceux du récit lui-même et de l'énonciation relatée avec transposition des temps. On est convenu d'appeler cette construction: discours indirect libre[1]. Cette forme ne correspond point à la structure logique et uniforme de la période française. Aussi ne nous étonnerons-nous pas de voir que son emploi a beaucoup varié.

En ancien français la différence entre les deux discours indirects est beaucoup moins marquée, d'abord parce que les *que* peuvent simplement être supprimés, ensuite parce que la transposition des temps était beaucoup moins sensible (*que je fusse* sert de subjonctif imparfait et plus-que-parfait). Mais au 15e s., les temps recevant un sens de plus en plus marqué, le discours indirect libre prend une certaine extension. Nous trouvons, p. ex., dans le Jouvencel (texte du 15e s.): 'Sy advisa en soy-meismes qu'il seroit bon de faire une entreprinse pour les avoir (les chevaux); car, s'il les povoit avoir, il iroit desoremaiz à cheval.' Le discours indirect normal aurait donné à la phrase la forme que voici (je modernise): Il pensa en lui-même qu'il serait bon de faire une entreprise pour les avoir, parce que, s'il avait pu les avoir, il serait allé désormais à cheval. Discours direct: car si je pouvais les avoir, j'irais désormais à cheval. L'auteur préfère un mélange de ces deux formes: en transposant le direct en indirect il change de personne, mais il conserve les temps: car s'il pouvait les avoir, il irait ...

Au 16e s., l'exemple du latin a fait préférer le style indirect normal. Mais un styliste aussi conscient de son art que Rabelais sait se servir des deux styles indirects, tour à tour et avec des nuances toutes modernes. Le 17e s. évite presque complètement le style indirect libre. Un seul auteur fait exception, c'est La Fontaine:

> Il met bas son fagot, il songe à son malheur.
> Quel plaisir a-t-il eu depuis qu'il est au monde?
> En est-il un plus pauvre en la machine ronde?

discours indirect libre

Seul, au 17e s., il évite les *qui* et les *que*, et il passe la parole à ses personnages. Le style indirect libre est né du langage populaire.

[1] Voir Marguerite Lips, Le style indirect libre; Paris, 1926.

Le 18e s. offre un certain nombre de passages, mais très restreint, du discours indirect libre. Les romantiques, Stendhal, l'emploient quelquefois. L'œuvre de Balzac est très inégale sous ce rapport. Dans certains romans on ne trouve guère de phrases au discours indirect libre; dans d'autres, par contre, comme Le Lys dans la Vallée, celui-ci abonde, peut-être parce que la vie affective des personnes y paraît souvent comme à demi voilée. Mais, le premier, Flaubert a su en tirer des effets véritables. Ainsi il le fait souvent alterner avec le style direct pour distinguer les interlocuteurs: 'Frédéric aborda enfin la question: Arnoux méritait de l'intérêt; il allait même, dans le seul but de remplir ses engagements, vendre une maison à sa femme. – Elle passe pour très jolie, dit Mme Dambreuse.' Ailleurs Flaubert passe de l'une à l'autre de ces deux formes de discours sans que le personnage change. Dans ce cas, cette variation marque une nuance psychologique. Ainsi, dans le passage suivant, tiré de l'Education Sentimentale, c'est toujours Fréd. Moreau qui parle. Mais le commencement et la fin nous présentent un discours direct, tandis que le milieu est en discours indirect libre: 'Eh bien, oui! s'écria Frédéric. Je ne nie rien! Je suis un misérable! écoutez-moi. S'il l'avait eue, c'était par désespoir, comme on se suicide. Du reste, il l'avait rendue fort malheureuse, pour se venger sur elle de sa propre honte. – Quel supplice! Vous ne comprenez pas?' Tout ce qui est mis en discours indirect libre est mis là par Frédéric pour amoindrir la réalité qu'on lui reproche, pour en diminuer l'importance. C'est comme un voile qu'on mettrait devant quelque chose pour en amortir les contours.

Ces exemples nous montrent quelles nuances Flaubert sait exprimer par ce moyen que lui offrait la langue parlée. Mais la langue moderne connaît aussi des tendances qu'il ne partage pas. C'est le cas, p. ex., pour l'emploi du substantif[1]. Aujourd'hui le substantif remplace souvent le verbe. La stylistique de E. Legrand recommande de ne plus dire 'L'exploitation s'étend considérablement', mais 'L'exploitation prend une extension considérable'. Au lieu de 'L'ennemi sent qu'il a trop peu de forces' on dira 'L'ennemi sent l'insuffisance de ses forces.' Cette cons-

[1] Comp. sur tout Alf. Lombard, Les constructions nominales dans le français moderne. Upsala (1930).

truction remplace l'expression du mouvement par celle d'une vision momentanée, le verbe étant l'expression du dynamisme. Bien entendu, on peut trouver la construction nominale à d'autres époques aussi (comp. p. ex. Ronsard: *l'enflure des ballons* pour 'les ballons enflés', Du Bellay: *sa main branlait l'horreur d'une grand'hache* pour 'une hache horrible', mais jamais elle n'avait encore pris l'extension que nous remarquons depuis la deuxième moitié du XIXe s.

La vogue de cette construction est due en partie au rythme hâtif de la vie moderne. Les en-têtes des articles de journaux permettent de se faire une idée rapide de tout ce qui est arrivé, sans qu'on ait besoin de lire l'article tout entier. C'est aussi le style des calepins, des carnets: 'Départ à 3 h., arrivée à Bordeaux à 8 h.; dîner à l'hôtel du Commerce, avec M. X.; le soir au cinéma.'

Or, rien de tout cela dans Flaubert. Sa phrase conserve toute la plénitude de la phrase classique. Mais à côté de lui les Goncourt subordonnent déjà l'exactitude, la correction grammaticale à l'intensité pittoresque. Nous avons déjà dit que la littérature naturaliste ne veut plus donner une idée de l'objet mais rendre simplement l'impression immédiate qu'il produit sur les sens. Ce n'est pas que les phrases nominales pures soient excessivement nombreuses dans leurs romans (des phrases comme 'tout à coup le tintement d'une sonnette retentissante'; 'partout le silence, et partout l'oubli'). Mais il y a des moyens plus discrets pour éviter le verbe, pour en amoindrir la force: c'est de lui substituer un substantif verbal accompagné d'un verbe incolore, du verbe auxiliaire, p. ex.: 'Vous dites qu'il est sorti ? reprit-elle, pendant que ses narines avaient de petits frémissements imperceptibles.' – 'C'est une foule, une mêlée. Ce sont des artistes en bande. On ne voit que des nez en l'air, des gens qui regardent. Il y a des admirations stupéfiées ... Il y a des coups d'œil de joie.' – Dans le Journal intime des deux frères ces phrases nominales sont bien plus nombreuses encore que dans leurs romans.

Daudet, qui est fortement influencé par les Goncourt, continue dans la même voie. Sa méthode de travail y a fortement contribué. Il avait toujours son calepin sur lui, dans lequel il couchait ses impressions, sans savoir où ni comment il s'en servirait un jour. Aussi la mise au point du texte n'effacera-t-elle pas toujours les traces de cette origine des morceaux: 'Pendant une heure, ce sont des piaffements, des roulements, des bruits de portières mêlés à des ruissellements d'eau.'

Zola n'a pas subi l'influence de la peinture comme les Goncourt; lui, il s'appuie sur les sciences. Mais celles-ci, aussi, par une curieuse coïncidence, semblent le pousser dans le même sens. De là, chez lui, de nombreux exemples de cette construction: 'Sur les deux trottoirs, dans l'étranglement étroit des maisons, c'était une hâte de pas, des bras ballants, une hâte sans fin.' – Et chez ce sensualiste de Maupassant les exemples abondent: 'Ce fut, de voiture en voiture, un échange incessant de saluts, de sourires et de paroles aimables.'

On s'attendrait peut-être à trouver une réaction contre ce courant dans les œuvres des auteurs qui ont voulu arracher la langue à la vulgarité dont elle est devenue de plus en plus la proie dans ces derniers cent ans. Chez les symbolistes surtout. Mais, au contraire, eux aussi suivent, sous ce rapport, la pente générale. Verlaine:

> Briques et tuiles | O les charmants |
> Petits asiles | Pour des amants! – | Houblons et vignes |
> Feuilles et fleurs | Tentes insignes | Des francs buveurs...

Et même chez Mallarmé les phrases sont souvent sans verbe. Et là où il y en a, les mots forts de la phrase sont presque toujours les substantifs.

On trouve donc cet envahissement de la construction nominale chez ceux qui ont fait descendre la langue littéraire au niveau de la langue de tout le monde; on la trouve de même chez ceux qui réagissent fortement contre ces tendances. C'est en rapprochant ces deux faits qu'on voit combien cette propension correspond à l'évolution générale de la mentalité moderne.

A partir des Goncourt le substantif empiète aussi sur le domaine des adjectifs. La qualité des personnes et des objets est conçue avec tant d'intensité qu'elle prédomine et renvoie au second plan les porteurs des qualités. De là des phrases comme: 'C'est autour de ce comptoir ... que se coudoient toutes ces ivresses d'hommes, de femmes et d'enfants.' – 'Des femmes penchées sur la fugitivité de l'eau.' Toutes les autres qualités de ces personnes disparaissent devant cette ivresse.

Le style des naturalistes, nous l'avons vu, s'inspire beaucoup de la langue parlée, on peut presque dire qu'il la copie. Le rythme grave, la forte structure de la phrase classique lui sont plutôt étrangers. C'est pourquoi elle aime à rompre ce rythme en intercalant toute sorte de communications accessoires. La langue classique aurait dit 'avec un bon et doux sourire sur la figure grave'. E. de Goncourt écrit 'avec, sur la figure grave, un bon et doux sourire'. Cette séparation de la préposition et du substantif qui en dépend prend le tout comme un complexe. La phrase classique, en se déroulant, montre un élément après l'autre de l'idée entière. Cette nouvelle phrase interrompt le cours du rythme. 'Sur la figure grave' est comme une incise; on prononce ces mots sur un ton plus bas, pour reprendre ensuite la hauteur précédente de 'avec' ... Ainsi, par-dessus cette incise, les deux parties sont reliées l'une à l'autre par la hauteur du ton. Mais l'image surgit devant nous dans son unité. C'est une nouvelle espèce de synthèse syntactique après l'évolution séculaire qui n'avait cessé d'accentuer l'analyse. L'on ne voit pas très bien d'où elle vient. On a voulu invoquer la langue populaire. Mais le fait qu'elle se trouve déjà dans la Chartreuse de Parme, montre qu'il faut probablement lui assigner une autre origine. Elle y est insérée dans un texte juridique *(avec, au préalable, excuse publique);* il y a donc de la chance pour qu'elle provienne du style des juristes. Cette construction nouvelle réalise l'unité en interrompant le cours du rythme. Peut-être qu'un jour, par la force de l'usage, ce mode d'expression deviendra normal et perdra son caractère d'incise. Nous touchons là à la principale source du renouvellement de la langue. Il est vrai que, pendant assez longtemps, on a pu se bercer de l'illusion que l'enseignement donnerait à la langue écrite le dessus sur la langue parlée, que l'écriture et la lecture exerceraient plus d'influence que la parole fugitive. Aujourd'hui de nouveaux éléments ont surgi: au lieu de s'écrire une lettre, on se téléphone; la radio, la télégraphie sans fil remplacent pour beaucoup les séances de lecture. L'ensemble des représentations linguistiques qui forment le système vivant dans un sujet parlant dépend moins aujourd'hui des images visuelles qu'il y a vingt ou trente ans. Cette reprise de la langue parlée ressemble un peu à ce qui s'est passé pour les moyens de communication: Vers 1900, les bonnes routes d'autrefois semblaient destinées à perdre irrémédiablement le gros du trafic au profit des chemins de fer. Depuis, le progrès de la technique mécanique leur a rendu toute leur importance grâce à l'automobile. Il y a trente ans l'Hôtel de la Gare invitait coquettement les voyageurs, tandis que l'auberge du bourg, située sur la grand-route, était abandonnée à quelques misérables piétons. Aujourd'hui cette auberge est pleine de vie, tandis que l'Hôtel de la Gare ne reçoit plus que quelques commis voyageurs.

Mais cette évolution de la langue vers une forme plus adaptée à l'état d'esprit des masses a eu pour résultat aussi une réaction littéraire. La vulgarisation croissante de la langue a choqué certains auteurs. Ce sont eux qui, avec Mallarmé et Paul Valéry, ont trouvé pour leurs œuvres une langue à part, une espèce de langue secrète, mystérieusement fermée aux profanes. Ce n'est pas qu'ils ne se servent que de cette langue particulière, incompréhensible aux autres. Mais ainsi ils ont fait de la langue littéraire une langue pour initiés, une langue spéciale comme – toutes proportions gardées – les langues des métiers. Et puisque la littérature ne pourra jamais vivre sans contact avec la vie générale, sous peine de s'ankyloser, cette langue littéraire particulière ne pourra durer longtemps. Car, au-dessus de toutes les castes littéraires, il y a les grands courants de la vie nationale; ce sont eux qui décident de l'aspect que prendra la langue. Celle-ci n'est que la forme la plus profonde qu'une nation donne à son essence.

VII. ÉTAT ACTUEL DE LA LANGUE FRANÇAISE

1. REMARQUES PRÉLIMINAIRES

Quand on se propose d'exposer la structure d'une langue, on a à lutter contre la difficulté de devoir la caractériser par des traits communs à plusieurs langues.

Les langues de l'Europe moderne ont vécu dans un contact permanent pendant près de deux mille ans. Et il est naturel que les relations de peuple à peuple aient une répercussion sur le développement des langues. On peut, en effet, parler d'un courant commun, de tendances communes à plusieurs des langues européennes. Ainsi, pour ne citer qu'un exemple, la place du verbe dans la phrase est la même en ancien français et en moyen-haut-allemand. Il y occupe la deuxième place, et de là il domine la phrase tout entière. – Si nous essayons donc maintenant de caractériser la langue française, nous n'entendons jamais perdre de vue ce que nos jugements, et surtout nos comparaisons avec d'autres langues (surtout avec l'allemand) peuvent avoir de relatif.

2. DESCRIPTION DE L'ÉTAT ACTUEL

LES SONS

Comment on produit les voyelles et les consonnes

Commençons notre revue par la formation des sons français. Ce qui frappe avant tout dans la prononciation française, c'est la netteté, la clarté, la sobriété avec lesquelles on forme tous les phonèmes. Cela tient en partie au fait que la base de l'articulation française est surtout dans la partie antérieure de la bouche, tandis que l'allemand et l'anglais articulent plus en arrière et que leurs sons, formés ainsi, doivent traverser la cavité buccale; les sons français, eux, sortent directement de la bouche et conservent quelque chose de plus dégagé, de plus immédiat. En outre, les Français tendent fortement les muscles intérieurs de la bouche, tandis que les Anglais relâchent beaucoup les muscles de l'articulation. Ainsi on a l'impression d'une forte discipline chez le Français, et d'une grande négligence chez l'Anglais. Mais c'est une discipline qui ne trahit pas son effort. Le travail s'accomplit presque entièrement à l'intérieur de la bouche. Tandis que certains Allemands paraissent fournir un travail qui se traduit dans les mouvements du visage, le visage d'un Français reste très calme. Cette discipline qui se cache est un des secrets de l'élégance de la diction française.

La forte tension des muscles a ses conséquences pour les voyelles comme pour les consonnes. Le français ne connaît pas les voyelles indécises de l'anglais. Les organes restent bien en place pendant tout le temps que dure l'articulation d'une voyelle; celle-ci garde donc le même caractère du commencement à la fin, tandis que les voyelles anglaises, par suite du déplacement des organes, se transforment en diphtongues et en triphtongues. En français, toutes les voyelles sont bien timbrées; il n'y en a pas qui soient moyennes ou indécises. Le français ne possède donc pas de diphtongues[1].

Même conséquence pour les consonnes. Les consonnes françaises sont articulées avec énergie, avec violence même. Mais c'est une énergie qui se maîtrise. Prenons comme exemple les occlusives. Elles sont toutes formées à peu près avec la même force, qu'il s'agisse de sourdes ou de sonores, d'occlusives ou de continues; mais en revanche la différence entre sourde et sonore est toujours marquée nettement. L'*f*, l'*s*, le *š* allemand sont plus longs, mais plus faibles que l'*f*, l'*s*, le *š* français. L'initiale de *feu*, *fils*, *son*, les deux consonnes de *chiffon*, etc. sont prononcées avec une énergie concentrée, auprès de laquelle l'*f* ordinaire de l'all. *fisch* paraît avoir quelque chose de lâche. Les occlusives anglaises et allemandes sont pourvues d'une aspiration que le français ignore. Quand un Français prononce un *t*, il ferme d'abord les cavités buccales de tous les côtés; l'Allemand les laisse ouvertes par en-bas, par la glotte. Il en résulte que le Français ne produit qu'un *t*, tandis qu'après le *t* allemand ou anglais la colonne d'air continue à venir des poumons et en fait un *th*. Cela donne à la

[1] On en entend, pourtant, aujourd'hui quelquefois dans la prononciation de deux voyelles atones en hiatus, comme *aéré*, *réussir*.

prononciation française une grande impression de sobriété: le *t*, le *p*, le *k* sont formés avec beaucoup de netteté, mais sans l'exubérance des langues germaniques. Et comme le français ne connaît pas de diphtongues il n'admet pas non plus la combinaison de deux consonnes presque fondues l'une dans l'autre, comme les groupes allemands ou italiens *ts*, *dz*, *tš*, *dž*, *pf* (it. *razza*, *caccia*, *raggio;* all. *zier*, *pfarrer*)[1].

La syllabe

En étudiant la syllabe on est frappé d'une différence fondamentale entre le français et l'allemand. La plupart des syllabes se terminent par une voyelle en français, par une consonne en allemand. (Exemple de la syllabation française: Je / l'en/ten/dais / ve/nir / a/vec / ses / gros / sa/bots.) Le plus souvent la syllabe française se compose d'une voyelle précédée d'une, quelquefois de deux consonnes *(détacher*, *très)*. En allemand c'est l'inverse; nous trouvons même assez fréquemment dans cette langue deux ou trois consonnes ou même quatre à la fin de la syllabe *(gern*, *fürst*, *ernst)*. La répartition des deux types de syllabes (ouverte, fermée), dans les deux langues, calculée d'après un certain nombre de pages de prose, est à peu près dans le rapport de 5 à 1 pour le français, 1 à 3 pour l'allemand. Et si nous regardons de plus près les syllabes françaises terminées par une consonne, nous voyons que la plupart appartiennent à des mots empruntés: *altitude* (contre *haut*, où *l* avait été vocalisé), *justice* (contre *fête* où *s* a disparu vers la fin du moyen âge), *excursion* (contre *éclairer*). Sans l'influence continuelle du latin la prédominance de ce type de syllabe serait donc bien plus sensible encore. L'âme d'une syllabe, le véritable porteur du souffle c'est la voyelle. Si la plupart des syllabes françaises sont ouvertes, cela veut dire qu'elles concentrent leur force sur leur deuxième et dernier pho-

[1] Ces groupes apparaissent quelquefois au contact de deux mots, comme *toute chose*, *cette session*, *frappe fort*, mais ils diffèrent alors essentiellement des mêmes groupes en allemand et en italien. Dans ces deux langues, en effet, ils se prononcent, comme en ancien français, en une seule émission de voix et font partie de la même syllabe, tandis qu'en français moderne le premier élément fait partie de la première syllabe (*tut-šoz*, mais afr. *a-tše-ter* «acheter», it. *kro-tše* «croce»). Les seules exceptions sont des emprunts modernes tels que *tsar*, *tchéka*.

nème. La syllabe française porte donc l'accent sur la fin; elle est oxytone. On voit que la même loi régit la plus petite unité, la syllabe, et l'unité moyenne, qui est le mot; car dans l'ensemble du mot c'est la dernière syllabe qui domine. Et en étudiant la syntaxe, nous verrons que cette loi vaut aussi pour les rapports entre les différents membres de la phrase. Ce caractère oxyton prédomine donc dans la langue française, en grand comme en petit. La plupart des syllabes allemandes par contre sont fermées; elles concentrent ainsi leur force sur leur première partie; elles sont barytones. Et c'est également le caractère qui prédomine dans l'accentuation du mot.

Du reste, l'unité qui est à la base de la formation de la phrase française ce n'est pas le mot, c'est le groupe rythmique. Une suite de mots comme *la première offre* ne possède qu'un seul accent d'intensité; elle forme un tout. Et dans l'intérieur de ce groupe les mots ne se détachent pas l'un de l'autre; la voix ne s'arrête nulle part. Il en résulte que l'*r* se rattache à la syllabe suivante. C'est ainsi que beaucoup de syllabes qui par elles-mêmes se termineraient par une consonne, cèdent celle-ci à la syllabe suivante; elles s'ouvrent. – Ici encore l'allemand s'oppose résolument au français. En allemand chaque mot garde un peu de son indépendance. Si l'initiale vocalique le met en danger d'être lié avec le mot précédent, il le pourvoit d'un son particulier qui marque nettement le commencement du mot qui suit: c'est une attaque dure *(das 'erste 'Angebot)*. L'allemand interrompt donc la voix chaque fois qu'un mot commence par une voyelle. C'est ce qui fait l'effet d'un hiatus. Le français n'admet pas cette sorte de rupture de la voix. Il a tout de même un moyen de différencier, de séparer deux voyelles, la finale d'un mot et l'initiale du mot suivant. C'est une légère différence de hauteur et de timbre, moyen très discret: *j'ai été*, *il y a eu un* ... Ces suites de voyelles présentent une modulation très douce.

On conçoit que cette structure de la syllabe française doive lui donner une certaine monotonie, d'autant plus que les voyelles ne sont jamais longues, et que la différence entre les demi-longues et les brèves se réduit souvent à peu de chose. Toutefois cet inconvénient est amoindri par la très grande diversité des timbres vocaliques: le français n'a pas moins de seize voyelles différentes, plus du double de l'italien (sept), presque le triple de l'espagnol (cinq). Comparé à l'italien et à l'espagnol le vocalisme français est donc d'une très grande richesse. Mais quand on compare les mots français entre eux et aux mots de ces deux autres langues, on s'aperçoit que cette étonnante variété est indispensable à la langue. Ayant perdu, au XIVe et au XVe s., presque toutes ses voyelles et ses consonnes finales, le français a réduit le corps phonétique de ses mots dans une mesure inconnue ailleurs. La grande variété du vocalisme a donc une fonction très nette dans l'ensemble de la langue, celle de rendre possible la distinction des différents mots. Voir p. ex. les dix mots suivants: *pis* (prononcé *pi*), *pu (pü)*, *pou (pu)*, *peu (pœ)*, *peau (pọ)*, *pain (pẽ)*, *paix (pę)*, *pont (põ)*, *pas (pa)*, *pan (pã)*. Ils ne se distinguent que par la voyelle, tandis que les mots correspondants italiens et espagnols ont conservé leurs terminaisons et se différencient ainsi les uns des autres par la partie du mot qui suit la voyelle du radical: it. *peggio*, esp. *peor;* it. *potuto*, esp. *podido;* it. *pidocchio*, esp. *piojo;* it. esp. *poco;* it. *pelle*, esp. *piel*, it. *pane*, esp. *pan;* it. *pace*, esp. *paz;* it. *ponte*, esp. *puente;* it. *passo*, esp. *paso;* it. *panno*, esp. *paño*. Si le français ne possédait pas un si grand nombre de voyelles, beaucoup de mots seraient devenus identiques phonétiquement, ce qui est en rapport direct avec le maintien de la clarté et de la netteté avec laquelle on articule toutes ces voyelles. Il est vrai que l'anc. franç., qui avait encore les voyelles et les consonnes finales perdues plus tard, possédait encore plus de voyelles, en comptant aussi les diphtongues, que le franç. moderne. Mais l'anc. français se signalait à tous points de vue par sa grande exubérance, par sa grande richesse, qui, d'un point de vue moderne, pourraient paraître inutiles.

Examen rétrospectif

Nous avons vu que tous ces traits se tiennent: syllabes ouvertes, absence de diphtongues, oxytonie. Il est permis de regarder en arrière et de se demander si le français les a toujours possédés au même degré. Nous n'avons pas de peine à constater que l'ancien français est très différent du français moderne sous ce rapport. En comparant la prononciation ancienne de *chanter*, *renart*, *chaut*, *feste* aux mots modernes correspondants, nous voyons combien de syllabes ont passé du type fermé au type ouvert. L'ancien français avait des diphtongues en grand nombre (16), et même deux triphtongues; elles sont toutes devenues monophtongues *(couteau)*. Et enfin l'ancienne langue possédait un nombre très élevé de mots paroxytons *(chántes, tiéde);* la chute de l'*e* final les a tous transformés en oxytons. Les transformations qui ont éloigné le français du type représenté par l'allemand ont eu lieu entre le 13e et le 17e s.; elles sont parallèles entre elles, même dans leur évolution historique: preuve convaincante de leur solidarité intérieure.

Cas pathologiques

Nous avons vu qu'à l'intérieur des groupes rythmiques les mots sont reliés entre eux par la prononciation, la consonne finale du premier se rattachant si possible au suivant. Ceci produit assez souvent des cas pathologiques, c'est-à-dire des cas où le sens de la phrase reste ambigu. Ex.: *Il a une femme qui l'aime (= qu'il aime), trop heureux (peureux), l'admiration (la demi-ration), il est ailleurs, il est ouvert.* Aucune autre langue européenne n'offre tant d'occasions de quiproquo, aucune ne se prête au calembour comme le français. Aucune non plus ne connaît au même degré la plaie de l'homonymie *(ver, vert, vers, vers, vair, verre).* Ce n'est pas un hasard si l'on a étudié les ravages de l'homonymie surtout dans le domaine du gallo-roman[1]. C'est ainsi que la pathologie d'une langue peut montrer avec une clarté parfaite ses traits de caractère les plus profonds. Le français doit éviter ces dangers par le choix des mots ou par l'arrangement de la phrase.

Mais le français connaît encore d'autres soucis. Nous avons vu que malgré le grand nombre de voyelles la monotonie de la structure syllabique restreint sensiblement le nombre des syllabes possibles. Il en résulte que très souvent il faudrait répéter la même syllabe. Ex.: *un secret qu'on confie* (remplacé par *que l'on).* Très souvent aussi, la liaison étroite des mots produit une suite de syllabes malsonnante: *loue – l'en; je ne sais si c'en sont.* Une oreille française se sent blessée par un pareil assemblage de sons.

[1] Voir Gilliéron, J., et Roques, M., Etudes de géographie linguistique, Paris, 1914; Gilliéron, J., Pathologie et thérapeutique verbales, Paris, 1921.

Le danger de telles cacophonies est plus grand en français que dans les autres langues.

Ce flair du calembour possible et cette horreur de la cacophonie ne datent pas d'aujourd'hui. Ils se manifestent déjà au début de l'époque moderne. Malherbe reprend le pauvre Desportes d'une suite de syllabes en écrivant à côté du vers *Quelle manie est égale à ma rage: ga la ma ra.* Ou bien, en marge du vers *Mais vous, belle tyranne, aux Nérons comparable* il écrit *tira nos nez.* Aujourd'hui encore, tout Français a l'oreille extrêmement fine, extrêmement sensible, toujours prête à saisir le ridicule ou la laideur d'une suite malencontreuse de syllabes: tout Français est un petit Malherbe.

L'accent

La grande sobriété de la prononciation française s'étend aussi à la manière dont l'accent est employé. L'accent français est nettement marqué, mais il ne va pas jusqu'à affaiblir les autres syllabes. Il se manifeste en même temps par la hauteur musicale et par l'intensité, et ces deux éléments sont fondus intimement l'un dans l'autre. Dans un groupe rythmique comme *il parlait bien*, la dernière syllabe est prononcée sur une note un peu plus haute et avec un peu plus d'intensité que les autres. En allemand par contre, la hauteur musicale et l'intensité s'opposent très souvent l'une à l'autre. Dans la phrase *er will fortgehen* l'accent d'intensité frappe la syllabe *fort*, tandis que cette syllabe se prononce sur une note moins haute que la syllabe suivante. C'est pourquoi la diction française paraît beaucoup plus harmonieuse, plus captivante, plus insinuante. Pour une oreille française la diction allemande a quelque chose d'incohérent, de disloqué.

L'accentuation dont nous venons de parler, l'accentuation normale a une fonction purement rythmique, elle est sans valeur expressive, elle est tout à fait traditionnelle; elle n'exprime rien, elle ne révèle rien de l'individu qui parle. Mais le français connaît également une accentuation anormale qui peut frapper une syllabe autre que la syllabe ordinaire. Sous le coup d'une forte émotion on ne dira pas *c'est épouvantạble*, mais *c'est épouvantạble*, avec deux accents (sur *-pou-* et sur *-table*). A côté de cette raison de sentiment qui influe sur l'accentuation, une autre raison peut changer l'intonation ordinaire du groupe rythmique. Cela se produit lorsqu'on veut mettre en relief la valeur d'une expression, par besoin de clarté, par désir de faire entrer certaines notions dans la tête des auditeurs. La lecture de textes scientifiques, l'enseignement scolaire et universitaire surtout demandent cet accent, qu'on peut appeler accent d'insistance: *C'est une vérité relative, ce n'est pas une vérité absolue. La république d'Athènes était une démocratie, celle de Venise une aristocratie.* Dans les discours politiques les orateurs mêlent souvent les deux accentuations anormales, celle de l'émotion et celle de l'insistance. C'est même un des secrets du grand succès de certains orateurs français.

Entre l'accent d'insistance et l'accent d'émotion il y a de sensibles différences. Le premier frappe toujours la première syllabe du groupe rythmique, même lorsque cette syllabe n'a aucune importance sémantique: *officiel et officieux.* Le deuxième se rencontre surtout dans des expressions qui suggèrent une idée d'extrême grandeur ou d'extrême petitesse, d'un degré supérieur dans le bien ou le mal, dans la beauté ou dans la laideur, enfin une impression subjective, un sentiment personnel. Il choisit de préférence la deuxième syllabe d'un mot; mais sa place n'est pas fixée. Et il est caractérisé en outre par une articulation plus violente de la syllabe qu'il frappe. La force affective de l'expression déforme aussi l'articulation normale: si la syllabe commence par une consonne, celle-ci est allongée *(éppou-);* si elle commence par une voyelle, celle-ci est précédée d'un coup de glotte, qui rend le même service que l'allongement de la consonne *('abominable).*

Nous voyons donc l'accentuation normale se déformer sous l'influence de deux forces. L'accent d'émotion résulte de la vie affective; par lui les sentiments font irruption dans l'intonation. L'accent d'insistance est le produit de la volonté[1]: volonté d'enseigner, volonté d'imposer, de propager ses idées et de conduire les événements. L'accent normal par contre, banal si l'on veut, représente les convenances, la tradition, ou bien la pensée pure dépourvue d'affectivité et de désir de propagande. Ainsi la

[1] On a l'habitude de l'appeler accent intellectuel. A tort, la pensée pure et qui se suffit à elle-même ne le connaît pas. Mais il apparaît dès que la pensée descend dans les salles de conférences des universités.

pensée tient le milieu entre la vie sentimentale d'un côté, la volonté de l'autre. Et ces deux grandes forces dynamiques agissent continuellement pour faire sortir la langue de sa stabilité.

L'on a souvent prétendu que nous assistions à un véritable déplacement de l'accent français. C'est inexact. L'accentuation du mot se modifie lorsque l'une des deux forces citées influe sur la diction; elle redevient normale dès que ces forces sont absentes[1].

Du reste notre exposé a déjà montré que ni l'un ni l'autre des accents anormaux n'élimine l'accent normal. Dans ces conditions le groupe rythmique porte tout simplement deux accents. Mais leur fonction est nettement distincte. L'un est l'accent attendu, marquant la cadence, le rythme traditionnel et séculaire de la langue: il se trouve encore au même endroit que du temps de Cicéron (lat. *dúbito* = fr. *doúte*, lt. *amicitátem* = fr. *amitié*). Les deux autres, l'accent affectif et l'accent volontaire, sont l'accent inattendu, qui sort de la tradition et qui surprend. Par eux l'individu manifeste son monde intérieur, plein de sentiments personnels, ou du désir de commander et de s'imposer. Or, ce qu'il y a de saisissant, c'est que le français les laisse tous vivre côte à côte, que jamais l'accent anormal ne détruit l'accent traditionnel, que jamais celui-ci n'empêche l'accent affectif ou volontaire de jouer son rôle. Cet état de choses reflète l'esprit pondéré de la nation. Il maintient puissamment la ligne de la tradition, même là où au premier abord elle semble l'interrompre, mais il ne supprime point pour cela l'individuel. L'accent de la langue française offre ainsi une image saisissante du génie de la nation, dont l'idéal est de trouver l'équilibre entre les droits de l'individu et la force de la tradition, d'épargner la contrainte au citoyen sans tomber dans le désordre.

L'accent est de la plus grande importance dans la phrase; il y sert à grouper les mots qui forment ensemble une unité sémantique, à faire saisir les rapports entre les différentes parties d'une

[1] On a invoqué les données de l'Atlas Linguistique de la France, où l'accent porte assez souvent sur la première syllabe. Mais cela s'explique simplement par le fait que les mots ont été demandés isolément, et que, par besoin de clarté, on a accentué la première syllabe. Aussi n'est-ce pas toujours l'accent normal qu'EDMONT a noté, mais l'accent d'insistance. Il disparaîtrait dès que les mots ne seraient plus demandés par séries, mais dans des phrases.

phrase. Chaque phrase se compose d'un ou de plusieurs groupes rythmiques: *il m'a écrit* (un groupe); *il m'a écrit avant-hier* (deux groupes). Le mouvement de la phrase est d'ordre surtout musical. En général la voix monte de la première à la dernière syllabe d'un groupe rythmique, excepté pour le dernier groupe d'une phrase, lequel a tendance à descendre. Le plus souvent la deuxième partie de la phrase commence sur une note plus basse que la première, et la voix monte moins haut. Entre la partie montante et la partie descendante d'une phrase, qui peuvent être d'une longueur très inégale, il y a une sorte de césure, en prose aussi bien qu'en poésie. Comparez l'alexandrin *Je suis venu / trop tard // dans un monde / trop vieux*, à une phrase comme celle-ci: *Dans l'échange / de ces phrases brèves // il y avait autre chose / qu'un simple adieu.* Il n'est pas rare que seule l'intonation permette de comprendre le sens de la phrase. Les deux phrases *il sait donner des coups* et *il s'est donné des coups* ne diffèrent pas par l'articulation. Seul le fait que la première phrase est constituée par trois groupes rythmiques, la deuxième par deux décide du sens de la phrase. De même *elle a été chanter à Paris* s'articule de même façon que *elle a été chantée à Paris;* seule l'intonation permet de distinguer ces deux phrases. Souvent le rapport entre deux phrases qui se suivent n'est pas saisissable par l'écriture; il ne se révèle qu'à l'audition. Si l'on prononce p. ex. les deux parties de la phrase rudimentaire *Plus de joies, plus de chansons* sur le même ton, ce n'est qu'une simple énumération de ce qu'on a perdu; mais si l'on laisse tomber la voix de la première à la deuxième partie, on établit entre les deux un rapport de cause à effet. C'est ainsi que l'intonation devient un instrument extrêmement subtil de la pensée.

LES FORMES

Les langues flexionnelles ont la particularité de donner à leurs mots plusieurs formes différentes. Un mot se compose donc de plusieurs parties, dont l'une exprime l'idée en elle-même, tandis que l'autre indique ses rapports avec d'autres idées, sa place dans l'ensemble de la représentation que décompose la phrase (lt. *campus*, *-i*, *-o;* all. *feld*, *-es*, *-e*). Dans une expression comme *regis amicus*, l'élément *-is* a la fonction de rattacher le premier mot au deuxième. Essayons de caractériser le français de ce point de vue: nous constatons tout d'abord qu'il dit *le champ*, *du champ*, *au champ (ləšã*, *düšã*, *ọšã*, *lẹšã*, *dẹšã*, *ọšã*, *œ̄šã*, *dəbọšã*, *dẹšã)*, c'est-à-dire qu'il exprime les rapports en question par une sorte de préfixe. Il est vrai que le système latin n'a pas disparu entièrement. Dans *d'excellents amis (dẹksẹlã-zami)* l'*s* à la fin de l'adj. marque aussi le pluriel. Donc quelquefois le pluriel est exprimé par un *z* final. Toutefois ce cas n'est pas très fréquent. L'*s* du pluriel n'entre en fonction que dans la liaison. Or, les liaisons sont plutôt rares aujourd'hui, en dehors de certains cas bien fixés (pron. + verbe). On ne lie pas un substantif avec le verbe ni avec l'adj. postposé *(des ami*[*s*] *excellents)*. L'importance de ce reste de déclinaison n'est donc pas très grande.

Nous avons ensuite les mots en *-ail* et en *-al*, dont les pluriels se forment en *-aux: šval – švọ*, *ẹmay – ẹmọ*. Mais l'on sait que cette classe aussi est fortement entamée, qu'un assez grand nombre de ces subst. conserve *-als* au pluriel; on dit *les régal(s)*, souvent aussi *les idéals*, etc. Il y a enfin des cas tout à fait isolés comme *œil – yeux (œ̨y – yœ̣)*, *bœ̨f – bœ̣*, *œ̨f – œ̣*. Ces deux derniers mots sont particulièrement curieux parce qu'ici le pluriel est marqué par la perte de la consonne finale et par une sorte d'apophonie.

La déclinaison de l'adj. paraît encore plus vivante. Mais il faut remarquer qu'il ne s'agit pas ici de rapports à exprimer; la langue ne veut obtenir qu'un accord entre deux mots: dans *une main blanche* c'est la place de l'adj. qui marque son rapport avec le subst., ce n'est pas le *š* final de l'adj. Ainsi dans *un travail facile* et *une tâche facile* les deux adj. ne laissent pas reconnaître le genre du subst. Le fém. se forme de plusieurs manières très différentes les unes des autres: *mŵẹ*, *-ẹt; lẹ*, *lẹd; nyẹ*, *-ẹ̄z; frẹ*, *frẹ̄š; prõ*, *-t; rõ*, *-d; lõ*, *-g; bõ*, *bọn; ọ*, *ọt; sọ*, *sọt; šọ*, *-d; fọ*, *-s; bo*, *bẹl.*

Ce système flexionnel de l'adj. paraît donc aujourd'hui bien disloqué, incohérent. Il est sans valeur expressive.

Si nous passons de la langue parlée à la langue écrite, l'état de choses change absolument. Les adj. (excepté ceux du type de *facile*) prennent un *e* au fém.; les subst. et les adj. prennent une *-s* au pluriel. La langue écrite maintient donc la fiction d'une déclinaison, au moins en ce qui concerne la formation du pluriel. Il y a donc un désaccord manifeste entre la langue écrite et la langue parlée. Naturellement la première est en retard, la graphie étant tout à fait archaïque. Ce fait tourne d'autant plus facilement au désavantage de la déclinaison que tout ce reste de formes est superflu. En effet, si nous comparons *lə mür*, *lẹ mür* à *lə kanal*, *lẹ kanọ*, nous voyons que *lẹ kanọ* exprime de deux manières ce que *lẹ mür* fait connaître d'une seule. Ces mots rares et isolés ne démentent pas le système dans son ensemble.

Cela ne veut pas dire que le système n'ait pas ses défauts. Il y a des cas où l'article est absent: *sans amis (sãzami)*. Ici il devient impossible de distinguer le nombre.

Nous voyons que dans le système flexionnel du français moderne l'élément déterminatif précède le déterminé. Donc on exprime d'abord les rapports de l'idée avec d'autres idées, et ensuite seulement vient l'idée elle-même. Il va sans dire que l'accent frappe la partie qui exprime l'idée et non pas la partie exprimant le rapport. Dans *(lẹfrẅi de šã) de* marque le rapport entre les deux idées. Mais l'accent est sur *šã*. On voit que cette accentuation s'accorde absolument avec ce que nous avons dit de la syllabe et du mot: le rythme français est oxyton, aussi dans la flexion.

Si nous comparons le français moderne à celui des étapes précédentes, nous voyons qu'il s'oppose résolument au latin, mais que l'ancien français avait marqué une étape intermédiaire. La déclinaison y avait eu encore une vie assez intense; par contre l'usage de l'article n'avait pas encore été si fixe. L'ancien français participe donc des deux systèmes.

L'aspect que nous offre le verbe a beaucoup de ressemblance avec celui du subst. Prenons p. ex. le temps le plus usité, le prés. de l'ind. On conjugue *žəšãt*, *tüšãt*, *ilšãt*, *õšãt* (qui remplace de plus en plus *nušãtõ*), *vušãtẹ*, *ilšãt*. Les personnes sont donc différenciées surtout par une sorte de préfixes, tandis que la flexion est très réduite. A l'imparfait nous avons exactement le même état de choses (*žəšãtẹ*, etc.). Ici encore le déterminatif précède le déterminé. En latin et en ancien français les formes se distinguaient par les terminaisons, et on se passait des pronoms.

Ici, une orthographe surannée maintient des terminaisons

purement fictives. Mais le français possède encore un assez grand nombre de verbes où les personnes sont différenciées par l'apophonie: *je peux – vous pouvez, il vaut – ils valent, tu sais – vous savez.*

Les temps qui sont vivants dans le français parlé sont: cinq indicatifs: le présent, l'imparfait, le futur, le passé indéfini *(j'ai chanté)*, le plus-que-parfait *(j'avais chanté)*, ensuite le subjonctif présent, les deux conditionnels (simple et composé), l'impératif. Beaucoup de formes du passé déf. ne sont plus guère usitées, excepté dans quelques provinces, où ils se maintiennent grâce à l'influence du parler local; et l'impf. du subj. est presque mort. Le fr. a du reste déjà remédié d'avance à cet appauvrissement menaçant en créant le parfait surcomposé *j'ai eu chanté.* Tous ces temps n'ont pas la même vitalité. Le futur p. ex. paraît menacé par des formations plus ou moins nouvelles, des périphrases dont la valeur était d'abord purement modale: *je vais chanter*, *je suis sur le point de m'en aller*, (dans l'Est) *il veut pleuvoir.*

LA SYNTAXE

Ordre des mots

Tout le monde sait que la structure de la phrase française, en particulier l'ordre des mots, est d'une grande rigidité. Dans la phrase *le père punit le fils* seule la place des deux subst. indique les rapports dans lesquels ils se trouvent. Le français ne peut donc pas échapper à la loi qui veut que le sujet des phrases contenant un régime précède le verbe, et que le régime le suive. Cet ordre est maintenu même dans la plupart des phrases qui commencent par des circonstanciels, à part quelques exceptions qui sont limitées aux cas où toute confusion est impossible. On pourrait appeler cet ordre direct ou progressif. Les parties de la phrase se rangent de la façon dont procèdent les événements. *J'écris une lettre à mon ami.* La lettre est le produit de mon action, et quand elle est terminée, je l'envoie à mon ami. Rien n'est plus logique que ce procédé. Et Rivarol, dans son célèbre Discours sur l'universalité de la langue française, s'écrie: 'Voilà la logique naturelle à tous les hommes; voilà ce qui constitue le sens commun.' En effet, tandis que d'autres langues permettent aux sentiments d'envahir la structure de la phrase et de renverser l'ordre des mots, le français se laisse peu détourner du chemin qu'il a choisi. 'C'est en vain que les passions nous bouleversent et nous sollicitent de suivre l'ordre des sensations, dit Rivarol, la syntaxe française est incorruptible. C'est de là que résulte cette admirable clarté, base éternelle de notre langue: ce qui n'est pas clair, n'est pas français; ce qui n'est pas clair est encore anglais, italien, grec ou latin.' Rivarol a exprimé une idée très juste en disant que la langue française s'est formée d'une géométrie tout élémentaire, de la simple ligne droite. C'est dans le même sens que Ch. Bally appelle ce type de construction 'linéaire'. Puisque les mots n'expriment que l'idée elle-même sans rien trahir des rapports dans lesquels elle se trouve avec les autres idées, tout dépend du maintien de cet ordre, tout dépend de l'engrenage des différents membres. Cette construction analytique ôte au mot sa liberté. L'allemand est à l'opposé du français, sous ce rapport. *Gestern hat mein Freund seinem Vater einen Brief geschrieben.* Ici le verbe *hat geschrieben* est décomposé dans ses deux parties. Ces deux parties sont placées l'une presque au commencement de la phrase, l'autre à la fin. C'est comme une courbe qui ramène la ligne au point d'où elle est partie. La phrase allemande est éminemment synthétique. Et elle peut être construite de différentes manières justement parce que, les terminaisons étant conservées, chaque mot réunit en lui-même l'expression de l'idée et des rapports. Depuis un demi-siècle, il est vrai, la langue tend à étendre autant que possible l'inversion du sujet, ce qui donne à la phrase française un aspect un peu plus vif, plus varié. On aime p. ex. à mettre devant le sujet les verbes du mouvement, surtout lorsqu'ils marquent une avance dans l'action: *vint le jour où ...*; certains adv. mis au commencement d'une phrase entraînent l'inversion: *dehors régnait une douceur singulière; de ce jour date sa haine*[1]. On se sert de l'inversion quand on veut faire ressortir soit la notion verbale, soit le sujet. Toutefois il suffit d'un régime direct exprimé par un subst. pour rendre cette inversion impossible. Malgré une plus grande variété

[1] Voir Blinkenberg, A., L'ordre des mots en français moderne, Kopenhagen 1928–1933; Le Bidois, R., L'inversion absolue du substantif sujet, Le Français moderne 9, 111–128.

de structure la phrase française suit encore cette ligne droite qu'on lui a constatée au 18e s.

Toutefois la structure assez rigide de la phrase française normale est assez souvent bouleversée par l'élément émotif. Cet élément peut entraîner une segmentation de la phrase: *des joies, tu en as eu beaucoup; on en parle, de ce flirt; brisée, je le suis déjà*[1]. Cette forme disloquée de la phrase a le grand avantage de stimuler l'attention en donnant à l'expression un mouvement et un relief tout particuliers. On est libre de placer le membre à mettre en relief au commencement ou à la fin de la phrase *(C'est stupide, cette idée; cette idée, elle est stupide)*. La segmentation a, sur la périphrase déjà intellectualisée, grammaticalisée, avec *c'est ... que*, l'avantage de permettre la mise en relief de n'importe quel membre de phrase et en dehors de l'opposition avec d'autres membres énoncés expressément ou non. Il est vrai que même sous cette forme elle reste dans le cadre de la phrase traditionnelle, parce que le membre qu'on a détaché et qui forme comme une exclamation y est rappelé par un pronom. Ch. Bally a bien démontré que le propre de cette mise en évidence est de faire ressortir les deux parties de l'énoncé, le thème aussi bien que la fin. Cette tournure, si pleine de vie et d'impulsivité, reste donc encore dans le cadre des constructions antithétiques si particulières au français. L'explication donnée par Ch. Bally, toutefois, est incomplète. Dans une phrase comme *Les chèvres, il leur faut du large*, les deux parties, il est vrai, sont mises en évidence, *les chèvres* aussi bien que *du large*. Seulement elles ne le sont pas pour elles-mêmes, comme c'est le cas dans la mise en relief par *c'est ... que (qui);* elles le sont parce qu'on veut attirer l'attention sur le fait du rapprochement, souvent inattendu, des deux parties. La segmentation sert donc surtout à faire ressortir le rapport qui existe entre les deux parties mises en relief.

Intonation

Ce n'est pas seulement dans la structure que la phrase française manque de liberté. L'intonation aussi est plus ou moins régle-

[1] Voir en particulier sur cette construction l'excellent livre de Marie-Louise Müller-Hauser, La mise en relief d'une idée en français moderne; Romanica Helvetica vol. 21; Genève-Erlenbach 1943.

mentée. Dans l'intérieur de la phrase comme dans le groupe rythmique l'accent est d'une égalité parfaite. La force de la voix varie très peu d'un groupe rythmique à l'autre. Il y a bien un mouvement dans la phrase, mais il est presque tout entier musical. La phrase française ordinaire se compose d'une partie montante et d'une partie descendante. *Dans l'échange / de ces phrases brèves // il y avait autre chose / qu'un simple adieu.* Dans les deux parties, la hauteur de la voix monte à l'intérieur de chaque groupe, excepté dans le dernier groupe, où la voix tombe. La partie descendante commence plus bas que la partie montante. Les deux parties peuvent être de longueur inégale. Mais en principe elles sont toujours représentées. Ainsi par son intonation, la phrase française prend quelque chose d'antithétique, qui cadre bien avec sa structure mathématique et intellectuelle.

La lexicalisation

Cette égalité de rythme et de force – égalité relative, bien entendu – interdit à la langue française de faire ressortir un membre de la phrase par le moyen de l'accent. Dans la phrase allemande *Mein Freund hat mir gestern dieses Buch geschenkt* chacun des éléments peut attirer l'accent d'insistance sans changer de place pour cela. On peut lui donner sept intonations différentes. Le français ne connaît pas du tout ce moyen d'expression. Pour accentuer tel membre de la phrase il doit se servir d'une périphrase. La plus usitée c'est la locution *c'est ... que, qui.* Il faudra donc dire *c'est mon ami à moi qui ... c'est mon ami qui ..., c'est à moi que ..., c'est hier que ..., c'est ce livre-ci que ..., c'est ce livre que ..., c'est en cadeau que ...* Nous voyons que le français est forcé de trouver une expression par périphrase là où l'allemand se contente de son intonation. Le français exprime par le moyen du lexique ce que l'allemand exprime par l'intonation. Cette lexicalisation est un autre trait caractéristique du français, et a été remarquée assez souvent. Elle contribue à lui donner un aspect plus intellectuel qu'à d'autres langues.

La périphrase a donc pour but de détacher un élément de la phrase qu'elle fait ressortir et oppose à tout le reste. Elle donne ainsi à la phrase quelque chose d'antithétique. Qu'on se rappelle le grand rôle que joue l'antithèse dans la littérature française, aussi bien dans la prose que dans la poésie. Depuis la Renaissance jusqu'à nos jours toutes les écoles littéraires se sont servies abondamment de ce procédé. Cela ne serait pas possible si la langue ne possédait pas une disposition particulière pour ce moyen d'expression. L'antithèse est une des formes que revêt le besoin de la clarté, elle aime mieux sacrifier certaines nuances que laisser subsister des imprécisions.

Les moyens d'expression du moyen français apparaissent souvent comme un outil qui branle dans le manche ou un manteau beaucoup trop large qui flotte et qui cache les formes du corps qu'il revêt. Et pour deviner ces formes il faut mettre en action notre imagination. Le français moderne par contre a horreur de tout ce qui pourrait être ambigu. Forme et contenu ne font qu'un. On a trouvé un ex. de cette particularité dans la manière dont le moyen français construisait la phrase hypothétique. Le français moderne a gardé les deux formes *(si j'avais, si j'avais eu)*, mais il les a tirées de leur enchevêtrement sémantique.

On s'imagine peut-être au premier abord que cette évolution a appauvri la langue française. A tort. Le français a créé un grand nombre d'autres tours qui varient et nuancent l'expression hypothétique. Une énumération bien incomplète nous renseignera sur ce sujet:

1° L'impér.: 'Otez l'amour de la vie, vous en ôtez les plaisirs.'
2° L'optatif (subj.): 'Vienne un joli visage, et tout est oublié.'
3° La parataxe: 'Un homme entrerait, je le tuerais sans frissonner' (on laisse la voix un peu en suspens à la fin de la première proposition).
4° Le gérondif: 'Tu lui ferais tort en croyant cela.'
5° L'infinitif: 'A l'entendre parler on dirait qu'il sait tout.'

Revivification de formules en apparence pétrifiées

Malgré sa rigidité apparente le français sait donc varier l'expression. Il peut également tirer parti de formules toutes faites pour donner plus de force à la phrase. P. ex. la phrase *si tu viens, j'irai* est entièrement grammaticalisée, c'est-à-dire que la construction demande le prés. après *si* et le fut. dans la phrase principale, sans que pour cela la notion du fut. soit sentie dans toute sa valeur. Or il arrive quelquefois que l'on veuille insister sur le fait que la conséquence de l'action ne se laissera pas attendre un seul moment. Dans ce cas on met au présent le verbe de la phrase principale. *S'il sort, il est perdu.* Cette phrase n'est possible que parce que le français a gardé assez de souplesse pour faire sentir la valeur temporelle du fut. dans la phrase hypothétique. En disant *S'il sort, il est mort* le français tire le fut. *il sera* du sommeil où il était plongé dans la formule hypothétique. Il le vivifie.

Ce cas nous montre que le français a une grande facilité pour tirer le plus d'effet possible d'un nombre de moyens relativement restreint. Un cas bien frappant est celui de la transposition des verbes. Un même verbe peut être employé, sans plus, d'une manière transitive et d'une manière intransitive: *travailler, travailler le fer; mûrir, mûrir un projet; sortir, sortir un couteau, sortir les meubles.* En traduisant ces expressions en allemand nous voyons que l'allemand a besoin de divers procédés assez compliqués pour arriver au même résultat: préfixe *be(arbeiten)*, périphrase verbale avec *lassen*, choix d'un autre verbe ou même de deux.

Le français est d'une sobriété extrême dans la syntaxe et dans la morphologie, aussi bien que dans la formation des sons. Il lui arrive assez rarement de combiner deux moyens pour exprimer la même chose, comme c'est le cas en allemand ou en anglais.

Et quand cela lui arrive, il sait souvent en tirer profit pour produire une tournure particulièrement élégante. Prenons p. ex. la phrase *c'est un des plus grands hommes que je connaisse.* L'emploi du subj. après un superlatif exprime la subjectivité du jugement, mais il contribue en même temps à faire ressortir le superlatif, de sorte que celui-ci se trouve exprimé doublement: par *le plus* et par le subj. de la phrase subordonnée; ce subj., qui à son tour dépend du superlatif, rehausse le piédestal qu'élève à l'adj. la formule usuelle *le plus.* Le français s'autorise de ce double emploi pour supprimer quelquefois l'expression normale du superlatif. Il se permet de dire *c'est un des grands hommes que je connaisse.* Le charme et la beauté de la langue française consistent très souvent à savoir supprimer ce qui n'est pas indispensable.

LE VOCABULAIRE ET SON CARACTÈRE ABSTRAIT

Le vocabulaire français subit depuis des siècles l'influence du latin. Tant que la pensée philosophique et scientifique ne s'était servie que du latin, tant que les textes écrits en langue vulgaire n'avaient eu que des visées purement littéraires (chansons de geste, romans courtois, etc.), cette influence latine avait encore été relativement faible. Mais à mesure que le français devenait un instrument de la pensée abstraite, il lui fallait s'adresser à la langue savante par excellence pour compléter son vocabulaire. C'est pourquoi le français s'est rempli de termes latins, de mots sans rapport avec le vocabulaire indigène. Et ces termes abstraits ont pénétré ailleurs que dans le domaine des sciences, qui leur était d'abord réservé. Il en résulte une certaine incohérence du vocabulaire. Les rapports sémantiques entre les notions ne sont pas exprimés par des rapports entre les mots. Ainsi, au 16e s. encore, tout Français rattachait instinctivement le mot de *feintise* à *feindre;* aujourd'hui il faut faire un effort pour retrouver dans *fiction* le même radical que dans le verbe. Le couple si clair de *éteindre – éteignement* est remplacé par *éteindre – extinction.* A côté d'un subst. comme *frère* le français se sert de l'adj. *fraternel;* à côté du verbe *douter* il y a l'adj. *indubitable.* Autrefois *murison* portait en lui-même tout ce qu'il fallait pour être compris immédiatement: le radical était expliqué par l'adj. *mûr* et par le verbe *mûrir*, la terminaison le rangeait aussitôt dans la longue série des subst. verbaux comme *trahison.* Aujourd'hui, *maturité* n'a plus rien dans ses phonèmes qui permette une évocation spontanée de l'adj. *mûr* auquel il correspond. Comment veut-on qu'un Français saisisse la parenté entre *eau* et *aqueux?* Souvent le terme d'origine populaire et le terme d'origine savante restent séparés même si l'on remonte au latin. Ainsi *foie* est flanqué de l'adj. *hépatique. Aveugle* est encore accompagné de *aveuglement*, mais ce subst. n'a gardé que le sens figuré. Le sens propre lui a été enlevé par le terme médical *cécité.* De cet état de choses il résulte quelquefois des anomalies: *sourd* a comme subst. un mot emprunté du latin, *surdité.* Or, les linguistes ont donné à l'adj. *sourd* un sens particulier: il exprime l'absence de sonorité dans une consonne (*ch* opposé à *j*). Et quand ils ont cherché le subst. correspondant, *surdité* était déjà occupé sémantiquement. Il leur fallut donc créer un autre terme: ils disent *sourdité.* Ainsi le caractère savant du vocabulaire français a forcé les savants à recourir au vocabulaire populaire pour exprimer une notion scientifique nouvelle.

On voit quels obstacles les innombrables mots d'origine savante créent pour la compréhension spontanée des mots. Celui qui sait le latin retrouve les fils qui rattachent ces mots les uns aux autres; il est peut-être à même de reconstituer leur parenté. Mais un Français qui n'a pas appris le latin est hors d'état de comprendre les rapports entre les différents représentants d'une même famille de mots.

Ces faits donnent au vocabulaire français quelque chose d'incohérent, d'abstrait, d'arbitraire. Les notions abstraites y gagnent peut-être, parce que les termes qui les désignent ne réveillent pas, comme en ancien français, une quantité d'associations concrètes. La notion abstraite paraît donc dépouillée et dégagée de toute autre représentation concrète. Un mot comme *murison* avait quelque chose d'imagé, de pittoresque, grâce à ses rapports avec d'autres mots; *maturité* est un simple signe sans valeur expressive. Bien entendu ce phénomène se retrouve aussi dans d'autres langues. Mais il serait facile de démontrer qu'aucune ne le présente au même degré que le français. Par là encore le français prend un aspect intellectuel très marqué.

3. CARACTÈRE DE LA LANGUE FRANÇAISE

LE FRANÇAIS LANGUE STATIQUE

Verbe et Substantif

On a souvent appelé le français une langue statique, c'est-à-dire une langue qui permet de saisir et d'exprimer surtout ce qui demeure stable, ce qui dure. On l'oppose ainsi à l'allemand, langue dynamique par excellence, c'est-à-dire langue qui présente surtout l'évolution des choses et des événements. Il va sans dire que de pareilles comparaisons ont toujours une valeur très relative. Mais il serait impossible de nier que cette opposition ait une part de vérité.

La catégorie de mots qui marque surtout les transformations, le devenir, l'activité est le verbe. Or, le rôle du verbe est bien plus réduit en français qu'en allemand. D'abord le verbe français a souvent quelque chose de plus abstrait, de moins nuancé, de moins précis que le verbe allemand. On s'en apercevra facilement quand on se trouvera dans la nécessité de traduire un texte allemand. *Faire* correspond tantôt à *tun*, tantôt à *machen*, et rien ne permet d'exprimer les nuances si fines entre ces deux verbes allemands. Il faut dire *aller à cheval*, *aller en voiture*, *aller à pied* pour *reiten*, *fahren*, *gehen;* autrement dit la différence entre ces trois modes de locomotion est exprimée par des substantifs. Pour *stehen*, *sitzen*, *liegen* le français se sert du verbe incolore *être* avec un adj. ou un adv. *(debout*, *assis*, *couché)*. Du reste il n'en a pas toujours été ainsi. L'ancien français disait *ester*, *seoir*, *gesir*. Il serait facile de multiplier ces exemples pour opposer la richesse verbale de l'ancien français à la pauvreté du français moderne.

Cette tendance à exprimer les événements et les actions par des subst. plutôt que par des verbes, s'est particulièrement accentuée au courant du 19e s. Dans son livre 'Stylistique française', E. Legrand conseille de ne plus dire comme autrefois *Ils cédèrent parce qu'on leur promit formellement qu'ils ne seraient pas punis*. Il enseigne qu'il faut éviter les deux subordonnées et qu'il faut rédiger la phrase ainsi: *Ils cédèrent à une promesse formelle d'impunité*. Les deux phrases sont correctes, mais la deuxième lui paraît plus élégante. En tout cas, elle est plus moderne. Elle présente les actions comme des objets. Elle retire à l'expression tout mouvement, et elle le remplace par un élément de vision momentanée. On a souvent étudié cette transformation de la phrase moderne et l'on a constaté qu'elle devient particulièrement fréquente chez les naturalistes. Cela n'est pas pour nous étonner, car les naturalistes cherchent à donner une vision aussi nette que possible des objets. On peut puiser chez eux à pleines mains: 'Sur les deux trottoirs, c'était une hâte de pas, des bras ballants, une hâte sans fin. Il y eut une panique folle, un galop de bétail mitraillé, une fuite éperdue dans la boue' (Zola). Mais déjà Victor Hugo disait: 'Les larges aplanissements des flots dans le golfe avaient, çà et là, des soulèvements subits.'

Plus de clarté que de pénétration

Ainsi la phrase française saisit plutôt le dehors des choses, ce qu'elles présentent à la vue. Et, par là, elle correspond à l'esprit français. Voici comment Ch. Bally cherche à exprimer ce trait capital du français: 'Paul Claudel a dit que le Français se complaît dans l'évidence: mais l'évidence est une illumination qui éclaire les objets sans les pénétrer. Une idée claire peut ne pas être vraie: elle ne l'est même jamais complètement. Voltaire a dit de lui-même: Je suis pareil aux ruisseaux; je suis clair parce que je ne suis pas profond. – Par opposition à la clarté, la précision est une tendance à approfondir les choses, à les pénétrer et à s'y installer, au risque de s'y perdre. C'est bien, n'est-il pas vrai, l'impression que nous laisse une vue même superficielle de l'allemand ? ... S'il était permis de dépasser les limites d'une étude purement linguistique, on pourrait voir là le reflet de deux attitudes contraires de l'esprit: l'une, essentiellement intellectuelle et discursive, l'autre, plus intuitive et teintée d'affectivité.'

C'est donc là la rançon de l'incomparable clarté de la langue française. Elle est claire, mais elle pénètre peu, elle s'interdit d'arracher à la pénombre de l'intérieur des sensations qui ne correspondent pas à l'intellect humain.

Cette clarté empêche également la phrase française de se changer en musique. Sous ce rapport le témoignage de Rivarol mérite d'être cité en entier: 'La langue française a été moins propre à la musique et aux vers qu'aucune langue ancienne ou moderne: car ces deux arts vivent de sensations; la musique surtout, dont la propriété est de donner de la force à des paroles sans couleur et d'affaiblir les pensées fortes: preuve incontestable qu'elle est elle-même une langue à part, et qu'elle repousse tout ce qui veut partager les sensations avec elle. Qu'Orphée redise sans cesse: J'ai perdu mon Eurydice, la sensation grammaticale d'une phrase tant répétée sera bientôt nulle, et la sensation musicale ira toujours croissant. Et ce n'est point, comme on l'a dit, parce que les mots français ne sont pas sonores, que la musique les repousse; c'est parce qu'ils offrent l'ordre et la suite, quand le chant demande le désordre et l'abandon.'

Sous ce rapport la langue allemande est tout à l'opposé du français. Nous citons ici un passage d'un article de M.C. BURCKHARDT[1]: 'Notre langue allemande n'est pas une langue lapidaire. Issue de la musique, elle n'a pas cessé de lui appartenir, c'est une musique sans notes, une musique qui s'est déposée dans le concret et l'intelligible. Sa grandeur n'est pas de traduire la pensée en signes infaillibles, non, mais elle enveloppe l'âme de puissances obscures ou brillantes ... De secrètes résonances y prennent leur essor et s'envolent sans effort dans la région où les mots perdent leur sens. La langue allemande a au-dessus d'elle toute la musique allemande, comme un ciel sonore qui la borne à l'horizon. La langue française n'a pas de musique au-dessus d'elle. Elle a en elle une musique parcimonieuse, juste ce qu'il lui faut pour l'orner, sans jamais l'alourdir ni la voiler. Telle qu'elle est, elle embrasse tout ce qui constitue la vie française.'

LE FRANÇAIS MOYEN DE COMMUNICATION

Le français phénomène social

Nous avons vu que les exigences de la clarté empêchent quelquefois l'expression d'une partie du monde intérieur de l'homme. Comme moyen d'expression individuelle la langue française est peut-être inférieure à d'autres langues, en particulier à l'allemand. Mais la langue a une autre fonction: elle sert de lien entre les différents membres de la société; elle met en rapport les différents individus du même groupe linguistique. Envisagé de ce point de vue le français, grâce à sa clarté, est supérieur à toutes les autres langues. Ce n'est pas en vain que trois siècles y ont travaillé avec une ardeur incomparable. Depuis Malherbe le génie de la nation française a travaillé plus ou moins consciemment à en éliminer ce qui aurait pu rendre difficile le contact social par la langue. Ce long travail a fait de la langue française une langue de communication dont la plus haute ambition est de rendre possible et agréable la vie sociale. Aussi ne sommes-nous

[1] Traduit de l'allemand par CH. BALLY.

pas étonnés de voir que les linguistes français sont surtout enclins à étudier la langue comme phénomène social; le côté individuel leur paraît avoir moins d'importance. C'est leur langue à eux qui les pousse dans ce sens et qui leur inspire cette conception des phénomènes linguistiques. Cela encore s'explique en partie par l'histoire. La langue française a acquis sa forme littéraire actuelle par un travail collectif. Aucun des grands auteurs du 17e s. n'a eu une influence décisive sur sa formation; ils se soumettaient à l'usage établi par les discussions de salon. Par la suite beaucoup de grands écrivains ont enrichi la langue française et ont contribué à la transformer. Mais aucun d'eux n'a fait pour le français ce que Shakespeare a fait pour l'anglais, Dante pour l'italien. Dans ces deux langues les forces créatrices se sont incarnées dans un génie; en France elles se sont cristallisées dans toute une couche de la population.

La langue internationale par excellence

Le caractère social de la langue française, auquel il faut joindre sa grâce, son élégance, sa souplesse, la prédestinent à être la langue internationale par excellence. Toutes ces qualités ensemble lui donnent une force de propagande incomparable; elles lui donnent une aptitude particulière à pénétrer partout; elles aident puissamment à l'extension de la civilisation française. Rivarol a dit: 'Sûre, sociale, raisonnable, ce n'est plus la langue française, c'est la langue humaine.' Nous touchons ici à un suprême accord entre langue et civilisation; car pour un Français la civilisation française aussi a quelque chose de plus universellement humain que celle des autres peuples, et cette idée est partagée par bien des personnes cultivées d'autres nations. Si l'anglais l'emporte dans le monde des affaires, il ne le doit pas à ses qualités comme langue, mais simplement au principe de la majorité: aucune autre langue parlée par des Européens ne peut rivaliser avec lui quant à l'extension et au nombre des adhérents. La langue française, il est vrai, a pris son rang à un moment où aucune autre langue n'était prête à le lui contester; mais si elle a conservé son prestige, elle ne le doit pas à la situation politique et commerciale de la France, ni à cette tradition de trois siècles; elle le doit à elle-même.

Tandis que les nations de langue anglaise font des conquêtes territoriales pour l'anglais, le français fait des conquêtes morales pour la nation.

4. DIFFÉRENCIATION DU FRANÇAIS ACTUEL

Différences régionales

Les individus dont le français est l'idiome habituel sont d'origine, de provenance, de culture si différentes que leur langue commune ne peut pas cependant rester identique à elle-même. Ces divergences comportent un nombre infini de nuances que l'on classe sommairement de plusieurs manières.

Il y a d'abord les différences régionales. A Lyon, on n'entend plus parler patois. Pourtant tout Lyonnais se sert chaque jour du mot *gone* pour désigner un gamin. C'est qu'à la disparition des patois une partie du vocabulaire régional s'est conservée; des centaines de mots ont trouvé un nouvel abri dans le français régional. Ces formes locales de l'idiome national ont très souvent conservé les termes les plus savoureux des anciens dialectes. Elles se distinguent aussi du français de Paris par la prononciation (*r* roulé, accent traînant, voyelles nasales incomplètes dans le Midi), par un certain nombre de formes et l'emploi de ces formes (le passé défini qui est encore bien vivant dans le Midi). L'accent un peu chantant de certains Suisses romands et de beaucoup de Francs-Comtois parlant du reste un français très correct trahit le voisinage des dialectes alamans, de souche germanique. Ainsi les contours de l'ancienne division linguistique de la France ne sont pas tout à fait effacés; ils apparaissent encore faiblement estompés à travers l'épais rideau du français de Paris, qui s'est étendu par-dessus.

Différences sociales

Il y a ensuite les différences sociales. Les gens cultivés se surveillent en parlant. Leur idéal c'est la correction qui ne tombe pas dans un purisme exagéré, l'élégance sans affectation, le désir surtout de cacher l'effort. On accepte les innovations qui sont raisonnables et nécessaires. Les milieux cultivés sont les véritables dépositaires de la tradition, dont ils ne font pas du reste une idole. – Les couches inférieures de la population parlent avec plus de négligence, au moins dans la conversation ordinaire. Ici la tradition n'est pas maintenue soigneusement. La plupart des modifications que subit le français naissent dans le peuple, et ne montent que peu à peu d'un degré à l'autre de l'échelle sociale. Nous étudierons plus loin quelques-unes des tendances du langage populaire, qui s'identifie plus ou moins avec le français avancé, et dont beaucoup de particularités appartiendront sans doute au français de demain.

Au-dessous du langage populaire il y a enfin l'argot. Mais j'ai tort de dire au-dessous; il faudrait plutôt dire 'en marge'. Car si le langage populaire se différencie du français des gens cultivés par la prononciation et par les formes, par la syntaxe et par le vocabulaire, l'argot ne se montre productif que dans ce dernier domaine. C'est la langue des individus qui vivent sans occupation régulière et productive, en marge de la société, la langue des milieux louches. Dans ce milieu la formation de nouveaux mots prend des proportions gigantesques. La plupart de ces mots ne vivent que 'l'espace d'un matin'; mais pourtant l'argot est extrêmement riche en synonymes, au moins pour certaines notions. Dans son livre 'L'Argot du Milieu' le docteur Lacassagne, médecin en chef de l'Hôpital de Lyon, n'énumère pas moins de 41 mots en usage pour désigner la tête[1] dans l'argot de Lyon, 81 pour 'imbécile', etc. Les deux tiers de ceux-ci sont des créations des trente dernières années. L'argot montre donc une véritable hypertrophie lexicale. Il se nourrit de la sève qui circule dans la langue commune. Il ne peut vivre que grâce à elle. Il ressemble au gui dont les feuilles vert foncé semblent accuser une vie exubérante, mais qui se fane le jour même où l'on abat son hôte. Malgré ce qu'une pareille vie a de factice, l'argot ne reste pas sans influence sur la langue commune. Les individus parlant argot sont toujours en contact avec les autres classes de la société. Les demi-mondaines ne se défont pas du jour au lendemain des mots auxquels elles sont habituées. Les milieux mondains eux-mêmes aiment quelquefois à se parer de ces mots venus d'en-

[1] *Bobine*, *bouillotte*, *boussole*, *cafetière*, *carafe*, *citrouille*, *fiole*, *poire*, *pomme*, *saladier*, *théière*, *trombine*, etc.

bas. Par snobisme ils affectent d'être aussi émancipés que le milieu apache. Tel de ces mots d'argot a une force expressive particulière[1].

L'argot, nous l'avons vu, est en contact avec toutes les couches de la société. Ce n'est donc presque plus le langage d'une couche particulière, mais plutôt un jargon professionnel comme il en existe des centaines. Les individus qui appartiennent à la même profession se servent entre eux d'un vocabulaire spécial, qui reste presque inaccessible aux non initiés. Les sportifs de tout genre, les différents métiers, les élèves des écoles secondaires et supérieures, tous forment entre eux un petit groupe au jargon spécial. Ces groupes se recrutent dans plusieurs couches sociales: ainsi l'ingénieur parle la même langue de métier que l'ouvrier qui exécute ses travaux; l'infirmier devient le complice du médecin en parlant de *exitus letalis* au lieu de *mort*. Les parieurs qui assistent à une manifestation sportive se recrutent parmi toutes les classes de la société.

Ainsi les trois différenciations, par régions, par couches sociales, par groupes professionnels, se superposent, s'enchevêtrent de toutes les façons, ce qui donne à la vie du langage un aspect extrêmement varié et complexe.

Le français avancé[2]

Ces différentes nuances de français nous permettent de prévoir dans quelle direction marchera la langue. Les tendances d'évolution viennent tantôt d'en bas, tantôt d'en haut. Or, il est remarquable que le français populaire[3] semble être guidé par le même instinct qui préside à l'évolution de la langue depuis des siècles.

Ainsi nous avons constaté que le français moderne ne connaît plus que quelques restes d'une déclinaison à l'aide de désinences *(œuf, œil, cheval)*. Il a remplacé les désinences par des préfixaux.

[1] P. ex. *j'en ai marre* 'j'en ai assez'; tel autre éveille une image poétique qui s'insinue, comme *se balader* 'se promener', qui semble rappeler vaguement une ballade.

[2] Voir Richter, E., Studie über das neueste Französisch; Archiv für das Studium der neueren Sprachen und Literaturen, vol. 135 et 136, et surtout Frei, H., La Grammaire des Fautes; Paris, Geuthner, 1929.

[3] Bauche, H., Le langage populaire; 3e éd.; Paris 1951.

Or, le français populaire élimine même ces derniers restes *(œufs* et *bœufs* prononcés comme le sing., *les chevals; les œils* et *les nœils* à côté de *les yeux)*. Il est donc en train de tirer les dernières conséquences d'une évolution de plusieurs siècles.

Même chose pour les verbes. Les alternances vocaliques sont déjà devenues assez rares en français moderne. Le français populaire continue à les éliminer (d'après *décolletée* on dit *elle se décolte;* d'après *fureter il furte*, comp. *charte* pour *charrette* dans certaines provinces, d'après *charretier*). Les désinences ont été remplacées par les pronoms: *il chante*. Or, ce pronom manque en français quand le verbe est précédé d'un subst. On dit *mon frère chante*. En comparant ces formes au lt. *cantat* et *frater meus cantat* on voit aussitôt que *il* n'est pas encore parfaitement l'équivalent de la terminaison *-at*. *Il* peut manquer, *-at* est une partie inhérente de la forme verbale. Mais ici aussi le français populaire tire les dernières conséquences. Il dit *mon frère il chante*. Le pron. est donc tellement affaibli qu'il n'est plus possible de le séparer, de le détacher du verbe. Le peuple dit *les soldats ils sont malheureux; ma femme elle* (ou *il*!) *est venue*.

De même le sentiment de la valeur propre des verbes auxiliaires s'éteint. De plus en plus l'un d'eux évince l'autre: *être* fait place à *avoir*. Dans *il a chanté*, *a* n'a plus rien de sa valeur verbale. A l'origine on sentait encore une différence entre le verbe auxiliaire *avoir* et celui de la phrase *il est tombé*. On avait la vision de la position qui était le résultat de l'action. Maintenant cette nuance s'affaiblit; le français populaire dit *il a tombé*.

Par ailleurs un retour à une construction de la phrase plus synthétique semble se préparer. Cette tendance paraît venir des lettrés. On commence p. ex. à insérer les compléments circonstanciels entre deux substantifs qui dépendent l'un de l'autre. Romain Rolland écrit: 'A cette heure je pourrais être à Amiens, occupé à mettre en ronde des foutaises de considérants, avec, pour toute distraction, la vue de temps en temps, au travers des barreaux, de quelque vieille dévote s'en allant à l'église.' La construction régulière sujet – verbe – régime ne peut pas être entamée, mais on a l'impression que le français tend à profiter mieux que par le passé des quelques possibilités qui lui sont restées pour modérer ou agrémenter le type linéaire de sa phrase.

Il se forme ainsi un nouveau type de phrase mi-linéaire, mi-circulaire, une phrase qui essaie de donner une image de la complexité du monde. Sous la plume de certains auteurs[1] la phrase prend quelquefois des proportions gigantesques. Avant d'arriver au bout elle conduit le lecteur par de nombreux méandres; quelquefois elle le ramène même au point de départ.

5. EXTENSION DE LA LANGUE FRANÇAISE

En France

Depuis que la Révolution a fait du français un signe de ralliement, celui-ci n'a cessé de se répandre dans le pays au détriment des parlers locaux. Il a fait et il continue à faire des progrès grâce à l'école, à l'administration de l'Etat, à l'armée. Toutes ces institutions officielles se servent exclusivement de la langue nationale. Les rapports commerciaux et les communications ont donné une importance beaucoup plus grande au trafic à grande distance. Le commerce ne pouvait se servir que du français, les parlers régionaux cessant, dans un court rayon, d'être compréhensibles. Il en est résulté une rapide décadence des dialectes dans les villes et même dans certaines régions rurales, surtout autour de Paris.

Toutefois il y a encore bien des contrées où le patois se maintient. C'est le cas surtout pour le Midi. Les grandes villes comme Marseille ou Lyon ou Bordeaux ont abandonné leur idiome local, mais dans d'autres villes, comme Arles ou Carcassonne, on peut encore entendre parler l'occitan. Et il y a des départements entiers, comme la Lozère, où les habitants n'emploient guère entre eux d'autre langue que l'occitan. Il importe de remarquer toutefois que partout la population est bilingue: dans toutes les occasions officielles et avec des étrangers elle se sert de la langue nationale. L'idiome local devient ainsi une espèce de langue familière. C'est une étape intermédiaire avant la disparition. Ailleurs, comme à Toulouse, le parler local est abandonné aux couches inférieures de la population. De régionale la diffé-

[1] Voir surtout Spitzer, L., Zum Stil Marcel Prousts, dans Stilstudien (München 1928), vol. 2, p. 365–497.

renciation devient ainsi sociale. Cà et là le patois menace de devenir un argot local, incompréhensible même à la plupart des indigènes.

On aurait tort de se représenter les patois en général comme des idiomes appauvris. Là où ils sont encore la langue habituelle des ruraux, ils conservent toute la force d'un parler spontané et enraciné au sol. Le célèbre linguiste MAX MÜLLER a prétendu que l'ouvrier des champs en Angleterre se servait d'habitude de 300 mots seulement. Nous ne sommes pas à même de vérifier ce chiffre, et nous devons abandonner cette tâche aux anglicistes. Nous pouvons seulement dire que le vocabulaire individuel d'un paysan français est infiniment plus riche. La récolte de ceux qui ont soigneusement recueilli le patois d'un seul village dépasse d'ordinaire 5000 mots[1]. A. DURAFFOUR, qui a collectionné pendant de longues années le patois encore si vivant de Vaux (Ain), est arrivé au chiffre énorme de 12000. Il y a en effet des parties de la vie humaine pour lesquelles les patois ont à leur disposition des moyens d'expression plus nuancés, plus variés que la langue littéraire. Ce n'est pas seulement le cas pour tout ce qui concerne la vie rurale, les travaux champêtres, etc., mais encore et surtout pour la vie morale et affective. Ici les patois qui ont conservé leur vigueur sont d'une force créatrice vraiment exubérante[2].

Mais, quelle que puisse être la vitalité d'un patois gallo-roman, le français restera la seule langue écrite du pays. Le Midi a produit un grand poète au 19e s., FRÉDÉRIC MISTRAL. Mais MISTRAL n'a pas eu de successeur, et le mouvement du Félibrige qu'il a fondé n'est jamais allé au-delà d'un but purement littéraire.

La France est divisée aujourd'hui en deux parties par la limite qui sépare l'occitan et le français. Mais le sens de cette limite n'est plus le même qu'autrefois. Actuellement on parle français au nord comme au sud. Seulement au nord les patois régionaux, qui sont une langue seconde, sont beaucoup plus entamés par la

[1] Voir par exemple les excellentes publications de LHERMET, J., Contribution à la lexicologie du dialecte aurillacois, Paris, E. DROZ, 1932, et de QUEYRAT, L., Le patois de la région de Chavanat, Guéret, J. Lecante, 1930.

[2] Je donne comme ex. le fait qu'un paysan de Labouheyre (Landes) a à sa disposition neuf synonymes pour 'avare', tous avec une nuance ou une force expressive un peu différente.

langue nationale qu'au sud, où ils appartiennent à un type de langue très différent du français.

Les autres langues parlées en France

Bien que la langue française soit un des principaux instruments de l'unité nationale, la France comprend quelques régions de langue non gallo-romane: la Corse et la région de Menton (à peu près 400000 personnes) sont de langue italienne; la plus grande partie des Pyrénées-Orientales (à peu près 200000 personnes) parle le catalan. Les Basses-Pyrénées comprennent environ 100000 Basques. La plus grande partie de l'arrondissement de Dunkerque a conservé jusqu'à nos jours son parler flamand (environ 200000 personnes).

Les deux provinces les plus importantes de langue non française sont la Bretagne et l'Alsace-Lorraine. Le breton a perdu beaucoup de terrain depuis le moyen âge, et il ne cesse de reculer. Il est encore parlé à l'ouest d'une ligne qui va de Vannes à Paimpol. Mais à l'intérieur de cette zone bretonnante il y a une forte proportion de personnes qui ne comprennent pas le breton, surtout dans les grandes villes comme Brest. A la campagne même il se perd chaque jour davantage. Cependant l'Eglise maintient l'habitude du catéchisme et du sermon en breton. On évalue à un million le nombre des habitants parlant encore le breton. Mais beaucoup d'entre eux sont bilingues.

L'allemand qu'on parle en Alsace-Lorraine a une vitalité bien plus grande que le breton en Basse-Bretagne. La masse de la population rurale parle peu le français. La bourgeoisie des villes, il est vrai, avait en partie conservé l'habitude du français entre 1870 et 1918. Mais le caractère germanique de la région n'est pas entamé. L'Alsace est aussi la seule province française où de grands journaux paraissent en une langue autre que le français. C'est la seule province aussi où la langue indigène a sa place à l'école, au tribunal, etc. La frontière linguistique entre les deux langues partage le département de la Moselle en deux moitiés à peu près égales; après, elle suit la chaîne des Vosges, mais elle laisse au français un certain nombre de villages sur le versant oriental de cette chaîne. Le nombre des Alsaciens-Lorrains de langue allemande est à peu près de 1400000.

Les autres pays

En Belgique le français a joui longtemps d'une situation privilégiée, quoique n'étant pas la langue de la majorité de la population. Le flamand s'y trouve dans une situation inférieure parce qu'il n'est pas une grande langue et parce qu'une partie de la bourgeoisie des villes flamandes avait longtemps préféré le français. Aujourd'hui les deux langues ont les mêmes droits. Le pays est traversé par une ligne à peu près droite qui va de l'ouest à l'est. Sur huit millions d'habitants trois et demi sont de langue française. – Le français est aussi, avec l'allemand, la langue officielle du Luxembourg, quoique la frontière des langues laisse tout le grand-duché à l'allemand, à l'exception de quatre villages. Ici encore c'est grâce à la bourgeoisie que le français maintient sa position.

Grâce à la grande autonomie des cantons et des communes la Suisse échappe à peu près complètement à la lutte des langues qui sévit dans d'autres pays bilingues. La Confédération reconnaît quatre langues nationales: l'allemand, le français, l'italien et le romanche (rhétoroman). La frontière linguistique est très nette. Elle traverse trois cantons (Berne, Fribourg, Valais), qui ont donc deux langues officielles; elle laisse au français trois cantons entiers (Vaud, Neuchâtel, Genève). Mais la connaissance du français est très répandue dans la partie allemande et inversement, de sorte que l'absence d'unité linguistique n'est guère sentie comme un inconvénient. Sur un total d'environ cinq millions d'habitants, un peu plus d'un million ont le français pour langue maternelle.

Toutes les hautes vallées des affluents du Pô parlent un dialecte de type gallo-roman (franco-provençal ou provençal), p. ex. les vallées habitées par les Vaudois, qui, à l'époque de la Réforme, ont fait traduire la Bible par Olivetan (voir p. 146). Le Val d'Aoste, qui a toujours été orienté vers la Savoie plutôt que vers la plaine du Pô, a eu comme langues officielles le français et l'italien. Le gouvernement fasciste avait aboli cette prérogative de la vallée; mais, à la fin de la deuxième guerre mondiale elle lui a été rendue, avec une certaine autonomie.

Les Iles Normandes, qui sont séparées de la France depuis

1204, ont encore le français comme langue officielle, mais la moitié des 100000 habitants sont de langue anglaise.

Dans le grand ensemble de l'Union française le français est naturellement la langue officielle, mais le nombre des personnes qui le parlent habituellement ne dépasse guère un million. Le français est aussi la langue de l'administration du Congo. – Les Canadiens descendant des colons français du 18e s. continuent à parler la langue de leurs ancêtres. Elle y est très vivante et ne recule point devant l'anglais. En Louisiane la situation des quelques îlots de langue française qui s'y sont maintenus est précaire. La Louisiane et le Canada ensemble sont habités par plus de 2 millions de personnes de langue française. Dans les Antilles et à la Guyane environ 2 millions d'habitants sont de langue française.

Le bilan

Quand on déduit du nombre des habitants de la France les allogènes et les nombreux étrangers qui ne sont pas encore naturalisés (surtout Italiens, Espagnols, Polonais) et qu'on y ajoute les personnes de langue française habitant d'autres pays, on arrive à un total de 47 millions environ. C'est peu si l'on songe que l'anglais est parlé par 190 millions d'hommes, le russe (avec le petit-russe) par 180 millions, l'allemand par plus de 90 millions, l'espagnol par 90 millions. Ces chiffres tournent encore plus au désavantage du français quand on leur compare ceux d'il y a 140 ans. Vers 1800 ces cinq langues étaient parlées par un nombre à peu près égal de personnes, entre 25 et 30 millions chacune. Ce chiffre est aujourd'hui septuplé pour l'anglais comme pour le russe, triplé pour l'allemand ainsi que pour l'espagnol; le français n'a augmenté que de 50%

Par le nombre de ceux qui le parlent, le français tient donc un rang assez modeste parmi les langues de souche européenne. Mais nous avons déjà dit que le prestige d'une langue ne dépend pas seulement de son importance numérique. Ses qualités intrinsèques font du français une langue de communication de premier ordre; elles lui garantissent une place à part: l'élite intellectuelle de la plupart des pays européens et d'outre-mer a en dehors de sa langue une deuxième langue qui est le français. 'Alors que tout se démocratise, il demeure ce qu'il a été depuis l'époque classique: le véhicule d'une élite et d'une aristocratie' (Bally). Jamais le français n'a été étudié avec autant d'ardeur et par tant de personnes que de nos jours, surtout dans les pays de civilisation anglo-saxonne et dans l'Amérique du Sud. Si depuis la deuxième Grande Guerre la position du français s'est amoindrie sur le plan international, c'est dû surtout au fait que ses qualités ne sont pas senties par beaucoup de ceux qui dirigent aujourd'hui, à l'époque de la civilisation des machines, les grandes affaires politiques et autres. Ce que le français garde de sa place, il ne le doit pas au nombre de ceux qui le parlent, mais à sa finesse, à son élégance, à son caractère social.

Note [p. 20]

Mais il y a un mot qui trahit l'origine grecque de cette culture, c'est *vignoble*, lequel, à première vue, paraît tout latin. La forme la plus ancienne et qui vit encore dans certains parlers du Midi est *vigñobre*. Ce suffixe *-obre* trahit l'origine grecque du mot. Le grec avait l'expression *lóphoi ampelophóroi* «collines portant des vignes». Or, le *-ph-* grec, d'explosive aspirée qu'il a été d'abord, a passé à *-f-* vers 300 avant J.-Chr., longtemps avant l'arrivée des Romains. *-obre* ne peut pas remonter à *-oforos*, mais seulement à *-op(h)oros*. Le mot *ampelophoros* est donc entré dans la langue des Gaulois avant 300 et y est devenu **ampelóporos*. Quand l'influence du latin a introduit le mot *vinea* «vigne», celui-ci s'est substitué à *ampelo-*, tandis que la terminaison du mot, dont le sens n'était pas compris, est restée. Ainsi *vignoble* est à moitié grec, à moitié latin; il est né grâce au gaulois qui a servi ici d'intermédiaire entre les deux langues classiques.

INDEX

TABLE DES MATIÈRES